Joachim Fernau wurde am 11. September 1909 in Bromberg geboren, ging in Hirschberg (Riesengebirge) zur Schule und studierte nach dem Abitur in Berlin. Hier schrieb er als Journalist für Ullstein, bis er 1939 zur Wehrmacht eingezogen wurde. Seit 1952 lebt er als freier Schriftsteller in München und in der Toscana.

Fernau, der temperamentvolle Konservative, hat über zwanzig Bücher geschrieben – die meisten haben über 200 000, manche über eine Million Auflage. Es sind vor allem seine Werke zur Geschichte und Zeitgeschichte, die stets heftiges Für und Wider auslösen und für ebenso viel Jubel bei den Lesern wir für Ärgernis bei den Kritikern sorgen.

Fernau über sich: »Man nennt mich (richtiger: schimpft mich) konservativ. Das stimmt, wenn man darunter einen Mann versteht, dem das Bewahren des Vernünftigen und Guten im Geistigen ebenso wie im Alltäglichen wichtiger ist als das Ändern um des Änderns und das Verwerfen um des ›Fortschritts‹ willen und der nicht um jeden Preis ›in‹ sein will, wie man heute zu sagen pflegt. In allen Büchern habe ich mich bemüht, wahrhaftig und unabhängig im Denken zu sein…«

Joachim Fernau

»Deutschland, Deutschland über alles...«

Von Anfang bis Ende

GOLDMANN VERLAG

Ungekürzte Ausgabe

Zeichnungen: Günther Stephan

Made in Germany · 9. Auflage · 12/86
Genehmigte Taschenbuchausgabe
© 1972 by F. A. Herbig Verlagsbuchhandlung, München/Berlin
Umschlagentwurf: Atelier Adolf & Angelika Bachmann, München
Umschlagfoto: Manfred Schmatz, München
Druck: Elsnerdruck, Berlin
Verlagsnummer: 3681
MV · Herstellung: Peter Papenbrok/Voi
ISBN 3-442-03681-X

Deutschland
Meine Liebe
Mein Alptraum

Inhaltsangabe

»Euch ist bekannt, was wir bedürfen,
wir wollen stark Getränke schlürfen!«
(Goethe, Faust)

Im fünften Kapitel

tritt mit wehendem Zaubermantel, wie ein
Fanfarenstoß, Friedrich I. auf, jener Barbarossa, der im Kyffhäuser auf seine Wiederkehr
wartet. *Soll* er wiederkommen?

88

Das sechste Kapitel

beginnt wie ein Spiel aus »Tausendundeiner
Nacht«, mit einem Märchenkaiser, einem
Dschingis-Khan und hunderttausend Räu-
bern, und endet als deutsche Tragödie

98

Im siebten Kapitel

finden wir unseren Ur-Ur-Ur-Ur-Ur-Großvater ängstlich hinter den Butzenscheiben in
das herrenlose Land spähend. Während er
hinter den Stadtmauern ein kleiner Spießbürger wird, erobern die anderen die Erde

114

Im achten Kapitel

wird es nach allem Vorausgegangenen niemand überraschen, wer die Hauptrolle spielt:
ein Fremder, der sich die deutsche Kaiserkrone kauft. Der Mönch Luther entfesselt die
erste Revolution, und das Ende ist wieder eine
Tragödie

129

Im neunten Kapitel

hebt sich der Vorhang zum erstenmal über der
Neuzeit. Friedrich der Große tritt ins Ram-
penlicht der Weltgeschichte und wird
Deutschlands bester Heldendarsteller

144

Das zehnte Kapitel

bietet ein Volksstück, in dessen Mittelpunkt
die Verwandlung der drei Grazien »Freiheit,
Gleichheit und Brüderlichkeit« auf offener
Bühne in den Kaiser Napoleon steht

165

Im elften Kapitel

verwandelt sich mit Hilfe der fortschreitenden
Technik der Drehbühne das beliebte Volksstück in ein ebenso beliebtes Ausstattungsstück. Der Hauptdarsteller wurde beibehalten

178

Das zwölfte Kapitel

zeigt die Darsteller bereits in Gehrock und
Zylinder. Es spielt im Jahrhundert der Erfindungen. Ohne Trick und ohne doppelten Boden werden erfunden: die Volksvertretung,
der Sozialismus, die Barrikaden, die Eisenbahn, der Telegraph und das Deutschlandlied

200

Das dreizehnte Kapitel

bietet abermals, wie vor genau tausend Jahren,
das Schauspiel einer Reichsgründung, und wie
damals heißt der Hauptdarsteller Otto

217

Im vierzehnten Kapitel

stehen, wie in jedem Theater, die Kritiker in
der Pause vor dem letzten Akt beisammen und
zeigen, daß sie alles besser wissen

233

Im fünfzehnten Kapitel

beginnt, in Abänderung des ursprünglich vorgesehenen deutschen Festspiels, eine Tragödie von wahrhaft antiken Ausmaßen. Die schwerste Rolle haben diesmal die Statisten

239

Im sechzehnten Kapitel

spielt sich der letzte Akt der Geschichte ab. Die Stars steigen von der Bühne herab in den Zuschauerraum und spielen mitten unter uns weiter. Darunter leidet das Verständnis des Stückes sehr. Was wird gespielt? Ein Drama? Eine Tragikomödie? Wer weiß –

259

*versucht, unseren Ur-Ur-Ur-Ur-
Ur-Großvater ausfindig zu machen,
der irgendwo in den germanischen
Wäldern leben muß. Ferner macht es
Sie bekannt mit dem ersten »Eiser-
nen Vorhang«, mit dem Abzug der
Alliierten und mit dem Polterabend
der deutschen Geschichte*

Als Sextus Aetius, der Friseur und Manikeur des römischen Generalfeldmarschalls Marius, noch einen kleinen
abendlichen Spaziergang zur Rhone herunter machte und
um die Ecke bog, sah er im Gebüsch einen Mann, einen
riesenhaften Kerl mit nacktem, haarigem Oberkörper, ge-
schnürter Unterhose, auf dem Kopf den ausgehöhlten
Schädel eines Widders, in der linken Hand eine Keule, mit
der er hätte einen Ochsen totschlagen können, in der rech-

ten Hand einen Bratenschinken, von dem er mit den Zähnen große Fetzen abriß. In irrsinnigem Schrecken floh der Friseur, so schnell es seine tadellos geputzten Beinschienen und der enge Spitzenkragen erlaubten, in das befestigte römische Lager zurück.

Er hatte einen Teutonen gesehen!

Der Friseur wurde der Urheber des geflügelten Wortes vom »Furor teutonicus«.

Daß man den »Teutonischen Schrecken« überwinden kann, bewies Generalfeldmarschall Marius einige Monate später. Seine Legionen hatten sich an den furchterregenden Anblick der Germanen gewöhnt und schlugen sie auf ihrer Wanderung nach Rom vernichtend in der Ebene, wo zweitausend Jahre später ein gewisser Vincent van Gogh seine weltberühmten Bilder malte. Die Frauen und Kinder dieser Teutonen gaben sich selbst den Tod.

Logisch, daß mein und Ihr Ur-Ur-Ur-Ur-Ur-Großvater nicht dabei war. Da aber war er irgendwo in Germanien, und ich finde, es ist ein erregender Gedanke, daß unsere Geschlechter bereits existierten und sich tapfer, zäh und schlau durch die fürchterlichen Metzeleien von zwei Jahrtausenden hindurchretteten.

Ich muß sagen – Hut ab!

Die Sache mit dem Manikeur ereignete sich im Jahre 102 vor Christi Geburt. Ein anderer germanischer Stamm aus dem Norden, die Kimbern, befand sich ebenfalls mit Kind und Kegel auf der Wanderschaft und drang sogar bis in die Po-Ebene vor. In den römischen Villen saß man wie auf glühenden Kohlen und schwor sich, daß sich das nicht wiederholen sollte. Der Schwur hielt länger vor, als im allgemeinen Schwüre zu halten pflegen, nämlich 267 Jahre. Dafür sorgte vor allem Gajus Julius Caesar, der ganz Gallien (das heutige Frankreich) und einen Teil Germaniens unterwarf, das heißt die Gegenden von Rhein, Main, Baden, Schwaben und Bayern. Nach Caesars Tod versuchte der römische General Varus, auch noch den ewigen Unruheherd Norddeutschland auf jene Art zu »beruhigen«, wie das Generäle zu tun pflegen, aber er geriet an den Unrechten: Armin, ein Führer des germanischen Cheruskerstammes, schlug ihn in einer Regen- und Sturmschlacht im Teutoburger Wald so vollständig, daß nur wenige Römer über den Rhein entkamen.

Die Cherusker waren sehr stolz auf diesen Sieg, und die Deutschen von 1875 waren es auch, denn sie errichteten auf einem Gipfel des Teutoburger Waldes, und zwar, in Ermangelung genauerer Überlieferung, bei Detmold, eine 57 Meter hohe Hermann-Statue. Ob Arminius selbst damals ungetrübt froh über den Sieg gewesen ist, könnte man fast bezweifeln. Er haßte zwar die Römer und liebte die Freiheit, aber hassen und lieben kann jeder Schafskopf. Arminius war jedoch alles andere als ein Schafskopf. Seit jener Geschichte mit dem Friseur und Manikeur waren 110 Jahre vergangen. Arminius war ein »Edler«, das heißt, sein Vater besaß eine Klitsche und viel Land und Leute. Der kleine Armin war seinerzeit als Geisel nach Rom zwangsverschleppt worden, hatte dort Bildung erworben und kehrte als römischer Leutnant h. c. zurück. Ihm war zweifellos klar, daß mit der milden Hand der Römer auch ihre Kultur und Zivilisation gekommen wären.

Statt dessen kam nun der Eiserne Vorhang.

Vielleicht bildete sich Arminius ein, daß sein frischer Ruhm ausreichen würde, die noch selbständigen Volksstämme zu vereinigen und mit ihnen ganz Germanien zu befreien. Er hätte nicht ausgereicht. Die Weltgeschichte lehrt leider, daß zum Zusammenschweißen Feuer und Schwert nötig sind. Man kann es bedauern, aber man kann es nicht leugnen. Auch in den Vereinigten Staaten von Amerika, die später die Atlantik-Charta erfanden, war es 1861 so.

Aber die Frage, was sich Arminius gedacht hat, ist müßig. Er setzte voraus, daß er am Leben blieb. Das tat er jedoch keineswegs. Vielmehr machten die Cherusker mit ihm das, was seither die Deutschen immer wieder gern mit ihren Helden getan haben oder hätten: sie ermordeten ihn.

Nun war also Ruhe. Jene Ruhe etwa, die der Geschäftsmann meint, wenn er sagt: Es sind sehr ruhige Zeiten.

Ich möchte diese Ruhepause benutzen, um etwas klarzustellen: Das alles ist natürlich noch lange nicht »Deutsche Geschichte«. Es ist germanische Geschichte. Germanen und Deutsche sind jedoch durchaus nicht identisch. Die Norweger und Engländer sind zwar Germanen, aber niemand wird ihre Geschichte als deutsche Vorgeschichte erzählen. Andererseits ist auch der geographische Begriff »Deutschland« zu jener Zeit noch nicht zu ahnen. Das Reich Karls des Großen, einwandfrei eines Germanen, reichte von den Pyrenäen bis zur Elbe. Es wird aber doch wohl niemand einfallen, die Geschichte der Wenden, der Korsen oder der Bretagner als deutsche Geschichte zu bezeichnen, bloß weil diese Stämme einmal innerhalb germanischer Reiche lebten.

Nein – die deutsche Geschichte hatte noch nicht begonnen. Sie hätte damals auch beim besten Willen nicht beginnen können, denn über unser Land strömte erst noch die Völkerwanderung hinweg.

Ein ganz merkwürdiges Ereignis! Halbfriedliche Wanderungen begannen schon im zweiten Jahrhundert nach Christus, aber bald kam der ganze Osten jenseits der Elbe ins Rutschen. Völker bröckelten von dem riesigen ostgermanischen Block ab wie einzelne Lawinen von einem

Hang: die Markomannen, dann die Burgunder, dazwischen die mongolischen Hunnen, dann die Westgoten, dann die Vandalen, dann die Ostgoten, dann die Langobarden – – es schien kein Ende zu nehmen. Und alle zogen sie nach Südwesten. Über »Deutschland« hinweg in das Römische Reich hinein.

Warum? Ja, warum? Man hat sich lange den Kopf zerbrochen über den geheimnisvollen Grund.

Vergessen Sie alles, was Sie in der Schule gelernt haben! Jawohl, es stimmt, daß ein Teil der Goten vor den Hunnen ausrückte. Aber es trifft nur auf diesen Fall zu; die Friesen und Sachsen litten eine Zeitlang schrecklich unter den Landungen der Normannen und wanderten *nicht*. Es entspricht auch den Tatsachen, daß die Langobarden in Italien um Landzuteilung baten. Aber dort, wo sie herkamen, hatten sie genug gehabt. In der Gegend um Köln jedoch saß man bereits wie die Heringe aufeinander und wanderte *nicht*. Rom war Weltmacht, es besaß das größte Heer. Nicht der schwächste, sondern der stärkste Widerstand erwartete die Wandernden – dennoch zogen sie nach Italien.

Warum?

Der tiefste Beweggrund war ein simpler und leider wenig edler, wie meistens in der Welt. Das Land, in dem Milch und Honig fließen sollte und von dessen morschem Zustand die unverbrauchten Völker im Ostraum damals von Zeit zu Zeit zu hören begannen, dieses Land war Italien. Das Römische Reich.

Stellen Sie sich das alles ruhig primitiv und deutlich vor. Zu den Völkern an der Weichselmündung, den Goten, die recht hart und einfach lebten (mit Ausnahme ihrer wenigen Fürsten), kamen immer häufiger Leute und sagten: »Kinder, da unten ist ein dolles Land! Also so was habt ihr noch nicht gesehen. *Ihr* wohnt in schilfgedeckten Holzhütten, *die* wohnen in geheizten Marmorpalästen mit Bad und Wasserklosett. Und fressen tun die: ihr macht euch keine Vorstellung!«

Bald kam wieder einer, der brachte sogar Beweise mit, Geräte, Geld, Gewürze: »Italien, ja, das ist ein Land! Da scheint ewig die warme Sonne, und Schnee gibt es nicht. Und Frauen – Frauen gibt es dort! Fabelhafte, schwarzhaarige, leidenschaftliche. Und ihre Männer sind die reinsten Schlappschwänze und Trottel, die kann man glatt beiseite schieben. Einer allein in der Fremde ist natürlich immer schlecht, aber wenn man da in Gesellschaft hinunterginge!«

Dann kam einer, der brachte eine italienische Frau mit: »Na, was sagt ihr nun? Dort unten war sie ein einfaches Dienstmädchen bei einem Herrn Scipio Marcellinus und galt als arm. Aber seht euch mal an, was sie alles hat, Ohrringe und Armbänder und Salbtöpfe und Seifenöl und diese dollen Schuhe und Ringe und dann noch etwas Bargeld, und zwar Devisen! Römische Münzen. Dafür bekommt man alles. Und das nennen die da unten arm! Ich kann euch sagen, ihr macht euch keine Vorstellung von diesem Land! Dabei wissen die selbst nicht, wie gut sie es haben, ewig sind sie unzufrieden. Und eine Unordnung herrscht dort, Mensch, da müßten wir alle mal hin und ihnen den Hintern vollhauen, dann dableiben und den lieben Odin einen guten Mann sein lassen.«

»Ja, aber die Römischen Legionen, die Kohorten, die gepanzerte Macht des Weltreichs!« entgegneten die Vorsichtigeren und die führenden Goten. Die Weltreisenden lächelten: »Also, offen gestanden, wir haben nicht viel davon bemerkt. Das war einmal! Ja, Militär haben sie genug, aber die Offiziere sind die reinen Operettenhelden, und die Mannschaft ist eine ewig meuternde Herde von lauter Fremden. Die geht für nichts mehr in den Tod. Und leben können die, Odinssakra! Braten und Fische und Geflügel, Täubchen, Enten, Gänse, Milch, Eier, Pudding, Eisbomben, Kremtorte, Wein, Schnaps, Musik, Tanz, Mädchen und ewige Sonne. Und dazu diese Hammel von Männern!«

Nachdem sie das fünfzig Jahre lang gehört hatten, machte sich eine Horde auf und marschierte. Zunächst nur die Krieger. Nach Südwesten. Und tatsächlich, das Land wurde reich und schön. Zuerst allerdings hatten sie große Schwierigkeiten, aber als sie erst einmal aus dem germanischen Gebiet heraus waren und in das römisch besetzte kamen, ging es ganz leicht. Sie hauten in Castra Regina (Regensburg) und Vindobona (Wien) den römischen Legionären die Jacke voll und ließen sich häuslich in ihren Städten nieder. Die Kunde verbreitete sich blitzschnell. Immer größere Versuche wurden gestartet, bis sich sogar der oberste Fürst selbst entschloß. Also brach das ganze Volk auf. Und nun erst, mit dieser Dampfwalze, stieß man bis nach Italien vor. Das war ja noch tausendmal schöner als die Limesstädte. Sie stießen sich in die Rippen, als sie von den Alpen heruntersahen: »Mensch, das ist ja doll, hinein!«

Jetzt begannen die großen Menschenschübe ins gelobte Land. Das zweite Ausflugsziel wurde Spanien. Spanien war durch die römischen Schätze und den maurischen Handel ebenfalls reich geworden. Nun war die Völkerwanderung in vollem Gange. Die Spitzen erhielten noch besonderen Druck durch die Nachströmenden. Denn für die slawischen Pachulken aus dem russischen Gebiet waren die verlassenen Gotensiedlungen immer noch das reine Paradies gegen ihre eigenen karelischen Lehmbuden.

So kamen die Völker ins Rutschen. Der spätrömische Kaiser Konstantin, der aus einem völlig unerfindlichen Grunde »der Große« genannt wird, hatte das Abendland herzlich satt und siedelte mit seinem Titel nach Byzanz (Konstantinopel) um. Es war das Ende einer alten und der Anfang einer neuen Epoche.

An den Endstationen ihrer Wanderungen wurden die Fremdlinge im Laufe von einigen Generationen aufgesogen, oder sie verweichlichten und wurden in alle Winde zerstreut. Gotische Merkmale findet man heute noch in der Gegend um Toulouse in Südfrankreich, burgundische in Hochsavoyen und langobardische in Oberitalien. Die Po-Ebene heißt sogar noch Lombardei. Aber Sieger blieben zu guter Letzt die Daheimgebliebenen.

Die römischen Truppen waren abgezogen, die Hunnen nach Attilas Tode spurlos nach Asien verschwunden, die Kastelle zerstört, der Limes, der ehemalige Eiserne Vorhang, verfallen. Die Friesen, die Sachsen, die Thüringer, die Schwaben, die Bayern, die Franken, jene sechs großen germanischen Stämme zwischen Nordsee und Italien, Somme und Elbe, die »daheimgeblieben« waren, zogen wieder ruhig und im Einerlei der Tage ihren Pflug durch den Acker und hüteten ihre Schafe und Rinder. Die Zeit der »Besatzung« lag lange zurück; was sie von den Römern gelernt und gesehen hatten, das Leben und Treiben in den »Garnisonstädten«, die Steinbauten, die Warmluftheizung mit den Hohlziegeln unter dem Fußboden, die Bäder, der Geldhandel – es lag lange zurück, und man hatte alles wieder verschwitzt. Hütten und kleine Höfe, dazwischen ein paar mauergeschützte Abteien im Süden und Reste römischer Siedlungen, das war alles, was sich vom Norden bis zu den Alpen herunterzog. Es gab kein Reich, keinen Staat, keine Nation. Es gab Stämme, die vor sich hinlebten, und ein paar Wohlhabende, Reiche. Damals sagte man »Edle«. Zu jener Zeit war das noch dasselbe, heute hat sich das ein bißchen geändert.

Hinter dem Pflug döste es sich herrlich. Man dachte an vergangene Zeiten und an die Erzählungen der Väter. Und so kam es, daß die Völkerwanderung sich als eine Zeit verklärte, die fünf Jahrhunderten den Stoff für Sagen und Heldenlieder lieferte.

Aus weiter Ferne betrachtet, scheint es beinahe eine friedliche Zeit. Und es kommt einem der Gedanke, ob man nicht wünschen sollte, daß es so geblieben wäre. Gibt es eigentlich einen Grund, sich nach einem »Reich«, einer »Nation«, einer großen, starken Gemeinschaft zu sehnen? Warum soll der natürliche, etwas formlose Zustand, dieses friedliche Vorsichhinleben nicht möglich sein?

Genauso dachte man im 6. Jahrhundert von der Seine bis zur Elbe. Man hätte auch gar nicht anders denken können, denn die Begriffe »Reich« und »Nation« waren vergessen. Aber es kam anders. Es kam ein Ereignis, das dieses eine Mal nun ganz bestimmt und nachweislich nicht seinen Grund hat in Politik oder Wirtschaft, in Kapitalismus oder Sozialismus, in Rüstungsindustrie oder Generalität, in Klassen oder Demagogie. Es hat einen ganz schlichten, dafür aber um so unabänderlicheren Grund: Der Mensch ist leider nicht gut. Das Ereignis, das jetzt folgte, demonstrierte unseren Vorfahren zum erstenmal in riesenhaftem Ausmaß die Wahrheit, daß der Wolf die Schafe frißt.

Das Seltsame ist, daß die Menschen die Tragweite damals wie heute nicht merkten. Das Ereignis, dessen Bedeutung man gar nicht überschätzen kann, ging fast spurlos an ihnen vorüber, und erst 250 Jahre später, bei der genauen Wiederholung durch Karl den Großen, wachten sie auf und merkten, daß sie in einem »Reich« waren.

Der Mann, dem das Experiment 250 Jahre vor Karl dem Großen gelang, hieß Chlodowech. Ich sage das so formlos, einfach »Chlodowech«, dabei bedeutet sein Name einen Wendepunkt in der Geschichte.

Sie müssen sich Chlodowech als einen »Fürsten«, als einen der führenden Männer der Franken in der Gegend des heutigen Belgien vorstellen, Besitzer erheblicher Landstriche, Herr über viele Lehnsleute (Pächter) und viele unfreie Knechte mit ihren Familien, Gerichtsherr seines Gebietes und Heerführer im Falle kriegerischer Verwicklun-

gen. Er selbst in einem primitiven Gutshaus lebend, in dem die Kienspan-Rauchwolken noch durch schießscharten-ähnliche offene Fenster und Türen abzogen. Er war meistens unterwegs. Seinesgleichen, die sich übrigens auch

»Herzöge« oder »Könige« nannten, gab es in dem großen Stamm der Franken zwischen dem Ärmelkanal und dem Main mehrere.

Chlodowech war ein Schurke von Format. Er hatte bloß nicht so feine Betätigungsmöglichkeiten, wie er sie heute hätte. Nach den ersten, überraschend geglückten Frechheiten und Rechtsbrüchen entwickelte sich seine Unverfrorenheit derart, daß er alles wagte. Im Laufe von 30 Jahren, von 481 bis 511, wurde aus dem kleinen germanischen Stammesfürsten der Beherrscher ganz Galliens und halb Germaniens, sein Heer wuchs aus einer Schar Franken zu einer Lawine; auch die Besiegten folgten dem Sieger in den nächsten Kampf. Er schloß Verträge, wenn es nicht anders ging, und brach sie alle; befreundete Herzöge und Könige anderer Stämme beseitigte er beim geselligen Abendbrot, um sie zu beerben, und eine gepflegte Eigenart von ihm war, Völkerschaften ungebeten zu »befreien«. Zum Schluß huldigten ihm alle Stämme, von den besiegten Westgoten an den Pyrenäen bis zu den Hessen und Schwaben am Main und Lech.

Chlodowech heißt nicht »der Große«, die Geschichtsschreiber waren zu böse auf ihn. Man vergab diesen Titel an Karl, der 250 Jahre später das gleiche Reich aufrichtete. Heute ist man im Begriff, Chlodowech in Vergessenheit geraten zu lassen. Karl der Große soll der Mann von Format gewesen sein, der Mann, der sich darüber im klaren war, was er staatsmännisch tat. Zweifellos, er gründete das »Fränkische Reich« bewußt. Chlodowech aber soll ein Barbar gewesen sein, ein brutaler Raufbold, der nichts als seine persönlichen Triebe und Leidenschaften kannte, und die waren ganz sicher nicht edel. Ein Mann, der einen tieferen Sinn nicht sah.

Ich glaube das nicht. Ich glaube, daß wir dem Manne sehr

unrecht tun. Er war natürlich ein Schurke, ich sagte es schon. Aber Karl der Große ließ bei der »Bekehrung« und Unterwerfung der Sachsen an der Aller viertausendfünfhundert Mann wegen Widerspenstigkeit hinrichten. Das war auch nicht fein. Wir dürfen nicht vergessen, daß es Chlodowech und nicht Karl der Große war, der als erster das Experiment vollbrachte, fast alle Germanen zu etwas zu vereinen, was so etwas Ähnliches wie ein »Reich« war. Er war es, der überhaupt erst bewiesen hat, daß das möglich ist. Er war es, der die Idee in die Welt setzte. Wir können uns diesen Gedanken gar nicht entfernt genug für die damaligen Menschen vorstellen. Es gibt keinen Zweifel: ein Bann war gebrochen! Zu jenem Zeitpunkt konnte das *nur* ein Schurke fertigbringen – kein Arminius.

Ganz abwegig aber scheint mir die Auffassung, daß der spätere, der alte Chlodowech ein Dummkopf gewesen sei. Daß er vor der entscheidenden Schlacht gegen die Schwaben gelobte, sich taufen zu lassen, falls ihm der Christengott den Sieg schenke (er schenkte ihn), das soll angeblich Aberglaube und Einfältigkeit gewesen sein. Ich kann darin nichts als außerordentliche Durchtriebenheit sehen. Denn nach seinem Übertritt zum römisch-katholischen Glauben huldigte ihm die ganze Bretagne ohne einen Schwertstreich. Und der in Byzanz immer noch existierende Museums-Kaiser verlieh ihm, gleichsam als seinem Stellvertreter in Europa, den Titel »Konsul«.

Das stärkste Argument des alten Chlodowech aber ist: Er hinterließ seinen Söhnen, den Merowingern, ein Reich, das 250 Jahre hielt.

Er war ein Wolf.

Seine Nachkommen wurden Schafe und daher im Jahre 751 n. Chr. von ihren bisherigen »Ministerpräsidenten«, dem Geschlecht der Karolinger, gefressen. Es läßt sich nicht leugnen: mit Recht. Das ist der Lauf der Welt. Der Mann, der das letzte merowingische Schaf entthronte und in einer Anwandlung von Milde ins Kloster schickte, hieß Pippin. Es ist der berühmte Pippin »der Kurze«. Er hatte zwei Söhne, von denen der eine gottlob rechtzeitig starb. Der übrigblieb, war Carolus Magnus – Karl der Große. Sein Thron war also ererbt. Er bestieg ihn im Jahre 768. Die »deutsche« Geschichte war nun drauf und dran, bald zu beginnen.

Karl den Großen lieben alle.

In Paris sagte mir ein sonst so kluger Franzose, Karl der Große sei natürlich ein Franzose gewesen und habe französisch gesprochen. Er habe so geheißen, wie ihn das französische Volk heute noch nenne: Charlemagne. Ich erwiderte ihm, daß es Franzosen oder Deutsche damals noch nicht gegeben habe, daß es auch den ausgesprochen romanischen Charakter Frankreichs noch nicht gab, sondern germanische Bevölkerung bis weit nach Frankreich hineinreichte. Und daß Karl eben »Karl« geheißen und urkundlich nachweisbar die germanische Volkssprache, und zwar den fränkischen Dialekt, gesprochen habe. Diese Sprache nannte man thiotisk (von thiot – Volk) oder auch diutisk, woraus das Wort »deutsch« entstanden sei.

Hier explodierte der Franzose endgültig und nannte mich einen Chauvinisten. Ich bot ihm als Ersatz für Karl den Großen verschiedene andere Könige an, aber er wollte nicht. So sehr lieben alle jenen freundlichen, imposanten und untersetzten Herrn, der vor 1200 Jahren lebte und die erste historische Gestalt der germanisch-gallischen Geschichte ist, die sich aus dem grauen Nebel der Vorzeit heraushebt und einen deutlichen Umriß, ein immer klareres Bild zu gewinnen beginnt.

Man muß ihn in Gedanken in Aachen (damals Königshof,

Kirche, Bischofssitz und Rittersiedlung, zum Teil schon recht imposant mit italienischen Mosaiken, Brokaten und Möbeln) oder in Ingelheim (bei Bingen) oder in Nymwegen (im heutigen Holland) suchen. Er war gern auf seinen Kaiserpfalzen, aber leider fehlte ihm, wie nach ihm noch vierhundert Jahre lang allen Kaisern, die Zeit. Er verbrachte sein halbes Leben im Sattel. Sogar als er den letzten germanischen Stamm, die heidnischen Sachsen unter dem Westfalenherzog Widukind, unterworfen, bekehrt und seiner Regierung unterstellt hatte, mußte er weiterreiten, ständig die Abgaben in Naturalien und Materialien einkassieren (Geldverkehr gab es noch nicht), Abteien und Klöster in der germanischen und gallischen Wildnis gründen, Gerichtstage und Konferenzen abhalten, Klosterschulen besichtigen, auf denen die Söhne der Edlen und angesehenen Freien unterrichtet wurden, Grundsteine zu den ersten Kirchen legen, Bibliotheken mit der Sammlung alter germanischer Heldenlieder bei den gelehrten Mönchen in Auftrag geben und gelegentlich seinen Freund, den Papst in Rom besuchen. Er muß dauernd im Sattel gewesen sein. Im Zelt im Odenwald oder an der Nordsee oder am Gardasee lernte er noch als älterer Mann – schreiben. Lesen konnte er schon. Das war sehr fortschrittlich und tapfer von ihm, denn damals lachte man über einen Mann, der sich mit solchen Kinkerlitzchen abgab, und nannte ihn ein Waschweib. Der Papst in Rom (an Kultur natürlich weit über ihm stehend, durch und durch ein kluger, gebildeter Geistlicher) hat den großen Mann aus dem Norden sehr gern gehabt.

Er hatte allen Grund. Das Christentum war noch nicht fest eingewurzelt, der Papst selbst zwar schon seit mehreren Generationen als Oberster aller Bischöfe anerkannt, aber er saß in dem unruhigen Italien ziemlich auf dem Pulverfaß. So konnte es vorkommen, daß eine feindliche Adligengruppe den Papst bei einer Prozession überfiel und mißhandelte. In seiner Angst und keinen Ausweg mehr wissend, schwang sich Papst Leo III. auf ein Roß und galoppierte mit wehender Soutane von Kloster zu Kloster nordwärts, überall fragend, wo sich Karl der Große aufhalte. Er traf ihn in der kleinen Bischofssiedlung, aus der jene Stadt entstanden ist, die heute Paderborn heißt. Karl nahm den Papst sozusagen bei der Hand und ritt mit ihm (und einem erstaunlich kleinen Gefolge) nach Rom zurück. Dort hielt er mit der größten Selbstverständlichkeit Gericht und setzte den Papst wieder in sein Amt ein.

Das war kurz vor Weihnachten. Am Heiligabend ging er in die Kirche. Und da passierte etwas, was für die nächsten Jahrhunderte schicksalhaft für die deutsche Geschichte werden sollte: Der Papst setzte dem knienden König Karl eine Kaiserkrone auf, die er werweißwoher genommen hatte, und nannte ihn »Römischer Kaiser«.

Da sich Karl unter einem zweiten Römischen Kaiser nichts vorstellen konnte, war er reichlich verwirrt und beeilte sich, den Papst, der sich sogar auf ein Knie herabgelassen hatte, brüderlich aufzuheben.

Was sich der kluge Papst dabei gedacht hatte, ging Karl dem Großen zweifellos auf, als er gemächlich heimritt. Allen klugen Leuten ging es auf, auch dem immer noch existierenden Museums-Kaiser in Byzanz, dem ursprünglichen »Römischen Kaiser«: Mit einer Überraschungstat des Papstes hatte Norditalien einen neuen Herrn bekommen. Das in der Vorstellung aller damaligen Italiener noch herumspukende Erbe der altrömischen Kaiser war auf den Germanen Karl übergewechselt. Die Vorstellung spielte damals noch eine große Rolle, der Glanz Karls wuchs daher schlagartig ins Sagenhafte.

Rom, Ravenna, Florenz, Pavia – all die herrlichen Städte (Städte – welch ein Anblick für einen Germanen!) standen Karl offen, dennoch ritt er heim. »Heim« war für ihn Germanien.

Ein großer Mann.

Er starb 814 in Aachen. Wir kennen sein Grab. Es liegt in einer Gruft des Marienmünsters.

Wäre sein Reich von Bestand gewesen, so würden wir heute ruhig und vermutlich in Frieden in den »Vereinigten Staaten von Europa« leben. Die Weltgeschichte wäre anders verlaufen. Alle Voraussetzungen dafür waren vorhanden. Karls Reich bestand zu achtzig Prozent aus germanischer Bevölkerung, nur in wenigen Landstrichen vom alten Römertum romanisch durchsetzt oder mit den keltischen Ureinwohnern vermischt. Es hatte herrliche natürliche Grenzen, die Pyrenäen, die Meere und die Elbe; es war überzogen von einem Netz von »Beamten«, Karls Erfindung; es war so stark, daß sich die Mauren, die Normannen und die Slawen nicht mehr herantrauten. Es war wie geschaffen für die Ewigkeit. Und vermutlich werden damals auch alle dieser Meinung gewesen sein. Dennoch kam es anders.

Es hing an einer Kleinigkeit.

Karl hatte drei Söhne. Die beiden älteren, klugen und energischen starben; der transusige Ludwig, ein bedauernswerter Optimist, Güteapostel und Weltverbrüderungsgläubiger, den die dankbare Kirche Ludwig »den Frommen« nannte, blieb übrig. So bedauerlich der frühzeitige Tod der beiden begabten Brüder ist – es schien, als ob das Schicksal mit Gewalt noch einmal etwas verhindern wollte, was dann bei Ludwigs Tode (ja sogar bei seinen Lebzeiten schon!) aus reiner Gefühlsduselei, aus mißverstandenem Gerechtigkeitssinn und aus Kindesliebe ein-

trat: die Teilung des Reiches! 817, auf einem Reichstag in
Aachen, verteilte der fromme Ludwig sein Reich quasi
schon im voraus unter seine Söhne Lothar (der bereits zu
Lebzeiten des Vaters Mitregent wurde und die Kaiserkrone trug), Pippin und Ludwig, den die Geschichte später »den Deutschen« nannte. Unseligerweise gebar die
zweite Frau des frommen Herrschers ebenfalls noch ein
Kind, wieder einen Sohn: Karl. Das Nesthäkchen mußte
jetzt natürlich gleichfalls bedacht werden, und so wurde
nach sicherlich sehr possierlicher, ernster Befragung des
Vatergewissens sinnlos auf der Landkarte herumgeschnit-
ten. Postwendend erhoben sich die Brüder gegeneinander
und gegen den Vater, warben Heere, lieferten sich
Schlachten und benahmen sich, als sei der Alte schon nicht
mehr da. Lothar erwischte ihn sogar einmal und zwang ihn
in Soissons zu einer öffentlichen »Buße«, um ihn unmöglich zu machen. Ludwig der Deutsche veranlaßte seinen
Bruder, den Vater wieder einzusetzen. Dann starb überraschend der zweitälteste Sohn Pippin. Völlig unbelehrbar
schlug der Alte dessen Erbe auch noch dem Nesthäkchen
Karl zu. Danach erkrankte Vater Ludwig plötzlich (in Ingelheim) und starb. Er war noch nicht unter der Erde, da
ging der Krach los. In alten Dokumenten kann man lesen,
daß der älteste Sohn, Lothar, immer wieder betonte, er
kämpfe für die Einheit und Ungeteiltheit des Reiches.
Ludwig (der Deutsche) und Karl zeigten dafür keinerlei
Verständnis, sondern verlangten die Teilung. Es ist heute
sehr schwer, über den Charakter dieser drei Karolinger-
Söhne zu urteilen. Es war für Lothar natürlich leicht, von
Einheit zu schwätzen, weil er die Kaiserkrone tragen sollte
und nichts verloren hätte. Nach drei Jahren einigten sie
sich endlich. Man nahm eine Karte her und ein Lineal und
zersäbelte das Reich von oben nach unten in drei Teile.

Ganz links den Fetzen (das westliche Frankreich) bekam Karl (»der Kahle«), das Mittelstück mit Norditalien erhielt mitsamt der Kaiserwürde Lothar, rechts den Rest (Deutschland) nahm sich Ludwig der Deutsche.

Die deutsche Geschichte hätte nun beginnen können. Aber sie begann noch nicht. Das Schicksal wiederholte noch einmal, zum letztenmal den Versuch, den es bei dem Tode Karls des Großen unternommen hatte: Es ließ von den drei Söhnen, die Ludwig den Deutschen beerbten, zwei sterben.

Leider waren es die falschen. Ein phlegmatischer Einfaltspinsel blieb übrig: Karl der Dicke. Das Schicksal ließ nichts unversucht, das wunderbare europäische Reich zu retten, es ließ die anderen Linien aussterben und alles den dicken Karl erben. 884 war es tatsächlich so weit: Das Reich Karls des Großen war wieder in einer Hand.

Aber in was für einer! Karl der Dicke war so völlig unfähig und feige, daß man ihn in allen drei Teilen des Reiches in aller Ruhe absetzte. Der Dicke war krank, wahrscheinlich drüsenkrank, er starb auch schon ein Jahr darauf, aber eines hätte er tun können: die Einheit des Reiches sichern. Er verpaßte auch diese letzte Chance. Er erfüllte auch diese letzte Pflicht nicht. Die drei Teile trennten sich wieder und wählten eigene Könige.

Im Jahre 911 erlosch das Geschlecht der Karolinger im ostfränkischen Reich, dem Lande Ludwigs des Deutschen, das damals noch bis Gent, Cambrai, St. Gotthard, Triest, Wien, zur Elbe und Nordsee reichte.

Man kann es nachfühlen, daß das für die Großen des Landes ein merkwürdiges Gefühl war, fast ein Gefühl der Verlassenheit. Der letzte Zusammenhang mit den anderen Teilen war dahin, der letzte Halt war nicht mehr da. Es war der Augenblick, wo sie fühlten, daß sie ganz auf sich selbst gestellt waren. Auf den Gedanken, sich dem Pariser Karolinger zu unterstellen, kamen sie bezeichnenderweise nicht. Der Schnitt war schon zu alt. Sie mußten nun irgend etwas unternehmen, sie mußten sich umtun nach einem unter ihnen selbst, der die Krone tragen sollte. Sendboten ritten durch das Land und riefen alle bedeutenden Edlen, von Herzogsgeschlechtern bis zu Rittergutsbesitzern, auf, zur Wahl eines Königs nach Forchheim zu kommen.

Dort in der Kaiserpfalz bei Bamberg kamen sie zusammen und wählten den Frankenherzog Konrad zum König.

In diesem Augenblick hatte die »deutsche« Geschichte begonnen. Endlich.

Doch jener Konrad von Franken war nur ein Vorspiel, ein Atemholen der Geschichte: Er lebte nicht lange. Aber er vollbrachte, ehe er starb, noch seine größte Tat: Er bat seinen Bruder, die Königskrone seinem erbitterten Gegner, dem Sachsenherzog Heinrich, zu bringen, ihn schön zu

grüßen und ihm zu gestehen, daß nun der Bessere, der Fähigere die Krone tragen werde. Dann lächelte er, denn er hatte das Empfinden, daß alles in besten Händen sei, und schloß die Augen. Nach dieser Ouvertüre hebt sich der Vorhang zu der Tragödie »Deutschland«.

Auf der Bühne sieht man, wenn man dem populären Gedicht Glauben schenken darf, Herrn Heinrich am Vogelherd sitzen, recht froh und wohlgemut. Aus tausend Perlen blinkt und blitzt der Morgenröte Glut. Dann sprengt ein Trupp Reiter heran, es sind die Herzöge der Stämme, sie schwenken die Hüte und rufen: »Heil, König Heinrich!« Mit Tränen der Rührung in den Augen stülpen sie ihm die Krone auf.

Ach, meine Lieben! So war es leider ganz und gar nicht. Im Gegenteil. Nichts von Vogelherd, nichts von einer Schar Herzöge, nichts von Heil.

Die deutsche Geschichte begann mit einem Seufzer.

Der, der seufzte, war Heinrich von Sachsen.

Aber es nützte ja alles nichts. Er nahm in Fritzlar die Krone, die ihm lediglich *zwei* Stämme (!) antrugen, setzte sie sich auf den Kopf und krempelte die Hemdsärmel hoch. Er war bereit, anzufangen.

Wenn Sie bis hierher gelesen haben, so atmen Sie vermutlich erleichtert auf, und ein Gefühl wohliger Zufriedenheit ergreift Sie, ein Gefühl, als seien Sie endlich in Ihren vier Wänden, endlich irgendwie »zu Hause« und unter Dach und Fach.

Ich hoffe, daß Sie dankbar sind. Und daß Sie daraus lernen. Für die Gegenwart, meine ich.

Die Menschen damals haben jedoch (mit wenigen Ausnahmen) von der Größe dieses Augenblicks nicht das geringste gespürt und waren alles andere als zufrieden.

Jedesmal, wenn sich alte Formen auflösen, ehe man bessere neue hat, verfällt vieles, was wertvoll war. Die Zeitgenossen nennen es natürlich in der Regel nicht »verfallen«, sie halten es meistens für »Fortschritt«. So wird man auch damals im Gegenteil stolz gewesen sein, daß das große Reich flöten gegangen und daß man jetzt »sein eigener Herr« war. Auch daß die Macht des Königs in den Wirren fast völlig geschwunden war, werden die Stammes-Herzöge als »modern« propagiert haben.

Ein Empfinden dafür, daß man nun in einem neuen, einem »deutschen« Reich war, hat die Masse nicht gehabt. Selbst Heinrich I. wäre in Verlegenheit gekommen, wenn man ihn nach dem Namen seines Reiches gefragt hätte. Das Wort »deutsch« war noch unbekannt. »Diutisk« bedeutet nichts als »volkstümlich«. Man drückte sich in allen Schriftstücken um einen Namen, es gab keinen. Die gelehrten Mönche schrieben einfach »Regnum Francorum«, »Reich der Franken«. Genauso schrieb man aber drüben, jenseits der Westgrenze.

Der Name war bestimmt Heinrichs allerletzte Sorge. Heute wäre es umgekehrt. Er hatte andere.

Es beginnt nun der glanzvollste Teil der alten deutschen Geschichte. Er währte 300 Jahre. Alle, die etwas von Geschichte verstehen und Geschichte lieben, zehren heute noch von jener Zeit. Sie war die »große«.

Ja, es ist wahr, sie war groß. Aber die wenigsten sehen, daß von dieser »großen« Zeit außer den Erinnerungen keine staatspolitischen Auswirkungen, nichts, aber auch nicht das geringste auf unsere heutige Zeit überkommen ist. Die 300 Jahre, die damals mit Heinrich I. begannen, waren die schönsten – und vergeblichsten. Die sinnvollsten (damals) und die sinnlosesten (heute). Sie sind die *allertotesten*. Und die allergefährlichsten für unsere Träume.

Das zweite Kapitel

ist das Schauspiel einer Weltreich-
gründung, geschrieben um einen
einzigen Mann: Otto den Großen,
eine der bezauberndsten Gestalten
des Großen Welttheaters

Von einem Tag auf den anderen erlebte Heinrich das Schicksal, das bis heute noch alle erleiden, die jahrelang mit ihrem »Nein« den anderen das Leben sauer gemacht haben und nun selbst regieren und sagen sollen, was sie eigentlich unter »Ja« verstehen. Über Nacht wechselte Heinrich seine Anschauungen.

Bisher war er Wortführer der »Opposition« und Führer der stärksten »Fraktion« gewesen. Nun war er König – genau das, was er bisher bei Konrad mit dem äußersten Mißtrauen betrachtet hatte. Es läßt sich nicht leugnen: der große Mann war vorher klein gewesen. Nun aber durften Ressentiment, Neid, Mißgunst und Egoismus ruhen; Heinrich sah ganz klar, in welcher Zeit er lebte und was er schicksalhaft zu tun hatte. Er nahm die Landkarte von Sachsen von der Wand und nagelte die größere Karte des ostfränkischen Reiches an. Dann begab er sich auf die Reise.

Er hätte es natürlich auch bleiben lassen können, vielleicht um der Vater des deutschen Pazifismus zu werden. Was wäre dann geschehen? Man kann es in hundert Seiten sagen, aber auch in einem Satz: Ich gestehe, ich würde heute nur ungern mit mongolischen Schlitzaugen herumlaufen. Denn unabhängig von allen frommen Wünschen Heinrichs lauerten im Osten die unendlichen Horden aus Asien, und im Südosten rafften sich die Ungarn mordend und plündernd zum letzten, entscheidenden Schlag auf. Es lag nicht an Heinrich, es lag an der Zeit und der allgemeinen Entwicklung der Menschen: Unsere Welt wurde damals neu verteilt. Alles drängte zur festen Form. Alle hundert Jahre wird eine Bockrunde im großen Skat des Völkerlebens gespielt. Es wird doppelt angeschrieben.

Zwei Jahre ritt der König herum. Von einem Stamm zum anderen. Mit freundlichem, überraschend freundlichem Lächeln. Allerdings auch mit einem kleinen Heer im Gefolge. Wir dürfen uns vorstellen, daß es bei Herzog Burkhard in Schwaben und dem bayrischen Herzog Arnulf in Regensburg um das Kaminfeuer herum sehr lange Debatten gegeben hat. Die Herren hatten absolut nicht das Gefühl, in einem »Reich« zu leben. Ausgeprägt war lediglich das Stammesgefühl, bei den einfachen Untertanen das Gefühl für den Stammesführer, den erblichen Herzog. Wenn die Bauern aus den Fensterhöhlen (es gab immer noch kein Glas, obwohl die alten Phönizier es schon seit 1000 Jahren kannten) herausschauten und die Herolde und Quartiermacher ihnen sagten, daß dort der König Heinrich vorüberziehe, so hatten sie etwa das Interesse, das wir heute haben, wenn einer unserer 150 Minister vorübergeht.

Summa summarum muß man gestehen, daß Heinrichs Reise fast ein Mißerfolg war. Er erreichte zwar allgemein seine Anerkennung als König, nur mit der kleinen Einschränkung, daß er nichts zu sagen hatte. Die Herzöge blieben absolute Herren ihres Landes. Unter solchen Bedingungen huldigte ihm auch Lothringen, das damals fast bis Arras und Reims reichte.

Die Zeit, die Jahre sorgten dafür, daß sich wenigstens das Bewußtsein des Königreichs einbürgerte. Das tun die Jahre durchaus nicht immer. Bei Konrad hatten sie es nicht getan.

Mit einem Lächeln ließen die Herzöge Heinrich weiterziehen. Er hatte es eilig, denn die Ungarn waren wieder einmal plündernd in Thüringen eingefallen. Jahr für Jahr kamen sie über Böhmen, immer ein Stückchen weiter, Attilas Traum im Kopf. Sie waren beritten, sie kamen wie ein Sturm über die germanischen Siedlungen, wie eine Geißel, mordeten und plünderten und verschwanden wieder. In Gewaltritten eilte der König seinem kleinen Heerhaufen voraus, hinter ihm her lächelten die Burkhards und Arnulfs und wie sie alle hießen, ihr schönstes deutsches Schadenlächeln, ihm entgegen kamen mit jedem Kilometer neue Schreckensnachrichten.

In diesem Jahre hatte Heinrich Glück: Er stieß in die Nachhut der abziehenden Ungarn und fing einen ihrer angesehensten Führer.

Die Ungarn boten ein riesiges Lösegeld.

Da machte Heinrich einen seltsamen Gegenvorschlag: Gegen einen Waffenstillstand von neun Jahren wollte er den Gefangenen freilassen und selbst sogar noch alljährlich einen Tribut zahlen. Der Vertrag wurde abgeschlossen. Alle Welt, die davon hörte, schüttelte den Kopf.

Es war die Geburtsstunde der Hohen Schule der Diplomatie. Zum erstenmal in der deutschen Geschichte exerzierte sie ein König seinem Volk vor.

Wenn Sie hier nun scharfsinnig überlegen, dann dürfen Sie nicht auf so etwas Primitives verfallen wie: Heinrich benutzte die Zeit, um ein Heer zu sammeln. Die klugen Köpfe der damaligen Zeit waren keineswegs dümmer als die klugen Köpfe heute. Sie kannten die Möglichkeiten und Unmöglichkeiten jener Zeit sogar viel besser als wir. Es gab noch keine »Ritter«, es gab noch keine Möglichkeiten, ein stehendes Heer zu halten, es gab keine Möglichkeiten, Ort und Zeit neuer Überfälle zu bestimmen, es gab keine Möglichkeiten für den kleinen ostfränkischen König, nach Ungarn zu ziehen. Die Welt schüttelte also verständlicherweise den Kopf.

Etwa ein Jahr lang. Dann war alles klar.

Was Heinrich sich ausgedacht hatte, ist ein Glanzstück der alten deutschen Geschichte: Er erfand die Burgen.

Die zinnengekrönten Mauern, das Symbol des Mittelalters, entstanden um die Königspfalzen, um Berghöfe von Adligen, um Abteien und um kleine Siedlungen, die das »Marktrecht« besaßen. Sie zogen sich über das ganze Land, zunächst nur im Grenzgebiet, später auch im Westen. Die Städte aus der Römerzeit waren seit langem untergegangen – in diesem Augenblick wurden sie zum zweitenmal geboren. Aus königlichen Pfalzen und Burgen entstanden Erfurt, Meißen, Merseburg, Frankfurt, Ulm, Goslar, Aachen. Aus Abteien und Klöstern wuchsen Augsburg, Passau, Straßburg, Trier, Worms, Köln, Mainz, Speyer.

Aber wir müssen diese späteren Bilder vor unseren Augen wieder wegwischen. Was Heinrich in neun Jahren baute, waren nur kleine Burgen und ummauerte bäuerliche Marktplätze. Eng und oft düster.

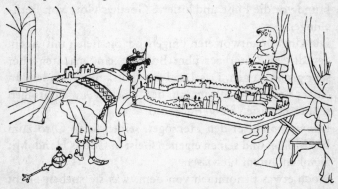

Das Volk war so entsetzt, daß Heinrich zur Gewalt greifen mußte. Er befahl, daß jeder neunte Mann seiner Dienstleute und Pächter mit Sack und Pack in die Mauern ziehen sollte. Er befahl, daß in Gefahrenzeiten Frauen und Kinder sich dort »bergen« sollten. Er befahl die Errichtung großer Lebensmittelvorräte. Die Bauern hatten ein Drittel ihrer Ernte zur Lagerung an die »Bürger« der Burgen abzuliefern.

Dann machte er sich daran, die männliche Jugend als schwerbewaffnete Reiter auszubilden. Er setzte die Bauern auf die Pferde. Er umkleidete ihre Brust und Beine mit Eisenblech und sagte ihnen, daß sie nun unverwundbar seien, wie Siegfried, von dem damals gerade die Sage ging. Der »Ritter« war da.

Als das Jahr 933, das letzte Jahr des Waffenstillstands, kam, gab es für das ganze ostfränkische Reich keinen interessanteren Augenblick als den, da die ungarischen Boten bei Heinrich erschienen, um sich erneut ihren Tribut abzuholen.

Es muß für Heinrich ein herrlicher Augenblick gewesen sein. Endlich konnte der stille Mann wieder sein, wie er früher gewesen war. Er schmiß den Ungarn einen toten Hund vor die Füße und zitierte Goethes Götz von Berlichingen.

Die Ungarn antworteten umgehend. Sie fielen mit einem gewaltigen Reiterheer über Böhmen ein, machten aber sehr große Augen. Das Land war seltsam verwandelt. In einer Kavallerieschlacht an der Unstrut in Thüringen schlug Heinrich sie vernichtend.

Dann empfahl er den Herzögen seinen Sohn Otto zum Nachfolger und seinen eigenen Geist in Gottes Hand. Mit ziemlich gutem Gewissen.

Noch etwas benommen von dem, was sie soeben erlebt

hatten, erhoben die Herzöge tatsächlich Heinrichs Sohn als Otto den Ersten in Aachen zum König. Die Stammesherzöge und die Erzbischöfe von Mainz und Köln, damals an weltlicher Macht fast so groß wie Herzöge, bedienten den jungen König symbolisch bei der Krönung und beim Festmahl als »Diener«.

Welch eine Wandlung!

Es war das Jahr 936. Als die Herren dem neuen König die schlichte Krone aufsetzten, ahnten sie nicht, was ihnen noch bevorstehen würde. Auch *Sie* ahnen es nicht. Ich *hoffe* geradezu, daß Sie Ihre Schulkenntnisse bereits wieder vergessen haben, denn ich möchte Ihnen selbst von jener weltbewegenden Epoche, den verborgenen Gedanken und Zielen erzählen.

Das Krönungsfest in Aachen war ein sehr feierlicher Akt gewesen. Die Herzöge waren sicher nicht mit viel Hochgefühl hingekommen, aber der Augenblick selbst begeisterte sie. Eine Woche lang berauschte sie der Gedanke, wie schön alles sei, der Gedanke, Träger eines einigen, großen Reiches zu sein.

Sehr, sehr aufmerksam lauschte Otto ihren Reden. Im Laufe der festlichen Tage wurde ihm immer klarer, daß nur wenige von ihnen etwas von der Welt der harten Wirklichkeit, von Völkerschicksalen und Politik verstanden und weiter sahen als bis morgen. Sie hatten ihn als eine Art Bundespräsidenten gewählt. Das Ostfränkische Reich war ein Bundesstaat, in dem jedes Ländchen seine eigene Regierung hatte und »Ministerpräsident« Arnulf sein Bayern zum Beispiel als »regnum«, als »Reich« bezeichnete. Mit dem In- und Ausland verkehrte jeder, wie er wollte, machte sein eigenes, spezielles Recht, baute seinen Kohl, jagte, fischte, stieg auf den nächstgelegenen Hügel, legte die Hand an die Augen und schaute in die Runde, ob irgendwo ein Feind zu entdecken war. Es war im Augenblick kein Feind zu entdecken. Man war beruhigt. Der Mensch ist gut, die Welt ist schön. Kann man nicht so leben?

Otto war nicht der Meinung, daß der Mensch gut sei. Er war auch nicht der Meinung, daß das Zusammenleben der Völker einfacher und lieblicher sei als das Zusammenleben einer Familie, in der die Menschen bekanntlich mit der größten Selbstverständlichkeit Uneinigkeit, Zank und Streitigkeiten in Kauf nehmen.

Er schwieg. Er war überzeugt, daß er nicht lange auf den Beweis zu warten brauchte.

Ein Jahr darauf kam er prompt. Arnulf von Bayern starb, sein Sohn Eberhard wurde Herzog. Otto erwartete ihn stündlich und minütlich zum Treueid. Eberhard erschien nicht. Er ließ dem König sagen, daß er ihm die Huldigung verweigere.

Ein halbes Jahr lang geschah zunächst gar nichts. Die anderen Herzöge spitzten die Ohren.

Über diesen letzten Satz werden Sie stutzen und fragen: Warum? Ja, warum? Ich weiß es auch nicht. Ich kann es mir nur so erklären: Wir verstehen diese Haltung nicht mehr, weil wir heute viel, viel edler geworden sind...

Im Frühjahr darauf erschien Otto überraschend mit dem kleinen Reiterheer, das sein Vater geschaffen hatte, in Bayern, nahm Eberhard gefangen, setzte ihn ab und schickte ihn in die Verbannung. Als die Bayern am nächsten Morgen erwachten, hatten sie einen neuen Herzog. Berchtold, den Onkel Eberhards.

Das Ereignis vollzog sich in vierundzwanzig Stunden und klingt sehr unscheinbar. In Wahrheit war es ein Staatsstreich. Zum erstenmal setzte der König einen Stammesherzog willkürlich ein! In einem Aufwaschen nahm er ihm gleich noch die Finanzhoheit und das sehr wichtige Recht der Einsetzung von Bischöfen.

Es war das Signal zum offenen Aufstand. Er umfaßte das ganze Rhein-Main-Gebiet. Die Widerstandsbewegung verbreiterte sich blitzschnell. Von Tag zu Tag hörte Otto neue unglaubliche Nachrichten, es sollten bereits der Frankenherzog, der Lothringerherzog und Ottos eigener Bruder Heinrich dazugehören. Sie sollten bereits Kuriere nach Paris entsandt haben, um den westfränkischen König ins Land zu rufen.

Es stimmte. Das junge Deutschland stand zum erstenmal am Abgrund. In diesem Augenblick ging es um Leben und Tod. Die Slawen waren an der Elbe und Oder zu dicken Massen aufgelaufen und lauerten. An der unteren Donau rüsteten die Ungarn. Im Norden drohten die Normannen. Nach allen Seiten war das Reich ohne natürliche Grenzen, so, wie wir es tausend Jahre später auch noch beklagen. Überall glimmten die Feuerchen.

Die Widerstandsbewegung ging auf merkwürdig zufällige und lächerliche Weise zugrunde. Noch ehe Otto seine Reiterscharen aus Friesland, Sachsen und Thüringen gesammelt hatte, stießen die Aufrührer bei Andernach am Rhein auf einen Trupp Königstreuer. Es ging ganz ordnungsgemäß und wenig heldisch vor sich: Der kleinen Reiterschar waren die Probleme und Überlegungen der hohen Herren gänzlich böhmische Dörfer. Das Volk verstand die Widerstandsbewegung überhaupt nicht. Der Reitertrupp erkannte die Aufrührer und griff sie an. Der Frankenherzog fiel im Kampf, der Lothringerherzog ertrank im Rhein, das junge Bürschchen Heinrich entkam in Richtung Paris. Als der König eintraf, war der ganze Spuk bereits verflogen.

Das Erscheinen des flüchtigen Heinrich in Paris löste im

Westfränkischen Reich einen turbulenten Zustand aus. Es hieß, der Pariser König rüste gegen Otto, dann hieß es wieder, der König sei durch aufständische Adelige entthront, dann hieß es, Heinrich rücke mit einem Heer gegen seinen Bruder an.

Otto verlangte die Auslieferung seines Bruders. Als keine Antwort kam, beschloß er, ihn sich selbst zu holen. Er kam ungehindert nach Paris. Alle Gerüchte waren Unsinn, nur eines stimmte: Das Westfränkische Reich befand sich in Auflösung. Alles, was Beine hatte, flüchtete sich gleichzeitig unter Ottos Mantel und rief ihn als Schiedsrichter an. Im Büßerhemd erschien Heinrich und warf sich seinem Bruder zu Füßen. Links flehte der westfränkische König, rechts bat dessen Gegner, der Thronprätendent. Ein leiblicher Bruder und zwei Schwäger!

Es war ein bißchen viel auf einmal für den König. Vor ihm zwei, die man ins Kloster jagen sollte, und einer, der dem Scharfrichter gehörte. Frankreich in völliger Ohnmacht, das Reich bis zu den Pyrenäen offen, das Volk gelähmt oder völlig ahnungslos.

So stand Otto da und betrachtete sich die Menschen, die gut und die Welt, die schön sein sollte. Dann hob er seinen Bruder auf, küßte den Menschen, der Hochverrat und Mord geplant hatte, und begnadigte ihn. Er beruhigte seine Schwäger und setzte den König wieder ein.

Mit leeren Händen kehrte er auf seine Königspfalz nach Quedlinburg zurück, einen Augenblick lang hatte er das gesamte Reich Karls des Großen in den Händen gehalten. Er ließ es wieder fahren!

An dieser Stelle möchte ich eine kurze Pause machen, um das Ausrufungszeichen abkühlen zu lassen. Wir haben dadurch Gelegenheit, eine tiefe, ehrfürchtige Verbeugung vor jenem Mann zu machen, der vor tausend Jahren Ihres und meines Ur-Ur-Ur-Ur-Ur-Großvaters König war. Ich bewundere – heute, wo es leicht ist, die Geschichte nachträglich zu betrachten – seine überragende Klugheit, und seine tief pessimistische Güte erfüllt mich mit Rührung. Otto hätte damals nur zugreifen brauchen, und die Reiche wären wieder vereint gewesen. Wie anders wäre die Geschichte bis auf den heutigen Tag verlaufen.

Ja, so sieht es auf den ersten Blick aus. Die wenigen, die damals von einem ähnlichen Gedanken wie der Paneuropa-Idee berührt waren, werden Otto auch genauso beraten haben. Aber Otto war klüger. Und die Geschichte hat seine Ahnungen Punkt für Punkt bestätigt.

Er wußte, die Menschen sind träge und erbärmlich klein, sie sind treulos, sie würden ihn nicht verstehen, sie würden seine Lage ausnutzen und von ihm um ein paar kurzlebiger Vorteile willen abfallen, alle, alle, wenn es sein mußte, auch sein eigener Sohn. Die Ost- und Westfränkischen Reiche hatten sich schon zu weit entfremdet, um noch einmal zusammenzuleben, und noch nicht weit genug, um aufs neue zusammenzufinden, die Slawen würden das aufgeblähte Reich angreifen, die Ungarn würden es kreuz und quer durchschneiden.

Punkt für Punkt ist es so gekommen: Das *kleine* Reich hat es überlebt, Otto hat alle Schläge abgefangen. Für das *größere* Reich wären sie tödlich gewesen.

Otto hatte auch Träume, wie wir alle. Aber er war ohne Illusionen. Wie wir leider nicht alle.

953 kam der erste schwere Schlag.

Otto hatte Schwaben seinem jungen Sohn Ludolf, Lothringen seinem Schwiegersohn Konrad »dem Roten« und Bayern (wo der alte Onkel Berchtold eines friedlichen Todes gestorben war) seinem Bruder Heinrich gegeben.

Es ist jener Heinrich, der einmal Verrat und Mord gegen

ihn geplant hatte! Otto hat diesen Entschluß, der ihm offenbar leicht fiel, nie zu bereuen brauchen.

Dem gütigen König blieb jedoch nichts erspart: 953 empörten sich aus gekränkter Eitelkeit und Größenwahn sein Sohn Ludolf und sein Schwiegersohn Konrad. Wieder nahm der Aufstand gefährliche Formen an. Die Empörer brachten das ganze mittlere Rheingebiet in ihre Gewalt und drangen bis Regensburg vor. Der König sprach die Acht aus und erklärte sie für abgesetzt.

Darauf geschah nichts – das Wort des Königs verhallte.

Als Otto endlich so weit war, das Urteil selbst vollstrecken zu können, kam der zweite Schlag dazwischen: 954 fielen die Ungarn nach zwanzigjähriger Pause erneut in das Reich ein. Sie kamen in riesigen Scharen die Donau entlang – eine Schneise von Schutt und Asche und Toten bezeichnete ihren Weg. Sie zogen durch Bayern, Franken, Lothringen bis in das Westfränkische Reich und kehrten über Italien in ihre Heimat zurück.

Ludolf begrüßte sie in Worms als »Befreier«, er bewirtete sie königlich und versah sie mit Gold und Proviant.

Die Gefühle, die Otto bei dieser Nachricht über seinen Sohn beherrschten, müssen schrecklich gewesen sein.

Als sich Ludolf wenige Monate später auf Gnade und Ungnade ergeben mußte und sich seinem Vater zu Füßen warf, wie es einst sein Onkel getan hatte, da hob Otto seinen Sohn auf und küßte ihn. Ich weiß nicht, warum man diesen Mann nicht heilig gesprochen hat.

Sie werden vielleicht sagen, das sei keine Realpolitik mehr. O doch! Wie nüchtern Otto zugleich war, zeigt das Dekret, das er sozusagen mit der rechten Hand unterschrieb (er konnte glänzend schreiben und sprach drei Sprachen), während er mit der Linken Ludolf und Konrad aufhob und milde in die Verbannung wies. In diesem Dekret unterstellte er Franken als zweites Herzogtum sich persönlich, schaffte alle Stammesherzogtümer ab und machte die bisher erblichen Herzöge zu reinen »Amtsherzögen«, die der König einsetzte und entließ. Heute fragt man sich höchstens, warum er diese alte Quelle der Uneinigkeit, der Dorfpolitik und Wiege des Separatismus nicht bei dieser günstigen Gelegenheit vollständig beseitigte. Wir können unbesehen annehmen, daß er es getan hätte, wenn es möglich gewesen wäre. Es muß unmöglich gewesen sein. Die Quelle des Separatismus blieb bestehen und plätschert auch heute noch, zum Gaudium des Auslands.

Den »Amtsherzögen« zur Seite stellte Otto »Pfalzgrafen«, die seine Beobachter waren – die ersten deutschen Referenten waren geboren! Hurra!

Verschreckt über die Vorgänge und angesichts der ungarischen Horden schluckten die Herzöge die bittere Pille. Wenig früher wäre sie Dynamit gewesen.

Die ungarischen Horden kehrten sehr bald zurück. 955 brachen sie in riesigen Scharen in Bayern ein. Otto war darauf gefaßt. In rasender Eile, mit Kurieren, Signalen und Blinkfeuern, raffte er seine gepanzerten Reiter zusammen und stieß auf dem Lechfeld bei Augsburg auf die Hauptmacht der Ungarn. Er wußte, daß in den nächsten Stunden über das Schicksal des Ostfränkischen Reiches entschieden werden würde.

Das Schicksal entschied sich gründlich.

Otto vernichtete erbarmungslos fast das ganze feindliche Heer. Die Ungarn kamen nie mehr wieder. Sie räumten das Land an der mittleren Donau Hunderte von Kilometern weit, bayerische Siedler strömten nach und wurden die Gründer der »Ostmark«, jenes Landes »Österreich«, an dessen wirrer, phantastischer Geschichte später einmal das Schicksal ganz Deutschlands hängen sollte.

Die Ungarn traten von der Bühne der Welt ab. Sie wurden brav und legten seitdem alle Glut nur noch in ihren Paprika und ihren Csárdás. Ein einziger Schlag brach ihr Rückgrat.

In diesen Jahren schlug Otto auch die Slawen jenseits der Elbe und gründete das Erzbistum Magdeburg: Die Wenden und Polen (der Name taucht da zum erstenmal auf) nahmen christlichen Glauben an und huldigten dem König. Der jiu-jitsu-artige Erfolg Ottos in der Innenpolitik und der aufsehenerregende Sieg über die Ungarn gaben seiner Person einen Glanz, wie ihn seit Karl dem Großen kein König mehr gehabt hatte.

Wäre er ein Präsident gewesen, welch ausgezeichneter Augenblick, jetzt in Pension zu gehen! Das ist der Unterschied zwischen Präsidenten und Königen. Er mußte bleiben.

Wenn Otto in diesen Jahren in den langen, öden Wintermonaten seinen Bruder Heinrich in Regensburg besuchte, wenn sie allein bei einem Becher Italienerwein vor dem Kaminfeuer saßen, sich die Lederwämse auszogen und die

Öllampen an den Wandarmen löschten, um dem Gestank ein Ende zu machen, wenn einer des anderen Gesicht kaum noch im flackernden Feuerschein erkennen konnte, wenn sich die Herzen öffneten, dann wird Heinrich der Glücklichere von beiden gewesen sein. Er wird es auch bemerkt haben, er wird gesehen haben, daß Otto schwieg, sobald sie davon sprachen, wie glücklich alles vollendet und gelungen sei. Ottos Gedanken gingen viel weiter. Aus Dokumenten und Äußerungen Heinrichs können wir schließen, daß er das völlige Vertrauen seines Bruders besaß und daß Otto ihm den letzten großen Plan seines Lebens erzählt hat, der sich so einfach anhört, den man in so wenigen Worten sagen kann und der doch eine der tiefsten Überlegungen des großen Mannes war.

Ein Mönch vom St.-Emmeran-Kloster, das Herzog Heinrich liebte, wird noch einmal Holzkloben auf das Feuer gelegt und den Weinkrug neben die eichenen Sessel gestellt haben. Dann wird er sich mit einer Verbeugung zurückgezogen haben: »Ich wünsche Euch eine Gute Nacht, Herr König, und Euch, Herr Heinrich!«

(Draußen, in der Halle, hat er dann noch ein bißchen mit den jungen bayerischen Adelssöhnen geratscht, die als Pagen am Herzogshof dienten, um Sitte und Anstand zu lernen. Da ist dann über den »komischen« norddeutschen Dialekt des Herzogs und des Königs gekichert worden. Die Chronik von St. Emmeran berichtet uns davon. Der »Saupreiß« ist also sehr alt.)

Während die Kindsköpfe da draußen sich um die Geburt dieses Fachausdrucks bemühten, sprach der König zu seinem Bruder zum erstenmal von seinen Vorstellungen über die ferne Zukunft des Reiches, über seine geheimsten Gedanken.

»Du sagst, Heinrich, daß ich meine Aufgabe erfüllt habe,

daß alles getan ist, was zu tun war. Du meinst, daß wir nun ruhen können? Sic hortum cum bibliotheca, nihil deerit?«

»Ich verstehe kein Latein, Otto, du weißt.«

»Du solltest es noch lernen.«

»Können wir nicht sächsisch reden? Das versteht man überall sehr gut.«

»Ich habe festgestellt, daß man es in Paris zum Beispiel nicht mehr gut versteht. Ich habe mich gewundert, wie sehr mein Schwager schon anders spricht. Hast du bemerkt, wie sie dort durch die Nase reden und wie viele lateinische Worte von den Römern hängengeblieben sind? Weißt du: Ich begreife dich sehr gut. Auch Karl, der Karolinger, hat Wert darauf gelegt, die Sprache des Volkes zu reden und zu erhalten. Aber diese Medaille hat auch eine Kehrseite, und ich sehe sie sehr deutlich voraus: Wir werden uns voneinander entfernen, je mehr wir eigen werden. die lateinische Sprache unserer Gebildeten ist heute eine Verständigung in der ganzen Welt. Wenn sie verschwindet, und sie wird wohl mal verschwinden, werden sich unter den Völkern unendliche neue Schwierigkeiten ergeben.«

»Ich habe noch nie darüber nachgedacht.«

»Ich viel.«

»Und was heißt der lateinische Spruch, den du sagtest?«

»Es ist die Lebensweisheit eines römischen Dichters: ›Wenn du einen Garten mit einer Bibliothek hast, dann fehlt dir nichts mehr‹, zu deinem Glück, meint er.«

»Weibisch.«

»Sag das nicht. Rom war ein altes Reich. Wir sind noch ganz anders geartet, aber wir werden vielleicht einmal ebenso werden, nach vielen hundert Jahren. Sage nicht ›weibisch‹, sage ›müde und skeptisch‹. Stelle dir vor, viele, das ganze Volk, sagten später einmal: Warum der ewige

Kampf, warum die ewigen Opfer, warum die ewige Unruhe in unserem Leben, sic hortum cum bibliotheca habes, nihil deerit!«

»Der Fuchs frißt die Gans. Die Römer sind untergegangen, Otto!«

Der König lächelte.

»Eben sagtest du noch selbst: Ich habe nie darüber nachgedacht. Erwarte nicht, daß der einfache Mensch darüber nachdenkt. Er denkt an den Augenblick.«

»Warum erzählst du mir das alles?«

»Ich wünschte, deine Mönche von St. Emmeran würden es aufschreiben, damit man es später lesen und mich verstehen kann.«

»Fürchtest du, nicht verstanden zu werden?«

»Ich fürchte es nicht, obwohl ich weiß, daß man vieles nicht verstehen wird von dem, was ich noch vorhabe und was ich mir in vielen Tagen und Nächten überlegt habe. Es ist ein großer Plan, der größte, der letzte meines Lebens und, wenn er gelingt, der entscheidende für lange, lange Zeit.«

»Sprich!«

»Ja, du sollst ihn wissen. Ehe ich ihn verwirklichen werde, muß ich aber noch etwas anderes tun. Auch das ist ein Entschluß, der die nächsten Jahrhunderte bestimmen wird. Es ist folgendes: Die Stämme sind uralt, sie sind das Ursprüngliche. Das Reich ist das Spätere. Das Hemd sitzt allen näher als das Wambeis. Wenn du jemand fragst, woher er ist, so sagt er dir, ›ich bin ein Sachse oder ein Bayer‹ und nicht ›ich bin ein Diutscher‹. Übrigens, Heinrich: In Italien betrachtet man uns viel mehr als ein Volk, auch in Paris, ich habe viel die Bezeichnung ›Tedescus‹ und ›Diutscher‹ gehört. Weißt du: unser altes Wort ›diutisk‹. Merkwürdig, wie langsam so ein Name aufkommt. Meine

Schreiber schreiben immer noch ›regnum francorum‹. Wann hast *du* das letzte Mal ›Ostfränkisches Reich‹ gesagt?«

Heinrich lachte.

»Ich weiß nicht. *Du* hast Sorgen!«

Otto betrachtete seinen Bruder lächelnd.

»Notgedrungen, Heinrich. du wirst es gleich verstehen. Zuerst muß ich dir noch das andere, das mit den Stämmen und dem Reich und dem Hemd und dem Wambeis, erklären.

Die Königsmacht ist dauernd in Gefahr. Vor allem wird sie es nach meinem Tode sein. Ich werde zwar versuchen, meinen Sohn Otto schon zu meinen Lebzeiten als Nachfolger wählen zu lassen. Aber wer weiß, wie er mit dem Reich einmal fertig wird. Wer denkt national wie der König? Nur ganz wenige. Wem sitzt das Wambeis näher als das Hemd? Ich werde es dir sagen: Es gibt jemand! Es gibt jemand, auf den wir bauen müssen: die Kirche. Die Bischöfe, vor allem die Erzbischöfe, die ich einsetze, müssen die Stütze des Reichsgedankens werden. Ich habe ihnen im Laufe der Jahre schon große weltliche Macht gegeben, die Bistümer besitzen riesige Landflächen, die Erzbischöfe von Mainz, Köln und Trier stehen im Rang von Herzögen. Ihre Oberhoheit und ihr Landbesitz halten sich nicht an die Grenzen der Stämme, sie greifen oft in mehrere Gebiete hinein, sie sind überdies dauernd in Gefahr, von den weltlichen Fürsten beschnitten und streitig gemacht zu werden. Mit einem Wort: Die geistlichen Herren sind die geborenen Feinde des Partikularismus und die geborenen Träger der Einigkeit. Das ist es, was ich herausgefunden habe.«

Der Herzog dachte nach. Dann antwortete er:

»Ich verstehe es. Aber es ist gefährlich, denn...«

»Ich weiß, was du meinst, es ist mir klar: Die Bischöfe sind zwar die Feinde der Grenzpfähle, aber *aller* Grenzpfähle. Das soll heißen: Sie sind noch einem anderen Herrn verantwortlich als mir, nämlich dem Papst in Rom. Ich weiß. Dagegen kann ich mich nicht sichern, außer, wenn ich selbst der Herr des Papstes würde.«

»Was sagst du da?« fuhr Heinrich erschrocken auf.

»Du erschrickst?« Der König lächelte. »Nun, ich werde sein Herr werden. Das Papsttum ist in großer Gefahr, ich habe sichere Nachrichten. Ich weiß, daß Papst Johann XII. mich über kurz oder lang zu Hilfe rufen wird …«

»Gegen wen?«

»Gegen alle, gegen die intrigierenden italienischen Bischöfe, gegen den aufsässigen römischen Adel, gegen die machthungrigen Fürsten in Italien. Es geht dort drunter und drüber.«

»Ach –!« Heinrich sah seinen Bruder prüfend an. »Das kommt aber auffallend gelegen. Hast du gar …«

»Nein, nein, ich habe meine Hand nicht im Spiel, du kennst mich doch. Aber ich werde zugreifen. Ich werde mich zum Kaiser krönen lassen, und …«

Heinrich sah seinen Bruder mit glühenden Augen an. Der König schien jedoch sehr ruhig und nüchtern.

» … und damit der Herr des Abendlandes sein. Indem ich der Herr Italiens werde, öffne ich unserem Reich das Mittelmeer, die Häfen, die Kultur, den Handel, die Pässe. Ich öffne Spanien, Afrika, Griechenland und den Orient. Ich habe ein Bund von Schlüsseln in der Hand. Die Kultur und der Reichtum dieser alten Länder müssen dann automatisch abfließen in das niedrigere Niveau – in unser noch so sehr barbarisches Land. Wenn ich ein Kimber oder Teutone von damals wäre, würde ich sagen: Auf nach Italien, die Erbschaft antreten, den Schlüssel zum Geldschrank holen! Heute bin ich ein Sachse, ein Diutscher, und sage es verfeinerter. Wenn ich in Rom bin, werde ich es noch milder ausdrücken. Aber das Ziel ist das gleiche. Verstehst du es? Begreifst du, daß ich diese Schleuse öffnen *muß*? Daß es das Tor zur großen Welt ist? Daß die Welt herein *muß* zu uns? Germanien ist tot, es lebe das Diutsche Land!«

961 rief Papst Johann XII. den ostfränkischen König Otto I. zu Hilfe.

962 krönte der Papst in der Peterskirche Otto zum römischen Kaiser.

963 bereute Papst Johann diesen Schritt und entschloß sich zum Hoch- und Landesverrat. Er bot den Ungarn Hilfe an und bat sie, in Bayern einzufallen. Otto fing die Kuriere ab und las die Briefe. Er zog abermals nach Rom, nahm den Papst gefangen und setzte ihn ab. Rom hielt den Atem an und glaubte, jetzt würde der Blitz einschlagen. Aber Gott schwieg, und Otto nahm das als Zustimmung. Rom wartete auf die Ansetzung einer Neuwahl, aber ehe es sich versah, bestieg auf einen Wink Ottos ein neuer Papst den Thron: Leo VIII. Er beugte vor dem Kaiser das Knie, Otto hob ihn schnell auf. Das Aufheben hatte sich bei ihm immer schon gelohnt. Es lohnte sich auch diesmal. Die Römer schworen, »niemals einen Papst zu wählen oder weihen zu lassen ohne die Einwilligung und Bestätigung des Herrn Kaisers Otto und seines Sohnes, des Königs Otto«. Das Werk seines Lebens war getan.

Was würde daraus werden?

Die Menschen waren noch überwältigt und geblendet, noch keiner hatte Abstand zu dem, was da geschehen war. Was hatte sich überhaupt ereignet? Etwas Großes? Etwas für zehn, für hundert, für tausend Jahre? Etwas Herrliches? Etwas Verhängnisvolles?

Während unsere Ur-Ur-Ur-Ur-Großväter noch mit aufgerissenen Augen um Atem rangen, klappte das Schicksal seelenruhig das Kapitel »Otto I.« (nachdem es den Vermerk »der Große« hinzugefügt hatte) zu und blätterte zur nächsten Seite um.

973 starb Otto I. Er liegt im Dom zu Magdeburg begraben, wo er nun nichts weiter zu tun hatte, als sich dauernd im Grabe umzudrehen.

Er war einer der ganz großen Männer der Geschichte, aber ich möchte, daß das unter uns bleibt. Erzählen Sie es besser niemandem weiter, Sie würden sonst vielleicht Ärgernis erregen. Leider muß ich Ihnen nämlich gestehen, daß die Meinung »von der Stange« über Otto den Ersten eine wesentlich andere ist. Danach hat er einfach »alles falsch« gemacht. Ich will es Ihnen erzählen.

*spielen mit: Ein Träumer auf dem
Thron, ein Weltuntergang, der nicht
eintritt, und ein Heiliger aus Versehen*

Wie Sie sich leicht denken können, ging die Sache mit dem
»Römischen Reich Deutscher Nation«, wie Otto unser
Vaterland bei seiner Kaiserkrönung zum erstenmal offiziell nannte, später schief. Sie wissen, was das heißt: Er hat
angeblich »alles falsch« gemacht. Das ist so im Leben.
Die moderne Geschichtschreibung hat generationenlang
die Taten Ottos I. ganz, ganz anders gesehen:
Sie sollen der größte Irrtum dieses Kaisers gewesen sein,
ein Fluch für die nächsten 250 Jahre, in denen die deutschen Könige ohne Ausnahme immer wieder dieser sinnlosen Tradition folgten und das letzte Hemd verkauften,
um die römische Kaiserkrone zu erlangen, die uns
Deutsche nicht das geringste anging, 250 Jahre lang soll ein
ganzes Volk mit allen führenden Köpfen von Sinnen gewesen sein. Für eine fixe Idee habe man dauernd deutsche
Menschen auf fremden Schlachtfeldern bluten lassen. Um
eines Titels willen sollen Könige den Haß der Päpste in
Kauf genommen haben. Wegen einer romantisch genähr-
ten Italiensehnsucht soll das Reich im Innern vernachläs-
sigt und in die größte Gefahr gebracht worden sein. Otto
habe die religiöse Schwärmerei von einem »Gottes-Kaiser« und einem »Heiligen« Römischen Reich Deutscher
Nation aufgebracht, in der die Deutschen unseligerweise
jahrhundertelang befangen waren, statt das Reich im Innern zu stärken und sich in die Richtung zu wenden, die

allein die natürliche und dankbare gewesen und wo weites, lockendes Land war: nach Osten.

Wie merkwürdig dieses Urteil ist! Wie die Menschen dazu neigen, Wunsch und Wirklichkeit zu verwechseln! Über meiner Wohnung lebt ein Pastor mit seiner Frau und seinem vierjährigen Kinde, von dem sie steif und fest immer wieder behaupten, es läge, wie es sich für ein wohlerzogenes Kind gehöre, allabendlich um 7 Uhr im Bett. Dabei höre ich es jeden Tag, den Gott in die Welt gibt, bis 10 und 11 Uhr nachts herumlaufen und spielen. Man wünscht etwas anderes – folglich darf die Wirklichkeit nicht wahr sein. Mein alter Zeitungshändler hat vor Jahren in unserer kurzen Straße ein zweites Geschäft aufkaufen müssen, in das eine Konkurrenz hineingekommen wäre, die ihn wahrscheinlich die Existenz gekostet hätte. Er nahm zu diesem Zweck eine große Schuldenlast auf sich, an der er heute noch krebst. Seine Söhne sagen, es sei Wahnsinn gewesen, er hätte sich »weise beschränken« sollen. Er hätte sich lieber in seinem kleinen Laden »heraufarbeiten« sollen.

Der Alte ist mir lieb. Seine Söhne spielen im Lotto.

Otto der Große war ein sehr nüchterner Mann. Er war viel nüchterner als das Ehepaar über mir. Als Otto nach Italien zog, war Berengar, der starke Mann der Lombardei, gerade im Begriff, die Herrschaft über ganz Italien, inklusive des Vatikans, zu ergreifen und das uneinige Land zu einen. Solch ein Italien wäre dann Deutschlands südlicher Nachbar gewesen, mit einem Papst in der Mitte, der als Herr über die deutschen Bischöfe italienische Politik gemacht und Berengars Ideen durchgeführt hätte. Nicht Berengar wurde jedoch Kaiser, sondern Otto. »Kaiser«, müssen Sie wissen, war damals nicht irgendein Titel, den man sich zulegte, wenn man wie Victor Emanuel von Italien genügend

Wüsten gesammelt hatte, sondern Kaiser konnte nur *einer* sein, der neue Herr des Abendlandes. Überrascht Sie diese Auffassung? Noch vor hundert Jahren dachte man mit Selbstverständlichkeit so. Napoleon nannte sich erst Kaiser, als er das alte deutsche Reich zerschlagen hatte; und Franz I. von Österreich legte darauf die Kaiserkrone des Römischen Reiches Deutscher Nation nieder. Wir wissen, daß Napoleon sich selbst auch als Nachfolger Karls des Großen und Ottos I. fühlte.

Am kurzsichtigsten ist aber die Kritik, Otto hätte sich nach Osten wenden sollen. Sie ist geradezu spaßig, wenn man sich recht plastisch vorstellt, welcher Überfluß an Land damals in Deutschland herrschte, wie riesenhaft die Wälder und Felder waren, wie man die Ortschaften mit der Laterne suchen konnte und welche Lehmbuden jenseits der Oder auf uns warteten. Man verwechselt heutige Wünsche mit damaligen. Das lebendige Leben lag am Mittelmeer, Deutschland war damals Peripherie, der Osten war Niemandsland. Man wärmt sich am brennenden Ofen und nicht am Eimer Briketts.

Der Glanz und die neue Kaisermacht Ottos haben zweifellos auch zunächst manche Auseinandersetzungen und Kriege verhindert. Und zwar seine höchst reale, weltliche Macht. Otto war kein Schwärmer, er hat niemals von der »Heiligkeit« einer Aufgabe gesprochen; der »Gottes-Kaiser« war ihm, auch wenn er andere reden ließ, fremd und gänzlich gleichgültig.

Sie finden es vielleicht schändlich, daß man Otto so verkennen konnte. Ich finde es großartig. Es ermöglicht einem das unbezahlbar schöne Gefühl des Besserwissens. Zu dem falschen Bild Ottos I. hat viel sein Enkel beigetragen. Ottos Sohn starb sehr jung und hinterließ dem Heiligen Römischen Reich Deutscher Nation einen dreijährigen Knaben, Otto III., für den zunächst andere die Regentschaft übernahmen.

Der Satz klingt unscheinbar und ganz in Ordnung. Horcht man genauer hin, so wird einem klar, wie groß die Verehrung und das Vertrauen in Otto I. gewesen sein müssen, daß man »selbstverständlich« seinem Sohn und »selbstverständlich« seinem Enkel huldigte, der zu diesem Zeitpunkt noch im Sande spielte und Kuchen buk.

Ein seltsamer Knabe, dieser spätere Otto III. Uns ist überliefert, daß ihn die Zeitgenossen als Wunderkind bestaunten. Er genoß eine ausgezeichnete, auch für heutige Begriffe umfassende Ausbildung in Sprachen, in der Wissenschaft, in der Kunst, in der Geschichte, er vernachlässigte auch Gesundheit und Körper nicht, und als er 15 Jahre alt war und nach altem sächsischen Recht für großjährig erklärt wurde, bestieg ein tatendurstiger, wenn auch zarter, sehr gebildeter, sehr enthusiastischer Knabe den Königsthron, gefüttert mit Ideen, genährt mit Abstrakta, ständig ein wenig fiebernd. Die goldenen Regeln seines Großvaters waren ihm von seinem politischen Erzieher, dem ungewöhnlich klugen Willegis, Erzbischof von Mainz, eingetrichtert, ein wenig feminiert, da ihn zwei Frauen erzogen hatten, seine griechische Mutter und seine lombardische Großmutter. Der Mensch ist gut, die Welt ist schön.

Otto III. zog über die Alpen und schuf in Rom, wo die Welt seit seines Vaters Tode durchaus nicht sehr schön war, Ordnung. In Italien gärte es. Lauter kleine Herren hatten sich erhoben. Seit sie zurückdenken konnten, hatte sich ja kein Kaiser bei ihnen sehen lassen. In Rom hatte sich ein Herr Crescentius selbständig gemacht, der Papst schrie um Hilfe.

Als die kaiserlichen Adler des kleinen Heeres in Italien

auftauchten, verwandelte sich das Bild schlagartig, die Lombardei fiel dem jungen Kaiser zu Füßen, Mittelitalien huldigte, Crescentius floh, Rom jubelte Otto zu. Der Heilige Vater war kurz zuvor gestorben, der Kaiser »ernannte« zum erstenmal einen Deutschen zum Papst.

Ein herrlicher Anfang. Willegis wurde nach Hause geschickt, der junge Kaiser begann zu träumen. Er schien der Meinung zu sein, die Welt würde nun so stehenbleiben. Fasziniert von weltfremden Vorstellungen, die einer längst vergangenen Zeit entstammten, träumte er von einem heiligen Weltreich, von einer Erneuerung der Antike, vor allem des alten Rom. Nichts wäre falscher, als ihm etwa Imperialismus zuzuschreiben. Er schwärmte, er rauschte in Worten, in Fahnen, in altertümelnden Titeln, in Ideen. Er erklärte Rom zur »Hauptstadt der Welt«. Es war ihm bitter ernst damit. Er kehrte nicht mehr nach Deutschland zurück, bis auf einen kurzen Besuch im Jahre 1000. Von diesem Jahr 1000, das in seine Regierung fiel, können wir uns gar keine Vorstellung machen. Das ganze Abendland war von dem Wahn befallen, daß die Welt bei dieser runden Jahreszahl untergehen und das Jüngste Gericht kommen würde. Die Kirche schürte zuerst die Angst, später wurde sie die Geister, die sie gerufen hatte, nicht mehr los und war entsetzt über den Hexensabbat, der in den letzten Tagen des Jahres 999 ausbrach.

Die Gläubigen gebärdeten sich wie verrückt, verfielen entweder in die wahnwitzigsten Exzesse oder in das Gegenteil. Man schleuderte Gold und Perlen aus den Fenstern, als brannten sie in den Händen, man verschenkte Haus und Hof, schlug und geißelte sich und wälzte sich im Staub, während über einem weg ein Zug von betrunkenen Bacchanten zog.

Viele alte Chronisten berichten davon.

Otto selbst war nicht ganz sicher, ob die Welt nicht wirklich untergehen würde. Er hatte Tage, wo er auf den Knien lag und sich geißelte, dann kamen wieder Wochen, wo wie ein Traumkaiser somnambul umherging. Wir können heute die Dämonie, die damals in den Menschen steckte, kaum noch nachfühlen. Es hat nichts mit »Klugheit«, mit »Wissen«, mit »Bildung« zu tun. Jene Menschen konnten ihre Seele »loslassen«. Natürlich, es ist schrecklich gewesen, aber es gibt viele kluge Männer, die der Meinung sind, wir hätten heute ein Stück Leben verloren. Unsere Skepsis ist keine neue Erfindung. Spät-Rom hatte sie schon.

Im Jahre 1000 fuhr Otto nach Gnesen, damals ein kleiner Kirchort tief im Osten Polens, wo die Gebeine eines von ihm überschwenglich verehrten, von den noch heidnischen Preußen aber sehr kühl erschlagenen Missionars lagen. Ihm zu Ehren erhob der Kaiser Gnesen zum polnischen Erzbistum. Es war nur ein Federstrich, und die wenigsten werden sich dabei etwas gedacht haben. Heute wissen wir, daß es ein furchtbarer Fehler war. Die Polen, durch die katholische Kirche wenigstens einigermaßen gezähmt, waren nun von Magdeburg, ihrem zuständigen deutschen Erzbistum, unabhängig und fühlten das letzte Band zerschnitten. Es war der Tag ihrer inneren Unabhängigkeit. Der Fehler des frommen jungen Herrn hat Ströme von Blut gekostet. Es gelang niemals mehr, ihn wiedergutzumachen.

Otto reiste darauf nach Aachen, zu keinem anderen Zweck, als sich das Grabgewölbe Karls des Großen öffnen zu lassen und sich den Toten, dessen Größe phantastisch verklärt in seinem Kopfe spukte, anzusehen. Er sah ihn. Der alte Kaiser saß, als lebte er noch, aufrecht da, wie man ihn vor fast 200 Jahren auf den marmornen Thron gesetzt und balsamiert hatte, angetan mit den Insignien, die Krone auf dem kaum verfallenen Kopf, dessen Züge finster und verachtend aussahen. Der kaiserliche Jüngling fiel auf die Knie.

Das war in der Tat das mindeste, was man von ihm verlangen konnte. Sein Geist wurde davon nicht nüchterner. Die Zeitgenossen berichten übereinstimmend, daß er gänzlich weltfremd wurde. Er ging sofort in die »Hauptstadt der Bewegung« zurück. Stumm sahen ihn die deutschen Herzöge davonziehen.

Otto der Große hatte *über* Italien herrschen wollen. Otto III. wollte *in* Italien herrschen. Das ist ein Unterschied. Dauernd hatten sie den fremden Herrscher vor Augen, dauernd spürte man seinen Schritt. Obwohl er doch gar nichts tat. Er war ja eigentlich ein königlicher »Sic hortum cum bibliotheca habes etc. etc.«-Verfechter.

Seine Geschichte lehrt uns, wie das ausgeht in einer Welt, wo der Fuchs die Gans frißt. Überall bröckelte es, Italien entglitt ihm. Aufstände brachen aus. Otto mußte schließlich fliehen. Auf der Flucht (wohin? – nach »Hause« offenbar) erkrankte er. Deutsche Ritter seiner Umgebung schleppten ihn auf die Burg Paterno. Dort starb er. Sein letzter Wunsch war, in Aachen begraben zu werden. Mit dem Schwert in der Hand mußten die Deutschen ihrem toten Kaiser den Weg durch das in Aufruhr befindliche Italien bahnen.

Das geschah im Jahre 1002. Otto der Große war noch nicht ein kleines Menschenalter, noch nicht einmal 30 Jahre tot.

Der junge zweiundzwanzigjährige Kaiser war kinderlos gestorben, das stillschweigend anerkannte Erbrecht war erloschen. Dennoch bestimmte noch einmal der unvergessene Otto der Große den Nachfolger: Solange sein Blut noch in irgendeinem Menschen lebte, konnte einfach kein anderer König sein. Der Enkel jenes Heinrich, mit dem er damals in Regensburg zusammengesessen hatte, lebte. Er war Herzog von Bayern, jetzt auch von Sachsen. In Werla bei Goslar wurde er zum König gewählt, in Mainz von dem alten Willegis gekrönt. Hermann von Schwaben war dagegen gewesen, und da Schwaben zwischen Heinrich und Mainz, wo Willegis mit dem Salbtöpfchen wartete, lag, mußte sich Heinrich geradezu auf Schleichwegen zur Krönung begeben. Dort suchte man verzweifelt nach den Reichsinsignien, und siehe da, Vetter Heinrich hatte sie schon bei sich. Er hatte sie vorsorglich bereits an sich genommen, als der Leichenzug mit Vetter Otto III. durch Bayern gekommen war.

So fing die Sache an, und niemand konnte vermuten, daß der neue junge König, Heinrich II., nach seinem Tode heiliggesprochen werden würde. Er wurde es jedoch tatsächlich, und zwar auf fanatisches Betreiben seiner Lieblingsgründung Bamberg und, um das Maß voll zu machen, auf Grund einer vollkommen unwahren Legende. Das Allerseltsamste aber ist, daß auch dieser Blick »hinter die Kulissen« der Weltgeschichte falsch ist, Heinrich II. war nämlich wirklich ein großer Mann und heilig – wenn das ein Mensch sein könnte.

In einer mühevollen Kleinarbeit, die der seines Namensvetters und Urgroßvaters Heinrich I. gleicht und bewundernswert ist, flickte er die Mauern des Reiches. Er war ein kluger Mann. Wenn er der Meinung gewesen wäre, der manche heutigen Historiker sind, dann hätte er sich »weise beschränkt«. Es muß ihm also sinnvoll erschienen sein, was Otto I. auf die Beine gestellt hatte. Persönlichen Ehrgeiz hatte er nicht. Er war ja heilig. Eitelkeit, Verblendung kannte er nicht. Als Enkel jenes alten, bekehrten Verräter-Heinrichs und Sohn eines gleichnamigen Vaters mit dem bezeichnenden Beinamen »der Zänker«, stand er mit beiden Beinen in der Wirklichkeit. Er wußte, daß er alle Sünden Ottos III. wiedergutzumachen hatte, und ging daran wie ein Ingenieur. Und tatsächlich: die Maschinerie begann sofort wieder zu funktionieren. Das Gefühl beim einfachen Menschen, auch beim letzten unfreien Bauern, muß, allen Äußerungen nach, die wir besitzen, gewesen sein, als begänne das Blut wieder in den Adern zu fließen. Er hat alles reparieren können.

Nur eines nicht: jenen »harmlosen« Federstrich, mit dem der schwärmerische Otto den Polen einen eigenen Erzbischof gegeben hatte. Wilde Anführer mit einem ihnen eigentümlich gebliebenen Größenwahn brachten ganz Polen in Aufruhr, ließen das Volk von einem Weltreich voller Lehmbuden träumen und machten den Krieg zu einem Dauerzustand an der deutschen Ostgrenze. So heilig war Heinrich II. nun wiederum nicht, daß er nicht hart und unbarmherzig zugeschlagen hätte. Aber wohin? Er schlug in Wälder und Sümpfe. Es gab keine Zentren, nichts, was die Polen nicht hätten verschmerzen können. Sie waren fein raus: Alles, was sie besaßen, war einen Dreck wert. Die deutsche Grenze wich wieder etwas zurück. Erst diesseits der Elbe war man sicher.

Wie Heinrich sein kaiserliches Handwerk verstand, ersieht man daraus, daß er den Schachzug Ottos I., der Magdeburg gründete, um die Polen zu beherrschen, wiederholte: Er gründete den Bischofssitz Bamberg, um die Wenden in die Hand zu bekommen. Er tat es, obwohl die Geistlichkeit gegen eine Neugründung war, denn das bedeutete ja Schmälerung eines alten Bistums. Er genierte sich sogar nicht, in Frankfurt am Main zu diesem Zweck vor den versammelten Bischöfen auf die Knie zu fallen. Er, der Kaiser! Die Kirche legte es ihm, freudig erregt, als spontane Demut aus. Er ließ sie bei diesem Glauben. Der letzte Sachsenkaiser (Heinrich II. starb 1024 ohne Nachkommen) hatte seine Pflicht erfüllt.

Seine Lebensarbeit gleicht der des ersten Heinrich. Er hatte alles repariert und alles aufs beste vorbereitet. Sein Nachfolger würde ein Reich übernehmen, wie noch kein deutscher Kaiser zuvor. Vielleicht war es gut, daß er keinen Sohn hatte, dem alles das angehangen hätte, was »Söhnen« schon so oft zum Verhängnis geworden ist: das übermäßige Bewußtsein der Berufung und die Selbstverständlichkeit des Erbes. Vielleicht war es gut so, obwohl es ein erschütternder Moment war, als der Letzte dieses großen Kaisergeschlechts die Augen schloß.

Der, der nun kam, war wie nach Maß gemacht.

Das alte Wahlrecht der Herzöge trat wieder in Erscheinung. Erstaunlicherweise ohne Zwietracht, ohne Haß und ohne Ränkespiel. Im Herbst des Jahres 1024 wählten die deutschen Herzöge in einem Ort, der heute nicht mehr existiert, in Kamba bei Worms, einen fränkischen, schlichten »Freiherrn« zum König: Konrad II. 1027 krönte ihn der Papst zum Kaiser. Das Haus der Franken begann.

Deutschland war froh, wieder einen König zu haben, und ich muß gestehen, ich bin es auch, denn die Geschichte Deutschlands ist damals die Geschichte seiner Könige gewesen. Heutzutage ist das natürlich anders. Schöner. In einer perfekten Demokratie wie der gegenwärtigen regieren Parteien und Fraktionen in bescheidener Anonymität, und niemand braucht mehr die Verantwortung zu übernehmen. Eine Siegesallee von Fraktionsgruppen ist unvorstellbar. Mir jedoch müssen Sie einstweilen, bis wir zu unserem fortgeschrittenen Zeitalter kommen, verzeihen, wenn ich Sie bei der Hand nehme und Sie die Reihe der merkwürdigen Gestalten jener alten Kaiserzeit entlangführe.

Die Zeit, von der ich Ihnen berichte, ist bis heute ein schöner Traum geblieben. Sie ist eine der ganz wenigen Epochen in der Geschichte der Menschheit gewesen, die man vielleicht »glücklich« nennen kann. Es gibt nicht viele Zeitabschnitte, ganz gleich in welcher Himmelsrichtung unserer Erde, die in uns den Wunsch erwecken, damals gelebt zu haben. Dabei muß man eine große Gefahr vermeiden: Wenn vor unseren Augen die Landkarte so ersteht, wie sie damals vor Konrad II. auf dem schweren romanischen Eichentisch ausgebreitet lag, mit einem deutschen Reich von der Nordsee bis nach Unteritalien, von Brandenburg über das rein deutsche Lothringen und Elsaß, Holland und Luxemburg hinweg bis halb nach Frankreich hinein, wenn wir vor unserem Auge das Bild sehen, in dem es von Kaiser, Königen, Herzögen, Rittern, Wappen, Schilden, Bischöfen, Abteien, Burgen, Pfalzen, Herolden, Fahnen, Lehnsbriefen, Siegeln und Dekreten wimmelt, dann dürfen wir nicht vergessen, daß wir bei diesem Schauspiel unseren guten Platz im Zuschauerraum lediglich der Tatsache verdanken, daß jene Zeiten längst vergangen sind. Wir müssen unsere Autos, Atombomben und Ultrakurzwellensender und das Vollgefühl unserer Überlegenheit einmal vergessen, wir wären damals höchstwahrscheinlich nicht in der Umgebung der Könige und Herzöge gewesen. Unsere Ur-Ur-Ur-Ur-Großväter sind damals (mit sehr wenigen Ausnahmen) unscheinbare, einfache Männer gewesen, die über die Hacke oder den Pflug gebeugt dastanden, wenn der Trupp blitzender und klirrender Ritter auf dem Feldweg in Richtung der Königspfalz vorüberkam, die die Kappe vom Kopf zogen und der Staubwolke mit großem Interesse und ziemlicher Ehr-

furcht nachschauten. Das ist zugleich die Erklärung für die
erstaunliche Tatsache, daß unsere Familien heute noch
existieren, während die glanzvollen Namen jener Zeit
längst untergegangen sind: Nur die Unauffälligen halten
sich.

Wir waren also nicht viel. Wenn wir Schulze, Lehmann
oder Meier heißen, können wir noch von Glück sagen,
denn dann waren unsere Vorfahren einmal Schultheiß-
Ortsrichter oder Lehnsmann-Pächter oder Hausmeier-
Gutsverwalter. Im Mindener Gebiet sitzen um Enger
herum heute noch einige »Sattelmeier«, Nachkommen der
Hofverwalter des Sachsenherzogs Widukind (des eigen-
sinnigen Widersachers Karls des Großen), auf ihren westfälischen Höfen. Sie blicken, glaube ich, mit heimlicher
Arroganz auf neunzig Prozent des heutigen Adels, der ja
tatsächlich zum größten Teil aus einer viel späteren Zeit
stammt. Es gibt nur wenige uralte Geschlechter, und noch
wenigere, die an Haltung, Pflichtbewußtsein, Kultur und

Tüchtigkeit jene stillschweigende Hochachtung verdienen, die heute so viele verscherzt haben. Der Adel, zu dem damals der Grundstein gelegt wurde, ist eine seltsame Herausbildung, eine merkwürdige Erscheinung, die man in allen Kulturen findet, schon 4000 Jahre vor Christus als festen Begriff bei den Ägyptern. Er ist keine willkürliche »Erfindung«, er ist im Anfangsstadium eines Volkes eigentlich stets so etwas wie eine Auslese von Männern, die fühlen, daß sie sich »um alles kümmern« müßten, während die anderen den bequemeren Weg des Versorgtwerdens vorziehen. Er bringt im Frühstadium viel mehr Unannehmlichkeiten, Mühen und Gefahren mit sich als Annehmlichkeiten.

Die offenkundigste »Gefahr« der Ritter zur Zeit Konrads war, totgeschlagen zu werden. Mit diesem Bewußtsein lebten sie. Es war damals nun hundert Jahre her, daß Heinrich I. die ersten gepanzerten Reitergruppen ausgebildet hatte. Er hat sie oft gebrauchen müssen, und es war klar, daß da irgend etwas geschehen mußte. Sie konnten ja nicht jedes Jahr Haus und Hof verlassen (Handwerker waren nicht darunter) und sich nicht mehr um den Lebensunterhalt kümmern. Geld gab es zwar schon, die Römer hatten es nach Germanien gebracht, aber es kursierte in nur ganz geringen Mengen Gold in den Kreisen von Königen, Herzögen und Äbten. Der einfache Mann bekam sein Lebtag lang keine Münze zu sehen, das Leben spielte sich bargeldlos ab. Heinrich und Otto hatten daher das Leben der »Ritter« dadurch sichergestellt, daß sie ihnen aus eigenem Besitz größere, von guten Verwaltern (Meiern) bewirtschaftete Güter zu erblichen Lehen gaben. Daher kommt die Bezeichnung Rittergut, die wir heute für jedes Gut anwenden, dem der Besitzer nicht mehr als Arbeiter Nr. 1, sondern nur noch als Herr vorsteht.

Zur Zeit Konrads II. war die Ritterschaft schon ein Stand. Sie waren entweder direkte Vasallen des Königs, zum Beispiel in seinem eigenen Herzogtum, oder Vasallen eines Herzogs oder Markgrafen, der seinerseits direkter Untertan des Königs war. Gleichgültig, zu wem sie gehörten, jederzeit konnte der König alle Ritter zum Heerbann zusammenrufen. Es schwirren darüber viel unsinnige Zahlen in der Luft herum; die richtigen sind so niedrig, daß sie uns heute ein Lächeln abnötigen. Die großen Bischöfe, wie Mainz, Köln, Trier, Augsburg, brachten jeder etwa 100 Mann auf, die Herzöge, Markgrafen und Klöster zwischen 30 und 70. Auf ein paar tausend Lanzen beruhte die Macht des Herrn des Abendlandes.

Eine Maschinengewehrkompanie hätte sie allesamt erledigen können. Aber weder mein noch Ihr Ur-Ur-Ur-Ur-Großvater kam auf die Idee, ein Maschinengewehr zu erfinden. Infolgedessen erzitterte und erschauerte er bei dem Gedanken an die ungeheure Macht des Kaisers und beim Anblick des wogenden Haufens blechblitzender Reiter in schweren Kettenhemden, mit dicken Lanzen und wappengeschmückten Schilden: ein Haufen Todesmutiger und Todgeweihter. Und das waren sie wirklich. Es hat kein Gefühl der Mißbilligung oder gar Mißachtung gegeben, sehr im Unterschied zum Stand des Berufssoldaten der Neuzeit, der nicht mehr und nicht weniger »Todgeweihter« ist als wir alle, denn wenn es losgeht, werden auch wir eingezogen. Damals war der einfache Bauer und Städter frei von diesem Alpdruck, man kann sich also vorstellen, mit welchen Gefühlen er die ansah, die das für ihn unternahmen. Auch sein Herzog und sein König waren darunter.

Über ganz Deutschland lagen die Rittergüter verstreut, feste Steinhäuser, mitunter schon Burgen, um die herum sich die Häuser der bäuerlichen und handwerklichen Familien gruppierten, die von dem Ritter durch direkte, unfreie Knechtsdienste oder durch Pachtung von Land als Bauern abhängig waren. Die ganze Gegend um das Rittergut hatte den Ritter zugleich als eine Art »Landrat« und »Amtsrichter« zur Respektsperson, die Ritter hatten sich um alles »zu kümmern«. Die Vorstellung, daß sie tyrannische Unterdrücker und Ausbeuter gewesen sind, ist so falsch und so plump, wie manche spätere Propagandalüge, z. B. das Buch von »Onkel Toms Hütte«, das zu einem guten Teil die Wut des amerikanischen Bürgerkrieges auf dem Gewissen hat.

Eines allerdings trifft auf fast alle kleinen Ritter des Mittelalters zu: Sie waren sagenhaft ungebildet. Es stimmt, sie hörten sich (sofern sie mal zu Hause waren) gern einen fahrenden Minnesänger an, aber was die meisten von ihnen von sich gaben, entspricht etwa der Produktion des heutigen deutschen Films. Man schlägt halt zwei Stunden tot. Wir dürfen nicht immer an Walther von der Vogelweide, Wolfram von Eschenbach, Kürenberg, Frauenlob und Reinmar denken. Die gastierten nicht auf kleinen Klitschen.

Die meisten Ritter konnten weder ein Wort lesen noch ihren Namen schreiben. Das kleine Lämpchen der Kunst und Wissenschaft brannte nur in den Königspfalzen, Herzogssitzen und in den Klöstern. Auch mein Ur-Ur-Ur-Großvater wird vermutlich uninteressant wie eine Kartoffel gewesen sein.

Übrigens: Kartoffeln gab es damals noch nicht. Sie kamen erst zur Zeit des Alten Fritz aus Amerika nach Deutschland, und man fragt sich mit Recht, was es denn nun eigentlich gab und nicht gab. Man aß Linsen (berühmtes Arme-Leute-Essen seit Esau), Erbsen (galt schon immer als gut bürgerlich), Bohnen, Mohrrüben, Kohlrabi, Brot, Milch- und Gemüsesuppen und alles, was man mit einiger Erfindungsgabe aus Butter und Mehl herstellen kann. Gewürze waren damals sehr kostbar. Sie kamen über Genua oder Venedig aus dem Morgenland, von dem man eine verschwommene Vorstellung als Heimat von Wüsten, Kamelen, Bethlehem, abgeschnittenen Christenköpfen und krummen Sarazenensäbeln hatte. Zucker wurde wie in der Vorwährungsreformzeit durch Sirup und Honig ersetzt. Ich brauche nichts mehr hinzuzufügen. Salz war knapp. Aus jener Zeit stammt das Sprichwort: Salz verschütten bringt Ärger. Meistens gab es eine Ohrfeige, und die Erfolge waren zufriedenstellend. Mehr Dorfdeppen als heute gab es durch die Ohrfeigen auch nicht. Geflügel und Wild wurden viel gegessen. Wenn man ein feiner Mann sein wollte, dann trank man dazu Wein. Hinterher tunkte man die Hände in eine Schale mit Wasser und trocknete sie an einem Leinentuch ab, mit dem man auch die letzten Linsen und Erbsen aus dem Bart herausholte, der das Zeichen des freien Mannes war. Mit den Fingern zu essen, galt als fein. Als einige Jahrhunderte später die Gabel aus Italien heraufkam, benutzten sie zuerst nur »Laffen«. Es gibt heute noch Menschen, vor allem in tropischen Ländern, die mit den Fingern essen und denen zuzusehen eine ausgesprochene Wohltat ist.

Migroswagen gab es auch schon. Es waren kleine Planwagen, mitunter auch nur Handkarren, mit denen die »Krämer« über Land zogen, um auf die Gutshöfe, die Rittergüter und Burgen den ganzen »Kram« und Krimskrams zu bringen, den ein Haushalt braucht: Zitronen und Trauben, Nadel und Zwirn, Knöpfe, Bänder, Tuche (man sagte Tuch, nicht Stoff – das klingt schön, finde ich) aus Niederlothringen (Holland und Belgien), wohlriechende Öle (die damalige Toilettenseife), Gewürze und so weiter. Sie machten keine schlechten Geschäfte und handelten dagegen Kornlieferungen oder Wildbret oder Gold ein. Sie kamen gern, wenn der Herr Ritter nicht zu Hause war. Erstens brachten sie ihr unnützes Zeugs viel besser an die Frau, und zweitens ... Dieser Satz ist nicht vollständig, ich weiß; aber Sie müssen bedenken, daß die Krämer oft junge, kräftige Burschen waren. Kraftstrotzend, denn der Beruf des Krämers war anstrengend und nicht ungefährlich. Der Beruf der Straßenräuber ist älter. – Sie kamen aus der Stadt. Vor unseren Augen darf da nicht das Nürnberg oder Augsburg des 15. Jahrhunderts aufstehen: Es war ja erst hundert Jahre her, daß Heinrich I. die Idee mit den ummauerten und zinnengekrönten Marktflecken und Höfen gehabt hatte. Es waren hauptsächlich kleine Städtchen mit ein paar hundert, höchstens ein paar tausend Einwohnern, niedrigen engen Fachwerkhäusern, gruppiert um ein befestigtes steinernes Haus des Stadtvogtes oder Pfarrers. Auch die Riesendome jener Zeit, die Dome von Speyer, Worms, Mainz, Hildesheim standen in ihrer Pracht, die heute mehr denn je überwältigt, inmitten schmaler schwindsüchtiger Häuser, inmitten niedriger Dachgewirre einer Kleinstadt. In fünf Minuten hatte man die Stadt von einem Ende zum anderen durchschritten. Auf holperigem Pflaster kam man zu einem Tor herein, von den Wachen genau nach dem Woher und Wohin befragt, ging an der obligaten Herberge und Ausspannung vorbei, an Speichern, an den Marktständen, an der Vogtei (dem späteren Rathaus), an der Pfarrei, an der Kirche, am Zeughaus, wo das Rüstzeug aufbewahrt wurde, an Schlossereien, Schmieden, Sattlern, Seilern, Webern, Böttchern, Spenglern, Bäckern, Fleischern und Schustern und hundert anderen Häusern, dann noch einmal an einer Herberge und Ausspannung, und dann war man aus dem anderen Tor wieder heraus. Nirgends hochstrebende Häuser, keine filigranen Fassaden, alles in dem Stil, den wir »romanisch« nennen, obwohl er mit dem damaligen Rom nichts zu tun hat, sondern eine deutsche Bildung ist. Die ganze Stadt schwirrte, sobald die Sonne aufging und die Sonnenuhr am Turm der Vogtei in Betrieb setzte, wie ein Bienenkorb, um mit Sonnenuntergang ebenso schlagartig still zu werden und schlafen zu gehen. Die Familie saß dann noch ein halbes Stündchen um die Öllampe herum, erzählte, sang, sprach von den Ereignissen und Neuigkeiten der Stadt, von dem, was man vom König gehört hatte und von Gott. Ja, tatsächlich, man sprach von Gott. Dagegen fehlte ein Gesprächsstoff ganz: die Parteipolitik. Man war damals noch so befangen, zu glauben, daß man als Krämer und Gastwirt und Stadtschreiber nichts davon verstünde. Ehe das Öllämpchen heruntergebrannt war, schloß man die Fenster, in denen bereits kleine Glasscheiben prangten, denn es stank gar mörderisch von den Höfen herein. Dadurch wurde man an die eigenen Leibespflichten gemahnt, man protzte gewaltig in dem unsterblichen Bretterhäuschen ab, betete, daß nicht die Cholera ausbrechen möge, wusch sich dann sparsam in einem Holzbottich, wobei man der vielleicht fern in Polen kämpfenden Ritter gedachte, die diesen städtischen Komfort nicht hatten, sondern wie die Skunks stanken. Dann ging man zu Bett, ein Bürger, ein »Geborgener«. In dem nahen Kloster, das man vom Dach aus sehen konnte, brannte noch Licht. Die Mönche von Sankt Severin oder Bernhard arbeiteten noch. Die einen trugen die Chronik nach, die sie über die Stadt und die drei Rittergüter ihres Bezirks führten, die anderen arbeiteten noch an dem Bauplan der Kathedrale, mit deren Konstruktion sie vom Erzbischof beauftragt waren. In ein, zwei Jahren würden sie sie beginnen, in vielleicht achtzig oder hundert Jahren beenden, ohne Unsicherheit, ohne Stilwechsel. Lebensinhalt und Sinn für Jahrhunderte. Generationen würden daran arbeiten, der Vater, der Sohn, der Enkel, ohne Konflikte, ohne Zweifel und fast ohne Sorgen.

In diese geruhsame Stille von zwei Generationen knallt eine Nachricht:

In den kalten Januartagen des Jahres 1077 zieht ein deutscher König, Konrads Enkel, auf Schleichwegen über die verschneiten Alpen verlassen nach Italien und steht drei Tage lang im Büßerkleid an den Mauern der Burg Canossa vor dem Fenster, hinter dem ihn mitleidlos und giftig ein alter Mann beobachtet. Heinrich der Vierte bittet Papst Gregor VII. um Gnade, um Erbarmen, um seine Krone, um sein Reich.

Es sind heute 900 Jahre vergangen, aber es könnte einem wieder der Atem stocken. Man erschrickt vor dieser Erinnerung, auch wenn man sie kennt, und fragt sich: Um Gottes willen, was ist denn geschehen?

Ja, was war inzwischen geschehen?

spielen die Hauptrollen die Mönche
von Cluny, ferner inmitten von alten
Tanten ein kleiner Junge, der später
ein verkommener König wird, ein
Papst, der seinen Beruf verfehlt hat,
und ein Dieb, der in letzter Sekunde
das Reich rettet

Viele Jahrhunderte haben sich den Kopf zerbrochen, wie es dazu kommen konnte. Die Jahre waren doch so ruhig und glücklich gewesen, kaum ein Wölkchen am Himmel. Sicherlich: Die hohen Herren hatten sich mitunter gestritten, oder an den Grenzen wurde gekämpft, aber dies jetzt, diese Lawine! ... sie brach für die Augen des Volkes urplötzlich herein.

Wir sind uns heute einig, welches die Ursachen waren: Der neue Papst Gregor VII. beanspruchte ganz offiziell die Herrschaft über die ganze Welt. Und zweitens: Die unheilvolle Zeit der Unmündigkeit des jetzigen Königs, Heinrich IV.! Auf diese Erkenntnis brauchen wir uns übrigens nichts einzubilden; das wußten die Menschen damals auch schon. Zuerst war die Weiberwirtschaft dagewesen, dann hatte man von einem verlotterten Leben des heranwachsenden Heinrich gehört. Na, ja, das war nicht schlimm, man war nicht zimperlich, man verstand zu unterscheiden, Dienst ist Dienst und Schnaps ist Schnaps. Aber dann hatte man eigentlich nichts mehr gehört, bis alle Leute sich eines Tages aufgeregt erzählten, der Papst habe den König verflucht und käme nach Augsburg, um einen neuen König auszuwählen.

Sie müssen sich vorstellen, daß diese Nachricht etwa so wirkte, als würde ich Ihnen erzählen, der Papst habe den Kreml abgesetzt und sei auf dem Wege nach Moskau, um den Musiker Schostakowitsch zum Zaren zu krönen. Eine vollkommen irrsinnige Meldung. Die Menschen standen auf dem Marktplatz herum, käsebleich, und fragten: Ja, warum setzt der König denn den Papst nicht ab, wie es seine Vorfahren, als das Reich noch viel weniger stark war, oft genug getan haben?

Wir fragen es heute genauso gespannt wieder.

Die Antwort ist sehr einfach: Als Gregor den Papstthron (bereits ohne Zutun des jungen Heinrich IV.) bestieg, dem König verbot, Bischöfe und Äbte einzusetzen, und von ihm die Anerkennung des Papstes als höchsten Herrn verlangte, da *hat* Heinrich den Papst abgesetzt. Aber der Papst ging nicht. Er blieb einfach sitzen. Das war unerhört!

Die Zeitgenossen haben jetzt etwas Kolossales erwartet, etwa die Zusammenrufung des Heerbanns, den Zug der stählernen Reiter nach Rom, die Absetzung Gregors, die Ernennung eines neuen Papstes und die Kaiserkrönung Heinrichs. Aber jetzt kam das Unerklärliche: Von Herrbann war keine Rede, die Bischöfe, bisher bedingungslos national, waren betreten, die Herzöge witterten Chancen und schwiegen eisig.

Der König war allein. Das war nicht einmal Otto III., dem Träumer, passiert. Daß Heinrich »schlecht« war, reicht als Erklärung nicht aus. Wir werden gleich sehen, wie sein Sohn ein ausgemachter Strolch ist und dennoch das Reich wieder in Ordnung bringt. Nein, die Ursachen liegen viel geheimer und sind viel interessanter.

Das alte Oetkersche Backrezept Ottos des Großen war: Haltet die Herzöge kurz, verpflichtet euch die Bischöfe, sie sind königstreu. Heinrichs Großvater hatte da schon Fehler gemacht. In Rechtsstreitigkeiten hatte seine Sympathie den weltlichen Herzögen gegolten. Das hatte die geistlichen Herren oft mißmutig gemacht. Heinrichs Vater dagegen versuchte, die Geschichte wieder einzurenken. Er hielt sich wieder strikt an das Backrezept. Man könnte nun annehmen, es sei wieder alles gut gewesen, aber das stimmt nicht. Die Herzöge waren gewohnt, recht zu haben, sie sahen diesen »Rückfall« mit Verärgerung. Ich nehme an, daß sie ihn einen »Rückfall ins finstere Mittelalter« genannt haben. Vater Heinrich hätte darauf pfeifen können, wenn er nun die mächtigen Bischöfe und Äbte wie einst hinter sich gehabt hätte. Er bildete es sich ein und pfiff auch. Leider täuschte er sich gewaltig, denn zur Verzweiflung aller heutigen Geschichtsforscher verband dieser kluge Mann mit der kreuzbraven, vernünftigen Tat ahnungslos einen ganz schrecklichen neuen Fehler. Schuld war wieder das Spintisieren. Die Sache war so: Von dem Kloster Cluny in Burgund ging damals gerade eine Reformbewegung aus, die das sündhaft weltliche Leben der Geistlichen verurteilte. Vater Heinrich wurde ein glühender Verehrer dieser Gedanken. Da er sehr viel »gesunden Menschenverstand« besaß, sagte er sich: Das ist richtig! Das ist logisch! Dafür spricht der »gesunde Menschenverstand«!

Die Menschen bilden sich auf den »gesunden Menschenverstand« seit neuestem wieder sehr viel ein. Ich habe herausgefunden, daß dies Wort meistens dann benutzt wird, wenn man den gänzlichen Mangel an Fachkenntnis entschuldigen und irgendwo mitquatschen will.

Vater Heinrich hätte nicht seinen »gesunden Menschenverstand«, sondern seinen ganz speziellen Königsverstand, der recht erheblich war, fragen sollen.

Stellen Sie sich einen Bischof im 11. Jahrhundert vor: Ein

Haudegen, ein Bataillonskommandeur, Sohn eines Grafen, ein Trinkwunder gigantischer Humpen, sicherlich Vater einer fröhlichen Kinderschar, wie man sie in gleicher gottgefälliger Zahl heute nur noch bei evangelischen Pastoren findet, klug, männlich, Heerführer im Kriege, weltlicher Reichsfürst. Diesen Männern sagte Vater Heinrich plötzlich, sie sollten keusch und züchtig sein, mön-

chisch leben, das verdammte Kettenhemdgerassel lassen, Selterswasser trinken und Kneippsandalen tragen.
Es war ihnen vollständig rätselhaft, wie der König, der sie ja aus der Schar der weltlichen Edelleute ausgewählt und wie königliche Beamte eingesetzt hatte, auf solche Ideen kommen konnte.
Viele waren ausgesprochen böse. Das waren die harmlo-

sen. Viele aber waren ausgesprochen begeistert. Und das war verhängnisvoll. Diese Äbte und Bischöfe nickten mit dem Kopf und fühlten sich nun irgendwie ein bißchen heilig und unantastbar. Dann fragten sie ihren »gesunden Menschenverstand« und der antwortete ihnen: Ihr seid nun etwas Besonderes, ihr seid nun nicht mehr von dieser Welt, ihr seid Apostel, ihr seid berufen und nicht beamtet, ihr seid Werkzeuge Gottes und seines Stellvertreters, des Papstes, und nicht einer weltlichen Macht, denn alle weltliche Macht ist Flitter und vergänglich, und es gibt für alle nur *einen* Gebieter, und das ist Gott, beziehungsweise in Vertretung der römische Papst.

Ah – werden Sie sagen. Ja, das hat natürlich auch Vater Heinrich nicht gewollt. Aber es war zu spät. Als jetzt der Berserker Gregor VII. den Papststuhl bestieg, hatte die Bewegung von Cluny, die Vater Heinrich für eine rein geistige gehalten hatte, bereits höchst kompakte irdische Früchte getragen. Es war nun als »Gesetz« innerhalb der Kirche herausgekommen, daß alle Geistlichen keusch zu leben hatten und daß eine so heilige Berufung wie die eines Priesters niemals von einem weltlichen Herrn, sondern nur vom Papst vorgenommen werden könne. Vater Heinrich starb, die Weiberwirtschaft kam, der Machtfanatiker Gregor bestieg den Papstthron, der junge Bengel Heinrich IV. soff und fraß und hurte und entwickelte sich zu einem weinerlichen Charakterschwein. Ein Teil der Bischöfe fing an zu frömmeln, der andere Teil saß grollend über Kaiser und Papst im Keller und ließ sich mit Rüdesheimer vollaufen. Die Herzöge ..morten herum, lachten über die Bischöfe, mit denen sie zusammen die Klosterschulbank und die Kalte Mamsell als Page gedrückt hatten, und haßten den verlotterten neuen König. Sie hätten ihn gern abgesetzt.

In Rom saß Gregor, bestens mit allen Nachrichten über die Zustände in Deutschland versehen. Er war entschlossen, die Päpste zu Kaisern der ganzen Erde zu machen. Ad majorem Dei gloriam. Wir besitzen eine Aufzeichnung des Papstes, die lautet wörtlich:

»Die römische Kirche allein ist von Gott gegründet. Ihr Bischof allein heißt Allbischof. Er allein kann Bischöfe absetzen und wiedereinsetzen. Wen er ausschließt, mit dem darf man nicht in einem Hause weilen. Er allein darf je nach den Umständen neue Gesetze erlassen, neue Kirchen gründen, bestehende umwandeln, teilen und zusammenlegen. Er allein darf die kaiserlichen Abzeichen führen, seine Füße sollen alle Fürsten küssen. Er darf die Kaiser absetzen, Bischöfe von einem Stuhl zum anderen nach Bedarf versetzen. Keine Synode ist ohne seine Teilnahme allgemeingültig. Sein Spruch kann von niemand aufgehoben werden. Die römische Kirche hat nie geirrt und wird in Ewigkeit nicht irren. Ihr Bischof ist heilig, sobald er rechtmäßig geweiht ist.« Auf einem anderen Blatt steht: »Die Apostelfürsten gebieten über den Himmel, sie öffnen und schließen ihn, ihnen gehört folglich auch die Erde. Der römische Bischof als ihr Erbe und Rechtsnachfolger ist darum auch Herr über alle irdische Herrschaft, Königreiche und Länder, er kann sie nehmen und geben.«

Dies sind die Hintergründe, wie man sie heute durchschaut und wie sie offenbar auch schon Heinrich IV. durchschaute – aber zu spät. Als ihm klar war, was sich da während seiner verlotterten Jugend zusammengebraut hatte und was für eine Lawine von Gregor heranrollte, als er sah, daß der Papst bereits tollkühn auf dem Wege nach Deutschland war, um einen neuen König zu krönen, als ihm klar war, daß ihn niemand mochte, da entschloß er sich mit äußerster Verschlagenheit zu einem Schritt, an den seine Vorgänger mit keinem Gedanken gedacht haben würden, solange sie noch ein Schwert in der Hand gehabt hätten: Er beschloß, den Papst zu zwingen, ihn aus dem Staube aufzuheben und vom Bann zu lösen.

Beinahe wäre es Heinrich nicht einmal gelungen, über die Alpen zu kommen. Die Herzöge hätten es gern verhindert, und nur auf Grund seiner weitverzweigten Familienverbindungen reichte man ihn von einer Burg zur anderen heimlich weiter, bis er in Canossa Gregor erwischte. Der Papst war schon weiter gewesen, aber bei der Nachricht vom Erscheinen Heinrichs in die berühmte Burg zurückgewichen. Drei Tage hintereinander erschien Heinrich IV. im Büßerkleid im verschneiten Hof der Burg, erst dann nahm ihn Gregor auf Bitten seiner Umgebung an. Mit weit ausgebreiteten Armen mußte sich der König vor ihm zu

Boden werten. Es war ein weltgeschichtlicher Augenblick, wie lange kein zweiter mehr, jeder hat mit den Zähnen geknirscht: Heinrich, daß er sich derart demütigen mußte, Gregor, daß er verzeihen mußte. Über das anschließende gemeinsame Mittagessen berichtet ein altes Dokument, daß sie sich in einer wahren Sau-Laune gegenübersaßen. Die Geschichte nennt Gregor »groß« und »gewaltig« und Heinrich IV. »unglücklich«. Ich kann mich beiden Auffassungen nicht anschließen. So, wie die zwei sich da gegenübersaßen, waren sie verantwortungslose Hysteriker. Wenn Heinrich sich eingebildet haben mag, daß an einem Fußfall nicht viel dran sei, dann wußte es das Volk damals besser: Es ging fast ein Aufschrei durch Deutschland. Man spürte, es war ein Wendepunkt in der deutschen Geschichte.

Dieses Gefühl war richtig. Die »alte Zeit« war zu Ende. Für den Verstand aber bleibt ein Rest von Unerklärlichkeit. Man nickt mit dem Kopf, sagt »ja, ja« und fragt innerlich weiter: »Aber warum...?« Mit Recht. Die Fehler, die gemacht worden sein sollen, die Schuld, die irgendwelche an sich doch so klugen Könige gehabt haben sollen, das Zusammentreffen einer so haltlosen Gestalt wie Heinrich IV. und einer Gestalt wie Papst Gregor VII., den ein Zeitgenosse wörtlich den »heiligen Satan« nannte, alle diese Umstände können den rapiden Umschwung nicht allein bewirkt haben. Es genügt nicht. Man weigert sich, das hinzunehmen.

Es gab in der Tat noch etwas, und in meinen Augen liegt es eigentlich ganz offen da. Es ist merkwürdig, daß es so wenig beachtet wird. Man kann es in einem einzigen, allerdings sehr vielsagenden Satz ausdrücken: Die Menschen wurden auf eine neue Weise »fromm«. Es war der Abschluß des alten germanischen Gottesverhältnisses »von

Mann zu Mann« sozusagen und der Beginn der Angst-Frömmigkeit, die das ganze späte Mittelalter durchzieht. Zwei andere Erscheinungen belegen das: Zur gleichen Zeit wurde die Ohrenbeichte eingeführt, und die Menschenmassen gerieten in Erregung und brachen zum ersten Kreuzzug zum Heiligen Grab nach Jerusalem auf.

Durch die Ohrenbeichte verschaffte sich die Kirche ein damals ungeheures Machtmittel, und mit dem Kreuzzug trat sie zum erstenmal als Unternehmer großen Stils auf.

Erinnern Sie sich noch des herrlich gravitätischen Gedichts aus der Schulzeit?

> »Als Kaiser Rotbart lobesam
> zum Heilgen Land gezogen kam,
> da mußt' er mit dem frommen Heer
> durch ein Gebirge wüst und leer.
>
> Daselbst erhub sich große Not,
> viel Steine gab's und wenig Brot,
> und mancher deutsche Reitersmann
> hat dort den Trunk sich abgetan.«

Bis auf den heutigen Tag beschäftigt mich diese Strophe wegen des Wortes »lobesam«, das mir ein Rätsel geblieben ist, bei dessen altertümlichem, ungeheuer wackerem und ehrbarem Klang mir jedoch jedesmal das Bild der Kreuzfahrer aufsteht, wie man es mich gelehrt hat: Kernige Ehegatten und Haushaltungsvorstände verlassen den heimischen Herd in ernstem, christlichem Pflichtbewußtsein und ziehen hinter Königen und Kaisern nach Palästina, wo sie das Heilige Land alsbald von den Türken befreien und zum Andenken 47 Grabtücher Christi, 482 Kreuzigungsnägel und 119 Schädel von Johannes dem Täufer mitbringen. Zu Hause erwarteten sie Ruhm und Ritterkreuze und neue Kinder, denn auch die teure Gattin war inzwischen nicht faul.

Ach, meine Lieben, die Sache mit dem ersten Kreuzzug war leider ganz, ganz anders. Die Kreuzzüge sind überhaupt eines der merkwürdigsten, interessantesten und folgenschwersten Ereignisse des Mittelalters. Ich kann mich nicht enthalten, sie Ihnen zu erzählen, bitte Sie jedoch, Heinrich IV. nicht aus dem Auge zu verlieren, den wir in einer Ecke Deutschlands abgestellt haben.

Es begann an einem Tage des Jahres 1095 in dem französischen Städtchen Clermont. Dort hielt auf einem Kirchenkonzil der Papst als Hauptreferat eine flammende Rede über die Greuel eines asiatischen Volkes (der Sarazenen), das soeben Kleinasien erobert, die Heiligen Stätten verwüstet und sämtlichen Christen den Hals abgeschnitten hatte. Er endete mit dem Aufruf, einen Kriegszug zur Befreiung des Heiligen Landes im Namen Christi und unter dem Reisezeichen eines Kreuzes zu unternehmen. Wenn Sie sich erinnern, was ich über die innere Wandlung und Bereitschaft der damaligen Menschen sagte, so werden Sie verstehen, daß die Worte des Papstes ungeheuren Eindruck machten. Da der Papst persönlich natürlich nicht dorthin zu ziehen gedachte, waren seine leidenschaftlichen Worte an die Adresse der Könige und Adligen gerichtet. Die Priester, die Mönche, alles schaltete sich ein und erreichte, daß eine Welle kriegerisch-religiöser Begeisterung durch Deutschland, Frankreich und Italien ging.

Nur ganz wenige Eingeweihte kannten damals die wahren Hintergründe dieses Aufrufs, und die Nachwelt hat bis zum zwanzigsten Jahrhundert gebraucht, um sie an Hand von verstreuten Aufzeichnungen und Bemerkungen in

Urkunden wieder herauszubekommen. Sie sind hochinteressant und sehr lehrreich:

Die mohammedanischen Araber, die bisher Palästina besaßen, waren mit den wenigen Christen, die dort lebten, und den alljährlichen spärlichen Pilgern ausgezeichnet ausgekommen. Sie waren ja keineswegs Halsabschneider aus Passion, sondern oft noble Herrschaften, die bereits Fußabtreter hatten, als wir noch die Beine auf den Tisch legten. Vor allem aber waren sie sehr tüchtige Geschäftsleute, sie waren Geldfachleute, gegen die das ganze Abendland Anfänger war. Sie waren es, die den Warenverkehr mit Indien und China vermittelten. Sie waren Großhandelsherren, sie legten auf abgeschnittene Christenköpfe gar keinen Wert, weil abgeschnittene Köpfe keinen Appetit auf Pfeffer, Vanille und Pfirsiche haben. Sie besorgten dem Abendland auch das damals heißbegehrte und unersetzliche Alaun. Wir haben (aus späteren Jahren) Zahlen gefunden: Das Abendland hat aus den kleinasiatischen Alaungruben eine Zeitlang jährlich für 100000 Goldgulden importiert. Italienische Städte besaßen entsprechend diesem großen Geschäft schon zur Zeit Heinrichs IV. Vertreter und Handelsniederlassungen in den wichtigsten Hafenstädten Kleinasiens. Jetzt waren die barbarischen Türken gekommen, hatten die Araber besiegt und vertrieben und dem ganzen Handel ein jähes Ende bereitet. Es ging um viel Geld, um sehr viel für die damalige Zeit. Zugleich war eine Chance aufgetaucht: Wenn die Türken in einem Kriegszug geschlagen würden, könnte man die kostbaren Gruben in eigenen Betrieb nehmen.

Selbstverständlich konnte man das nicht sagen. Kein Mensch wäre so verrückt gewesen, für »das bißchen Pfeffer« oder »das bißchen Alaun«, das er brauchte, nach Damaskus zu reisen und sich totschlagen zu lassen. Dagegen stellte man, als die ersten Rückreisenden aus Kleinasien kamen, fest, daß Erzählungen von Morden an Christen und vom Niederbrennen christlicher Kirchen ausgezeichnet wirkten. Dies wurde nun systematisch in Szene gesetzt. Jeder Heimkehrer, stets selbst knapp »dem Märtyrertode entronnen«, mußte neue ungeheuerliche Fabeln von Morden und Greueltaten, von abgeschnittenen Händen und Friedhofsschändungen erzählen, bis ein Bild entstand, das einem das Blut in den Adern erstarren ließ. Zum erstenmal in der Geschichte erprobte die Wirtschaft im großen Stil die Macht der Falschmeldung und Greuelpropaganda. Sie funktionierte.

Es ging los. In Frankreich sammelte sich der erste riesige Kreuzfahrerhaufe; schneller, als es selbst der gutgläubige

Papst erwartet hatte, waren die Freiwilligen da, freudig begrüßt. In Wahrheit waren es lauter Verrückte und steckbrieflich Gesuchte, lauter Strolche, Diebe, Bankrotteure und Glücksritter, die das Weite suchen wollten. An ihrer Spitze ritt ein bis dato ganz unbekannter Mann, Herr Peter aus Amiens; wie sich herausstellen sollte, ebenfalls ein verkrachter Schwärmer. Sie alle wurden zunächst herzlich gefeiert, obwohl sie auf ihrer Reise durch das Reich bereits auffallend lästig schnorrten. Als sie dann nach Ungarn kamen, machten sie es sich in ihrer Haut bequem, murksten zunächst einmal alles ab, was nicht niet- und nagelfest war, und räuberten und plünderten sich bis an die Theiß durch, wo man ihrem Kreuzzug endlich ein Ende machte, indem man sie totschlug. Zu Tausenden. Das war in Wahrheit der 1. Kreuzzug. Aber man spricht in feinen Kreisen nicht gern davon, und deshalb beginnt man mit der Numerierung der Kreuzzüge, die sich von da ab noch über 200 Jahre erstreckten, bei dem gleich darauffolgenden Zug unter Gottfried von Bouillon, dem erfahrenen lothringischen Heerführer. Dieser Feldzug von erstklassigen Rittern blieb für immer der größte Erfolg. Palästina wurde erobert, Gottfried errichtete dort ein kurzlebiges Herzogtum, und die italienischen Kaufleute lächelten wieder. Sie waren gut dabei gefahren: Bald organisierten sie unter dem Motto: ‚Warum nicht bequem, wenn es auch teuer ist‘ eine prompt arbeitende Schifffahrtslinie, die den Kreuzrittern späterer Züge den mühseligen Landweg ersparte. Billig waren sie nicht. Und das hatte eine ganz merkwürdige Folge, geradezu einen ganzen Rattenschwanz von Folgen, auf den man in der späteren Geschichte stößt.

Wer jemals eine Schiffskarte gebucht und eine Reise gemacht hat, weiß, daß er alles vergessen darf, zur Not sogar den Paß, nur eines nicht – Geld. Die Ritter des Mittelalters erlebten nun zum erstenmal, daß sie auf einem »Feldzug« für Fahrt, Übernachtung, Essen, Trinken und jeden Handschlag zahlen mußten. Das war etwas ganz Verblüffendes für sie, etwas ganz Neues. Die meisten der Herren kannten »Geld« nur vom Hörensagen. Jetzt mußten sie sich also zuvor Geld besorgen, sie mußten ihre Fahrt »finanzieren«. Das war eine kolossale Umwälzung in den harten Köpfen der Ritter, und sie hätten sich bestimmt keinen Rat gewußt, wenn ihnen nicht einige Leute geholfen hätten. Diese Männer waren urplötzlich da, sie trugen ärmliche schwarze Kaftane, und man hatte sie zuvor nur selten in den Siedlungen, öfter in versteckten Winkeln der Städte gesehen. Diese Ärmsten zauberten erstaunlicherweise Geld herbei, wenn man ihnen einen Gegenwert gab, den sie leicht verscherbeln konnten, ja sogar, wenn man ihnen gar nichts gab. Das war natürlich eine feine Sache. Sie hatte lediglich den kleinen Haken, daß man Zinsen zahlen mußte, jährlich etwa in Form eines 2 Kilometer langen Waldes. Zins zu nehmen und Geld zu verleihen, hatte die Kirche den Christen nicht erlaubt, so kam es, daß die Juden damals keine Konkurrenz bekamen. Das machte ihnen viel Freude, sie ahnten noch nicht, wieviel Haß wenig später im Volke daraus entstehen würde.

In den letzten Zeilen sind allein zwei Fehler der damaligen Zeit aufgedeckt, die die Zeitgenossen nicht gesehen haben. Wie ungeheuer schwer es ist, Ereignisse, die man miterlebt, richtig einzuschätzen, zeigt die Geschichte auf Schritt und Tritt. So hat zum Beispiel damals niemand geahnt, daß die Kreuzzüge die Macht der Burgen und Pfalzen beenden und das Zeitalter der reich gewordenen Städte heraufführen würden. Es hat auch niemand geahnt, daß die Kreuzzüge sich sehr bald in eine Art Kolonialzüge verwandeln

würden, daß Kultur und neuartige Sitte nach Europa fließen und daß es einmal sozusagen fast zum guten Ton gehören würde, die adligen Söhne eine Zeitlang nach Kleinasien geschickt zu haben – so wie der Sohn eines englischen
Lords eben mal in Indien gedient haben mußte.

Alles das, alle diese ungeheuren Umwälzungen, die sich im
Laufe der nächsten Zeit vollzogen, hat der Papst nicht im
entferntesten geahnt, als er im Jahre 1095 in Clermont zum
ersten Kreuzzug aufrief.

Dieser erste Zug unter Gottfried von Bouillon fand fast
ohne deutsche Beteiligung statt. Man war unabkömmlich,
die völlig ungeklärten Verhältnisse um König Heinrich IV.
erlaubten das nicht. Heinrich hatte sich durch den Fußfall
nicht retten können. Es kam dennoch zur Aufstellung eines Gegenkönigs (des Schwabenherzogs Rudolf von
Rheinfelden) und zu einer völligen Umgruppierung der
Kräfte- und Vertrauensverhältnisse zwischen König,
Herzögen, Bischöfen und Ritterschaft. Ein bißchen lächelte ihm noch das Glück, der Gegenkönig fiel in einer
Schlacht, Heinrich verlieh das Herzogtum Schwaben einem königstreuen Geschlecht, das bald von sich reden
machen sollte, den Hohenstaufen. Er brachte auch noch
ein Heer zusammen, zog nach Rom und entthronte Gregor. Der Alte bannte ihn flugs noch einmal, ehe er ins Exil
flüchtete und dort verlassen und vergessen starb.

Der König war also wieder gebannt. Er begann abermals
zu jammern. Da fielen seine beiden Söhne von ihm ab. Der
ältere kam nicht mehr zum Zug, weil er kurz darauf starb.
Wir wissen also nicht, was er für Deutschland als König
bedeutet hätte. Wer die spärlichen Nachrichten über ihn
studiert, neigt zu der Ansicht, daß es ein gescheiter Gedanke von ihm war, sich hinzulegen und zu sterben. Er
hätte es nicht so gut gemacht wie sein Bruder.

Dieser junge Mann hieß ebenfalls, wie sein Vater, Heinrich und steht im Geschichtsbuch unter der Nummer 5. Er war das, was man einen skrupellosen Halunken nennt. Er klaute dem haltlosen Alten im wahrsten Sinne des Wortes Krone und Reich. In einer alten Geschichtschronik steht: »Da gab dem Sohne der Papst im Namen des Apostels Petrus seinen Segen und verhieß ihm Nachlaß aller seiner Sünden, nicht bloß hier auf Erden, sondern auch dereinst vor Gottes Richterstuhl am Jüngsten Tag. Der Kaiser aber fiel, wie er seines Sohnes ansichtig ward, ihm zu Füßen und sprach flehend: ›Heinrich, oh, Heinrich!‹ Da rief der Sohn in falscher Demut weinend: ›Verzeih mir, was ich tat!‹ Aber keine Bitte, keine Träne desselben rührte sein steinernes Herz.«

Ja, es läßt sich nicht leugnen, Heinrich V. war kein feiner Mann, auch wenn er nicht ganz so tiefschwarz und possierlich ruchlos war, wie ihn unsere Urgroßväter sahen. Fast kann man es verstehen, daß er bei diesem Vater zur Raserei getrieben wurde. Mit »Oh, Heinrich, oh, Heinrich!« läßt sich eben kein Reich regieren. Persönlich mag Heinrich V. sehr unsympathisch gewesen sein, als Kaiser hat er seine Pflicht getan. Er setzte weiter munter Bischöfe und Äbte ein, gedachte auch seines Papas, dessen Leiche er noch nachträglich vom Bann lossprechen ließ, was ein schöner Zug von ihm war, und ließ sich, heftig mit dem Schwert rasselnd, in Rom zum Kaiser krönen. Im Wormser Konkordat legte er mit dem Papst vertragsmäßig fest, daß Bischöfe und Reichsäbte künftig von der Geistlichkeit vorgeschlagen, aber vom Kaiser belehnt würden. Die gespenstische, ruhelose Gestalt seines Vaters geriet im Volk in Vergessenheit. Wenn man jetzt das Wort »Kaiser Heinrich« aussprach, so fühlten die Menschen wieder Glanz, Stärke und Ordnung. Womit bewiesen ist, daß man mit einem sogenannten Schurken besser fährt als mit einem haltlosen Phantasten.

Heinrich V. blieb der Letzte seines Geschlechts. Er starb 1125 ohne Erben.

Was nun folgte, war zunächst nicht sehr weltbewegend, und Otto der Große rotierte um diese Zeit besonders unruhig in seinem Grabe in Magdeburg. Eine gewisse Gleichmäßigkeit, Gleichmütigkeit und scheinbare Stabilität des Lebens deckte, wie das in der Welt immer ist, morsche Stellen und langsam sich verbreiternde Risse zu.

Im Jahre 1152 kam ein gewisser Friedrich I. von Hohenstaufen auf den Thron. Es war, als wenn ein neuer Mieter das alte Haus mit wehendem Mantel betrat, Türen und Fenster aufriß, die Tapeten abklopfte und die Maurer und Maler bestellte. Eine Persönlichkeit, ein großer Mann war da und bewahrheitete das Wort des amerikanischen Dichters Emerson: Wo ein *Mann* auftritt, bringt er eine Revolution mit sich.

Das Volk nannte ihn Barbarossa. Es ist jener »Kaiser Rotbart lobesam«.

Er hätte, als er den Thron bestieg, wie weiland Joseph Goebbels 1933 sagen können: Ich weiß nicht, wie es enden wird, aber eines kann ich Ihnen sagen – es wird interessant werden!

Das wurde es.

Im fünften Kapitel

tritt mit wehendem Zaubermantel,
wie ein Fanfarenstoß, Friedrich I.
auf, jener Barbarossa, der im Kyff-
häuser auf seine Wiederkehr wartet.
Soll er wiederkommen?

Er war ein herrlicher Mann, schön, schlank, klug, gebildet, ein Zauberer in Gesellschaft, ein Mann, der andere große Männer an sich zog wie ein Magnet, ein glühender Liebender und glühender Hasser, ein Kaiser, der die Nation zu jedem Opfergang mit ungeheurer Wucht mitreißen konnte.

Die Legende hat sich schon zu seinen Lebzeiten mit ihm beschäftigt, und als 60 Jahre später nach dem Tode seines Enkels ein fahrender Sänger die Sage aufbrachte, jener Enkel sei nicht tot, sondern säße verzaubert im Kyffhäuser, da übertrug das Volk diese rührende, sehnsüchtige Sage einfach auf ihn, den unvergessenen Kaiser Rotbart. Und so lernen es unsere Kinder heute noch und wissen nicht, daß ursprünglich einmal ein ganz anderer gemeint war:

Der alte Barbarossa,
der Kaiser Friederich,
im unterird'schen Schlosse
hält er verzaubert sich.

Er ist niemals gestorben,
er lebt darin noch jetzt,
er hat im Schloß verborgen
zum Schlaf sich hingesetzt.

Er hat hinabgenommen
des Reiches Herrlichkeit
und wird einst wiederkommen
mit ihr zu seiner Zeit.

Der Stuhl ist elfenbeinern,
darauf der Kaiser sitzt,
der Tisch ist marmorsteinern,
worauf sein Haupt er stützt.

Sein Bart ist nicht von Flachse,
er ist von Feuersglut,
ist durch den Tisch gewachsen,
worauf sein Kinn ausruht.

Er nickt als wie im Traume,
sein Aug' halb offen zwinkt,
und je nach langem Raume
er einem Knaben winkt.

Er spricht im Schlaf zum Knaben:
»Geh hin vors Schloß, o Zwerg,
und sieh, ob noch die Raben
herfliegen um den Berg!

Und wenn die alten Raben
noch fliegen immerdar,
so muß ich auch noch schlafen
verzaubert hundert Jahr.«

Seien Sie mir nicht böse, und erschrecken Sie nicht, wenn
ich jetzt sage: Hoffentlich kommt er nie wieder!
Ich werde Ihnen sein Leben erzählen, und Sie werden mir
recht geben.

Friedrich der Erste von Hohenstaufen, der »Barbarossa«, war knapp 30 Jahre alt, als er zum König gewählt wurde. In seiner Thronrede sagte er, er wolle das Reich in alter Macht und Herrlichkeit wieder erstehen lassen. Das hatten schon viele gesagt. Das Seltsame ist, daß diese Worte aus seinem Munde bei allen Anwesenden das Gefühl auslösten, es werde wirklich etwas Außerordentliches geschehen.

Zunächst kam ein bißchen Vorgeplänkel. Er reizte auf »Mit einem, Spiel zwei, mal Herz«. Der »eine« war sein Jugendgespiele, der temperamentvolle, mächtige Herzog von Sachsen, Heinrich der Löwe. Seine Thronbesteigung zeigte Friedrich dem Papst an, wie man einem Geschäftsfreund eine neue Anschrift mitteilt. Dann beauftragte er seinen Onkel, den Bischof von Freising, mit seiner Biographie zu beginnen, nüchtern und peinlich genau, bitte. Über diesen Einfall ist damals viel gesprochen worden, er muß ganz kurios gewirkt haben. Es verbreitete sich unter den Herzögen und Bischöfen etwa das Gefühl, das heute eine Gesellschaft hat, wenn sich unter ihr ein Reporter einer »Abendzeitung« befindet.

Friedrich war entschlossen, Inventur zu machen. Er rief die hohe Ritterschaft zur Romfahrt auf. Das brauchte an sich noch nichts Besonderes zu bedeuten, es war Tradition, und es war als Reichsgesetz verankert, daß die »Höchstfreie Ritterschaft« ihm pflichtgemäß das Geleit zu geben hatte.

Aber die Art, wie sie aufbrachen, das Lächeln, das gewisse Gefühl des Stolzes, jene merkwürdige und schwer definierbare Art von Hochgefühlen, wie sie im letzten Weltkrieg die Männer der Aufklärungsabteilung gehabt haben, und manches andere läßt vermuten, daß sie wußten, was der Hohenstaufe wollte.

Als Friedrich in Oberitalien erschien, betrat er ein Land, das sich in den letzten hundert Jahren vollständig verändert hatte. Die Städte, alte Städte aus der Römerzeit, hatten lange einen Dornröschenschlaf mit leichtem Modergeruch und Spinnweben geschlafen. Sie waren seit kurzem zu einem Leben erwacht, das man bis dahin im abendländischen Staatsgetriebe nicht kannte: Sie lebten als lauter kleine Inselstaaten. Sie waren gewachsen und reich geworden, sie hatten riesige Befestigungen erbaut, sie hielten sich ein kleines Heer; in den engen Straßen standen neue, hohe Häuser, die Wohnungen waren ausgestattet wie früher nur Königspfalzen, es hatten sich Familien herausgehoben, die einstmals vielleicht Stadtschreiber des Vogtes oder Krämer gewesen waren und jetzt eine Vornehmheit und eine Gravität zeigten, als seien sie Adlige. Das ganze Land war ein Bienenkorb voll Geschäftigkeit und Handel. Die Ritter, die auf den Höhenzügen vor der Stadt in ihrer wenig komfortablen Burg saßen, sahen schon lange verwirrt und mit einer Stinkwut auf diese Gewächse herab. Im Hafen von Genua oder Pisa lag eine ganze Flotte von Segelschiffen, in Mailand und Florenz erhoben sich riesige Lagerhäuser und stapelten sich Handelswaren und Kriegsgüter in einem Werte, wie sie früher nur Bischöfe und Herzöge gehabt hatten. Die Ratsherren der großen italienischen Städte traten bei Besprechungen den Rittern zwar mit Ehrerbietung, aber in Biberpelzen und chinesischer Seide entgegen, sprachen drei Sprachen und kannten den Papst persönlich. Was sollte man dazu sagen! Jede Gefälligkeit ließen sie sich mit neuen Rechten bezahlen, überall und bei jeder Gelegenheit tauchte des gräßliche Wort »Geld« auf, alle Vergleiche bezogen sich darauf, und alles hatte einen bestimmten »Wert«. Dann zückten die Stadtmenschen den Säckel, den sie immer mithatten, ließen sich Brief und

Siegel auf neue Zugeständnisse geben und legten einen
Berg Gold- und Silbermünzen auf den Tisch, jenes Zeugs,
das man weder direkt essen, noch trinken, noch verschie-
ßen, noch verschneidern, noch verschustern, noch reiten
konnte und das nach einem anscheinend stillschweigenden
Übereinkommen dieser Stadtmenschen dennoch ein
Kleid, eine Rüstung, ein Paar Schuhe, ein Pferd, ein Schiff
und herrliches Essen und Trinken herbeizaubern konnte.
Dieses Dreckzeug von Geld hielten sie, vor allem das
überparteiliche päpstliche, unentwegt hoch, auch wenn sie
untereinander noch so verfeindet waren, wie zum Beispiel
Mailand und Lodi oder Genua und Pisa oder Piacenza und
Pavia, die sich gegenseitig die Straßen sperrten, die Le-
bensadern abschnürten und dann auf Tod und Leben be-

fehdeten. Immer ging es um jene Haufen »Geld«. So sehr die Edelleute sich auch bemühten, einen anderen Sinn zu finden, etwa einen Staatsgedanken oder einen weitblikkenden nationalen Plan oder ein altes Hoheitsrecht oder einen Notzustand, nein, nein, sie suchten vergeblich, es handelte sich immer nur um Prozente.

Zwanzig Jahre lang hatte sich kein deutscher Kaiser mehr in Italien sehen lassen. Abgaben waren stillschweigend fallengelassen worden, Befehle waren nie mehr gekommen. Auch der Papst hatte keine Idee. Wenn er sich meldete, wollte er Geld.

In der Luft dieser italienischen Städte verstand man die einstigen Anschauungen von Staat, von gewisser Selbstlosigkeit, von Dienst an einer Idee, von Verpflichtung überhaupt nicht mehr. Das Geld, dieser unerhörte Gutschein für alles, hatte sich eingeschlichen. Wer nicht blöde dreinschauen wollte, beeilte sich, mitzumachen. Otto I.? Konrad II.? Heinrich III.? Reich? Idee? Generationen? Zukunft? Politik? Man lächelte. Warum denn so kompliziert, es war ja so schrecklich einfach. Man bat, doch um Himmels willen den »gesunden Menschenverstand« zu gebrauchen.

In dieses Italien kletterten die paar tausend schwerbewaffneten Ritter mit ihren Gäulen die alte Brennerstraße hinab. In der diesigen Ferne sahen sie die großen Stadtklumpen liegen. Ihnen war nicht ganz wohl zumute.

Die Kunde vom Kommen des neuen Königs verbreitete sich blitzschnell, und als man sah, daß sich die Spitze des kleinen Zuges nicht in Richtung Rom bewegte, war es klar, daß dieser König sich nicht seine römische Kaiserkrone abholen, sondern noch etwas anderes wollte. Man erriet auch sofort, wer gemeint war: Mailand. Mailand hatte Konkurrenzstädte vor kurzem einfach in Schutt und

Asche gelegt. Wenn man alte Chroniken nachliest, fühlt man sich geradezu in die heutige Weltwirtschaft versetzt. Da wird autarkiert, exportiert, evakuiert, bombardiert, daß es nur so raucht.

Hier wollte Friedrich zeigen, wer der Herr ist.

Daraufhin schlossen alle Städte, die Mailands Geschäftsfreunde waren, sofort ihre Tore. Die Mailänder selbst standen auf ihren 20 Meter hohen Mauern und bewarfen den König mit Melonen, die in Deutschland das Stück einen Silberling kosteten.

Nachdem der Koch die Melonen aufgesammelt und der König die rebellische Stadt in die leider gänzlich wirkungslose Reichsacht getan hatte, zog das Ritterheer ab. Pavia, die Hauptstadt der Lombardei und seit je rührend kaisertreu, nahm den König auf und krönte ihn nach allen Regeln der Kunst mit der traditionellen lombardischen Krone.

Dann ging es nach Rom.

Auch Rom schwelgte damals, wie fast alle großen italienischen Städte, in neuer Bürgerherrlichkeit, und der Papst befand sich in wesentlich anderer Lage als etwa Gregor VII. Man könnte fast sagen, daß inmitten des recht frommen Abendlandes Rom die respektloseste Stadt war, getreu dem Sprichwort: »Der Prophet gilt nichts im eigenen Vaterland.«

Der Papst hoffte bei Friedrich auf Verständnis.

Auch Rom hoffte bei Friedrich auf Verständnis. Unter der Führung eines Mönches aus Brescia, der die weltlichen Herrschaftsgelüste der Kirche haßte, hatte sich Rom zu einer »Republik« ausgerufen und scherte sich in weltlichen Dingen um keinen Heiligen Vater mehr. Der König entschied sich gegen die Stadt. Er lieferte den Mönch von Brescia dem Papst aus, der ihn so nebenbei hängen und verbrennen ließ. Nachdem er sich dann die Hände in Unschuld gewaschen hatte, krönte er Friedrich in der Peterskirche, in der er wenigstens noch Herr war, zum Kaiser. Das Volk befand sich in wahnwitziger Erregung, griff zu den Waffen und überfiel das Lager vor der Stadt, während der Kaiser gerade beim Festessen saß. Die Lage war so kritisch, daß Friedrich aufspringen und selbst in den Kampf eingreifen mußte.

Das Heer kehrte, von den Städtern dauernd belästigt, nach Deutschland zurück.

Ergebnis: 1 Titel.

Ich nehme an, daß es Ihnen an dieser Stelle genauso ergeht wie mir: Mir fallen die Hände gottergeben herunter, ich pfeife durch die Nase und fühle mich von einer entwaffnenden Leere befallen. Man fragt sich: Warum, um alles in der Welt, ist der Mann nicht in Deutschland geblieben und hat dort in möglichster Ruhe seinen Kohl gebaut? Muß denn ein Kaiser immer einen Plan haben, muß er denn überhaupt etwas Besonderes wollen?

Ach, meine Lieben! Was soll man darauf antworten? Ihr und mein Ur-Ur-Ur-Ur-Ur-Großvater hätten niemals so gefragt. Wir sind sehr müde und ruhebedürftig geworden. Das ist es übrigens, was man unter einem alt werdenden Volk versteht.

Vollends erstaunt aber wäre bei solchen Fragen Friedrich Barbarossa gewesen. Er hätte die Methoden heutiger Politiker, die die Dinge ja wirklich in bewundernswerter Ruhe auf sich zukommen lassen und keine sonderlich weite Idee haben, sondern jeden Abend Kassensturz machen – diese Methode hätte er nicht verstanden. Er und das ganze Mittelalter hätten nicht begriffen, daß man Geschäfte nur erledigt, wenn sie anfallen.

Sie werden jetzt vielleicht sagen: Ja, um Gottes willen, das ist es ja gerade! Davon kommt ja die schreckliche Unruhe in der Weltgeschichte!

Ja.

Davon kommt die schreckliche Unruhe im Leben. Es läßt sich nicht leugnen. Aber völlige Ruhe herrscht leider nur auf dem Friedhof. Wenn der mächtige Philip Reemtsma aufhört, zu planen, zu horchen, zu überlegen, zu sorgen, und sich die Grundsätze eines Eremiten zu eigen macht, wird er als Kippensammler enden. Das ist so im Leben. Kaiser Rotbart lobesam hatte leider recht.

Er zog also wieder nach Italien.

Die Inventur dauerte 25 Jahre. Diese 25 Kriegsjahre sind ein für die studierenden Nachkommen nervenaufreibendes, ununterbrochenes Hin und Her von Siegen und Niederlagen, eine wahrhaft schweißtreibende Angstpartie von Kämpfen, listigen Schachzügen, unerwarteten Rückzügen, biederen Verträgen, Kompromissen und Fehlschlägen, wobei das Allererstaunlichste, was uns überliefert wurde, die Tatsache ist, daß der Ruhm des Kaisers, sooft er geschlagen wurde, dauernd wuchs. Das kann man nicht mehr erklären, da kann man sich bloß noch wundern. Als aus dem Kaiser Rotbart ein Kaiser Graubart geworden war, hatte Friedrich wie der Reiter vom Bodensee das andere Ufer erreicht.

Die Inventur war gemacht.

Ergebnis: Unentschieden.

Friedrich bleibt Europameister im Halbschwergewicht. Wer ein bißchen vom Boxen versteht, weiß, daß das der Abgesang des alten Meisters ist. Deutschland war enttäuscht, es hatte einen hohen Eintrittspreis gezahlt und ein k. o. erwartet. Barbarossa hatte das Haus abgeklopft, er hatte es frisch tünchen lassen, aber den Untermieter hatte er nicht herausbekommen. Er hatte die untere Etage inne, der Papst die obere, mit gemeinsamer Küchenbenutzung – Italien.

Das Haus sah schick aus. Ehe ich es Ihnen beschreibe, muß ich Ihnen aber noch sagen, was aus Friedrich Barbarossa geworden ist. Wie gesagt, er schien der Herr des Abendlandes. Zum Ritterschlag seiner beiden Söhne strömte halb Europa nach Mainz. Die alten Chroniken erzählen von 40 000 Rittern aus aller Herren Ländern, von einer riesigen Zeltstadt und von Holzkirchen, die man extra errichten mußte. Die Krönung seines Lebens sollte ein Kreuzzug sein, um das Heilige Land zu befreien, das wieder einmal von jemand erobert worden war. Faszinierend, wie er selbst war, gestaltete sich der Moment, als er auf einem Reichstag »das Kreuz« nahm. Er gab diesem Reichstag einen besonderen Namen, womit er zweifellos das Copyright für alle Reichsparteitage besitzt, die noch im Schoß der Zukunft lagen. Er nannte diesen Reichstag »Reichstag Jesu Christi«, er saß während der Zeremonie auch nicht auf dem Thron, sondern der Sessel blieb leer, für Christus reserviert.

Logisch, daß dieser Mann keines gewöhnlichen Todes sterben konnte. Sie werden nichts anderes erwarten.

Er ist von dem Kreuzzug nie zurückgekehrt. Er ertrank (1190) bei einem Bad im Saleph in Kleinasien. Wir wissen heute nicht einmal, wo seine sterblichen Überreste begraben liegen. Dem Abendland schien es unfaßbar, daß er nicht wiederkommen sollte.

Soll er wiederkommen?

Ich weiß nicht recht.

*beginnt wie ein Spiel aus Tausend-
undeiner Nacht« mit einem Märchenkaiser, einem Dschingis-Khan
und hunderttausend Räubern, und
endet als deutsche Tragödie*

Was an Friedrich Barbarossa so faszinierend war, war
seine Persönlichkeit, sein Schwung, seine Verve, seine
geistige Größe, sein Weitblick. Er hat dem Begriff Reich
und Kaiser einen neuen Glanz gegeben, die Menschen
wurden von neuem von einem unerhörten Lebensgefühl
und Ordnungsbewußtsein durchpulst.
Natürlich – Witwe Hermann Maier in der Torgasse in
Bremen hatte es genauso schwer, ihre vier Kinder durch-
zubringen, wie vorher. Barbarossa hatte ihr kein Radio aus
Italien mitgebracht und ihr keine Altersversorgung beschert. Aber er hat sie dennoch glücklicher gemacht. Es
fällt uns heute sicher schwer, uns das vorzustellen, aber
wir werden uns damit abfinden müssen, daß es so war. Offensichtlich verstand man früher unter Glück etwas anderes als heute.
Wenn Witwe Maier materiell keine Erleichterung spürte,
so spürten sie jedoch ihre Kinder. Denn als Barbarossa tot
war und die Fürsten fast automatisch und in Ehrfurcht seinen Sohn Heinrich (den Sechsten) zum Nachfolger gewählt hatten, zog dieser Heinrich los und kassierte erst
einmal ein.
Er legte, gefolgt von einem enthusiastischen Heer, fast alle
Wege noch einmal zurück, die sein Vater gegangen war,
und siehe da, alle Tore öffneten sich ihm. Er zog weiter

und weiter, und es war, als ob der tote Barbarossa vor dem Sohn her ritt und Wunder wirkte. Allerdings: wo diese Wunder ausblieben, half Heinrich VI. nach.

Er war von schneidender Kälte. Sie müssen ihn sich dabei vorstellen als einen kleinen, zarten, hochempfindlichen und gebildeten jungen Mann. Ihm zur Seite stand eine wahre Hagengestalt: sein Kanzler Markward von Annweiler, ein Mann, ebenso bedeutend wie Barbarossas berühmter Kanzler Rainald von Dassel; wie es überhaupt die Zeit der mittelalterlichen Bismarcks war. Sie kamen oft aus dem Nichts, nur der untrügliche Instinkt und die lange Tradition der Könige erkannten sie. Markward war unfreier Diener bei Hofe gewesen, er endete als Fürst. Diese Männer besaßen einer wie der andere ein Format wie Bismarck plus Moltke. Nichts ist falscher als jenes gönnerhafte Gefühl, das wir als Menschen des zwanzigsten Jahrhunderts schon auf der Schulbank haben, wenn wir denken: Na, diese sogenannten Kanzler sollten heute mal leben, ihnen würden die Augen übergehen. Ganz bestimmt nicht! *Uns* würden sie übergehen. (Der Satz hat einen ganz schönen Doppelsinn. Vielleicht lesen Sie ihn noch einmal!)

1189 trat ein Ereignis ein, das diese Männer vor eine schwere Entscheidung stellte: Der letzte König von Sizilien und Unteritalien starb, und einzige Erbin war seine Tochter Konstanze, Gemahlin Heinrichs des Sechsten. Das Glück kam wie eine Überschwemmung.

Das Reich drohte ins Uferlose zu gehen. Das ist der erste Gedanke, heute wie damals. Die Staufer sind alle maßlos gewesen, sagt man. Dieses Urteil ist ganz falsch. Die Politik des altdeutschen Reichs ist überhaupt nicht an eine Person gebunden gewesen, sie hatte eine über alles Persönliche hinausgehende Linie. Selbst Gegenkönige haben stets sofort wieder die Politik ihrer Vorgänger aufgenommen. Immer hat damals politischer Verstand ohne Ansehen der Person und der Wünsche geplant und gehandelt. Heinrich und Markward entschieden daher: Sizilien und Unteritalien werden in Besitz genommen. Der Kaiser ist jung, im Laufe seiner Regierung wird der Zement dieses Baues hart genug werden. Das Reich ist endlich den ewig drohenden, mit Rom zusammen Unruhe stiftenden Nachbarn in Unteritalien los, es rundet sich nun zu endgültigen, natürlichen Grenzen ab, zum Meer. Das Reich wird Seemacht.

An zwei Dinge hat man dabei nicht gedacht: an einen frühen Tod Heinrichs und an die Gefahr einer Entfremdung der Kaiser durch die Verlockung des geradezu paradiesischen Siziliens als Wohnsitz. Und beide Ereignisse traten ein.

Der Zement des neuen Bauwerks hatte keine Zeit zum Trocknen – wie bei Bismarck. Heinrich VI. starb überraschend an einer Ruhr im Alter von 32 Jahren. Sein Erbe war ein dreijähriges Kind.

Es hieß Friedrich-Roger. Aber Sie kennen es nicht unter diesem Namen.

Alle heißen sie Friedrich oder Heinrich oder Otto oder Konrad, es ist kein Wunder, daß man die Könige numeriert hat wie die Gepäckträger und Droschkenkutscher. Welche Chancen, populär zu werden, hätte ein Bernd-Uwe gehabt! Die Hohenstaufen haben es versäumt. Im Gegenteil, sie haben Barbarossas Enkel, den seine Mutter Konstantin taufen wollte, Friedrich genannt, wodurch ich in die peinlichste Verlegenheit gerate. Ich muß nun nach Friedrich I. Barbarossa abermals von einem Friedrich sprechen, denn er ist zu interessant, um übergangen zu werden. Aber es steht zu hoffen, daß er keine komplizierte

Nummer trägt, sondern »der Zweite« ist, da zwischen Barbarossa und ihm nur ein Glied, sein Vater, liegt. Wir haben Glück, es stimmt. Über ihn sind viele Zentner von Büchern geschrieben worden. Dieser Friedrich II. von Hohenstaufen hatte vom Großvater Barbarossa die Gestalt und sein bezauberndes Wesen und von seiner sizilianischen Mutter Konstanze den Hang zur orientalischen Kultur. Er kannte Deutschland zwar von einigen Besuchen, aber ansonsten eigentlich nur vom Hörensagen. Er lebte in Italien oder in dem paradiesischen Sizilien, umgeben von arabischen Astronomen, römischen Bildhauern, griechischen Dichtern, ein unerhört kluger, geistvoller Herr, aufgeklärt, über Gott und die Welt lächelnd, skeptisch, brillierend – der erste absolute Monarch mit einer Versailler Atmosphäre. Auf den Reichstag von 1234 kam er mit Harem, Eunuchen, Negern, Arabern, Affen, Papageien und Kamelen nach Deutschland. Staunend begafften die deutschen Bauern und Städter, angetan mit ihren schlichten Kitteln und noch ganz und gar vom Schlage Barbarossas, diesen fremden Vogel.

Die klugen Köpfe unter den Deutschen erkannten damals mit Entsetzen und Ratlosigkeit, daß sich die Verhältnisse umgekehrt hatten: Deutschland war Kolonie geworden, Italien die Heimat des Kaisers. Eine tiefe Mutlosigkeit ergriff sie. Mein Gott, dachte man, wes Geistes Kind ist bloß dieser Hohenstaufe! Die Zeit ist übergeschnappt. Mitunter hörten sie aus dem Munde des Kaisers Bemerkungen, aus denen man entnehmen konnte, daß er nicht mehr an die Tellergestalt der Erde glaubte, sondern sie für eine Kugel hielt, die im Weltall um die Sonne kreiste, daß Gott kein bärtiger Greis, sondern das regierende Prinzip der Welt sei, daß die Grundelemente, aus denen sich alles zusammensetzt, nicht Feuer, Wasser, Luft und Erde seien,

sondern winzige Atome. Zitternd und bebend hörten sie
solche Andeutungen, während sie ihm meldeten: »Herr
Kaiser, in Marburg gibt es einen Mönch mit Namen Kon-
rad, der ist vom Papst beauftragt, unsere Gewissen zu er-
forschen. Mit zwei Gehilfen erscheint er in Gehöften, in
Burgen, in Schlössern und Städten und läßt unzählige
Menschen foltern und verbrennen. Dies ist die Hölle auf
Erden, wie kann das der Heilige Vater wollen? Wie kann
das in den Landen des deutschen Königs geschehen, hoher
Herr?«

Der Kaiser wußte von nichts. Wie komisch, dachte er und
studierte die biederen Gesichter vor ihm, wie komisch ist
diese Welt. Wie düster ist dieses Land, in dem noch mein
Vater geboren ist, wie barbarisch und hoffnungslos hin-

terwäldlerisch. Aber sie sind gute Ritter, gute Krieger, meine braven Deutschen.

Mild nach Parfüm duftend reiste der Kaiser wieder ab. Er ritt nicht mehr, er »reiste«. Er reiste neuen Kämpfen mit dem Papsttum entgegen und neuen Plänen einer Ausdehnung des Reiches auf den Orient. Er war Kosmopolit, Weltbürger Nr. 1. Nur schlief er nicht wie Garry Davis 1947 unter der Seinebrücke, sondern unter dem purpurnen Baldachin eines Marmorpalastes. Sein »Römisches Reich Deutscher Nation« reichte von der Südspitze Italiens und Siziliens bis nach Schleswig und von der Rhone bis zur Oder.

Er träumte in seinem Bett von einem Weltreich. Aber verwechseln Sie das nicht etwa mit den Träumen des Weltuntergangs-Ottos! Vergessen Sie nie, Friedrich II. war ein aufgeklärter, kühler, nüchterner Mann, der wirklich gigantische Anstrengungen machte.

Einige hundert Kilometer entfernt lag in Rom der Papst in seinem Bett und träumte ebenfalls von einem Weltreich. Fragen Sie nicht, welcher Papst es gerade ist. Es ist ziemlich gleichgültig. Seit Gregor VII. haben die Päpste nicht mehr aufgehört, im Augenblick ihrer Thronbesteigung Feinde des Reiches zu werden. Der Papst lag schlaflos da und überlegte: den Kaiser bannen, die Städte selbständig machen, die deutschen Herzöge gegeneinanderhetzen, die Inquisition einsetzen, mit Frankreich paktieren, eine Zange bilden, die Welt beherrschen. In Gedanken zählte er seine Moneten und wieviel Ritter und Knappen er auf 5 Kilometer Breite aufbringen könnte, falls es zur Schlacht käme.

Noch ein dritter Mann lag in dieser Nacht in seinem Bett schlaflos und grübelte. Der Herr hieß Ogodai und war den beiden anderen Herren gänzlich unbekannt. Er wird auch

Ihnen unbekannt sein, aber Sie werden ihn sogleich kennenlernen. Er träumte nämlich auch von einem Weltreich und überlegte, wievielmal hunderttausend Pferde er auf einer tausend Kilometer breiten Angriffsfront aufstellen müsse. Er war offenbar mit seiner Überschlagsrechnung zufrieden, denn am nächsten Morgen, während der Papst noch frühstückte und Friedrich sich badete, gab er den Befehl zum Angriff.

Jahrzehntelang hatte das Abendland mit seinen Kreuzzügen durch Nadelstiche in dem Koloß Asien herumgestochert. Jetzt machten sich die schlitzäugigen Herren einmal auf, um nachzusehen, was eigentlich dieses »Europa« war.

Als die Deutschen eines Morgens aufwachten, hörten sie, daß sich mongolische Reiterscharen auf Ungarn zu bewegten.

Eine schlechte Nachricht. Man erinnerte sich Attilas, wetzte die Messer und prüfte die Harnische.

Tags darauf kam die Nachricht, daß mongolische Reiterheere auch in die Ukraine eingefallen seien, die große Stadt Kiew erobert und dem Erdboden gleichgemacht hätten. In Kiew lebte keine Maus mehr.

Am nächsten Tage berichteten Kuriere schreckensbleich, daß die Mongolen auch im Norden seien. Deutschland war in hellem Aufruhr. Den Menschen trat der Angstschweiß auf die Stirn, die Meldungen konnten doch unmöglich stimmen, das waren ja wahnsinnige Nachrichten! Das war ja völlig unvorstellbar! Fünf- oder zehntausend Reiter aus den asiatischen Steppen konnten doch nicht über Nacht in Europa erscheinen, wie lange brauchten sie für diese riesigen Entfernungen, wie viele Stützpunkte hätten sie haben müssen, wieviel Belagerungsgeräte mitschleppen, wieviel Proviant, wieviel Waffen, wie konnten sie sich in drei kleine Gruppen teilen und eine Weltstadt wie Kiew einnehmen? Hier schien etwas zu geschehen, was alle bisherigen Vorstellungen überschritt. Die Ritter, wo blieben die Ritter nur, und der Kaiser, was sagte der Kaiser dazu?

Tag für Tag kamen neue Nachrichten. Die Mongolen ritten unermüdlich Stunde um Stunde weiter, mordend, brennend, immer weiter in Richtung Westen, sie kamen im Norden, im Süden, in Litauen, in Polen, in Ungarn, in Rußland, es gab keinen Ort, wo sie nicht waren, es schien eine unendlich große Welle zu sein. Die Hölle war ausgebrochen. Die Menschen konnten die Nachrichten nicht fassen, es überstieg alle ihre Vorstellungen, sie waren wie gelähmt.

Die Nachrichten stimmten. Asien schickte sich an, dem lächerlichen Abendland einmal zu zeigen, wie man die Welt umkrempelt.

Der Großkhan Ogodai, Nachfolger des großen Dschingis Khan, hatte mit der Hand gewinkt. Darauf bestiegen einhunderttausend mongolische Krieger ihre Pferde und ritten los.

Sobald sie aus ihren Gebieten heraus waren, ritten sie alles nieder, was ihnen begegnete, sie ließen niemand leben, weder Greise noch Kinder. Sie ritten Tag und Nacht, ohne Unterbrechung. Sie überquerten 3000 Meter hohe Gebirgspässe in Eis und Sturm fast ohne Verluste. Jeder führte sechs Handpferde am Zügel mit sich, sprang im Reiten über, wenn ein Pferd ermüdet war, schlief im Sattel, hungerte drei Tage lang oder nährte sich von Stutenmilch. Auf der Höhe der Krim drängten sich die Scharen zu riesenhaften Knäueln zusammen, der gefürchtete Khan Sobutai übernahm die Führung und begann den Angriff auf Europa in einer Front von eintausend Kilometer Länge.

Kein abendländisches Hirn hatte sich das bisher ausdenken können. Eine Welle von einer halben Million Pferden setzte sich in Bewegung. In wenigen Tagen war alles überrannt und abgeschlachtet.

So kamen sie heran, reitend, reitend, reitend. Deutschland stockte der Atem.

Es mußte doch etwas geschehen! Es mußte irgend etwas getan werden! Im Osten raffte Herzog Heinrich von Schlesien auf eigene Faust an Rittern zusammen, was er fand, Deutsche, Polen, alles, was greifbar war. Er holte auch die Bürger aus den Städten und bewaffnete sie. Die Blüte der Jugend und der Stolz der ostdeutschen Ritterschaft sammelten sich in rasender Eile auf einem Feld südöstlich vor der Stadt Liegnitz, als auch schon die Mongolen erschienen!

Der alte Professor Duller hat vor genau 100 Jahren in seinem berühmten Geschichtswerk diese Schlacht folgendermaßen beschrieben: »Es war ein wildes Volk aus Asien hereingebrochen, genannt die Mongolen, so greulich anzuschauen wie einst die Hunnen, aber noch greulicher als diese an Unmenschlichkeit. Zahllos lagen sie über Rußland, Ungarn und Polen ausgebreitet, und die ganze Gesittung des Abendlandes schien ihnen bereits verfallen zu sein. An Deutschlands Schwelle aber, in Schlesien, ward ihre Siegesmacht erschüttert. Dort trat ihnen der fromme deutsche Held, Herzog Heinrich von Breslau und Liegnitz, mit 30 000 Deutschen und Polen entgegen und lieferte ihnen am 9. April 1241 bei Liegnitz eine Schlacht. Da ist der fromme Herzog fürs Vaterland gefallen, Tausende mit ihm, aber die Mongolen haben die deutsche Kernkraft kennengelernt.«

Ach, meine Lieben! Es ist zum Weinen, wie sich die Welt

belügt, wie sie den billigen, eitlen Stolz eintauscht gegen die erschütternde, herzzerbrechende Wahrheit.

Es war ja ganz, ganz anders!

Es fielen nicht nur der Herzog und ein paar Tausend, sondern alle. Keiner der Ritter hat das Schlachtfeld lebend verlassen. Sie waren Todgeweihte von Anfang an gewesen. Daß sie es ahnten und daß sie sich opferten, war groß. Leider aber war es vollkommen sinnlos. Die Mongolen siegten vollständig. Und dann –

– dann geschah ein Wunder: Sie kehrten um.

Daß die Mongolen nach ihrem Sieg nach Hause ritten, das hat gar nichts mit dem Heldentod zu tun, sondern ist das erste »Marne-Wunder« der Weltgeschichte. Der Grund ist sogar fast lächerlich: Es war in einer 6000 Kilometer entfernten Stadt jemand gestorben; Sie werden es kaum glauben, aber es ist so.

Der so plötzlich Gestorbene war allerdings der Großkhan Ogodai, der wahre Herr der Erde. Die Hand, die Asien in Bewegung gesetzt hatte, war nun kalt und tot. Der *neue* Großkhan rief das Heer zurück, und wie auf einen Schlag erstarrte die Angriffswelle. Hunderttausend Reiter rissen ihre Panjepferde herum, wandten sich ostwärts und verschwanden in den unendlichen Ebenen Asiens.

Europa war gerettet.

Was Friedrich II. dazu tat, war ein Brief, den er dem abziehenden Oberbefehlshaber nachsandte und in dem er ironisch schrieb, er könne sich dem Großkhan leider, wie der Herr General sehe, nicht unterwerfen. Wenn der Großkhan aber mal einen erfahrenen Falkenjäger brauche, dann stehe er ihm gern mit seinem Rat zur Verfügung.

Er kam sich mit diesem Brief sehr witzig vor, und manche modernen Historikerganglien entzünden sich auch heute noch an diesem geistreichen Herrn.

So trug jeder auf seine Art sein Scherflein zur Weltgeschichte bei. Die Deutschen wischten sich den Schweiß von der Stirn, die reichen italienischen Städte wandten sich wieder ihrem Bankkonto zu, und der Papst verwirklichte seinen großen Plan, das Reich in die Zange zwischen Rom und Paris zu nehmen.

In jene Zeit fällt eine geistige Erfindung, die es zuvor im Abendland niemals gegeben hatte. Man war bisher glänzend ohne sie ausgekommen und hatte sie nicht vermißt. Da sie aber so vielseitig und praktisch zu verwenden war, galt sie von nun an bis auf den heutigen Tag als eine tiefe Weisheit: es war die Erfindung des »europäischen Gleichgewichts«.

Alle, mit Ausnahme der bockbeinigen Deutschen, waren sich darüber einig, daß es höchste Zeit war, die Welt neu zu verteilen. Was dem entgegenstand, war das leidige »Heilige« Römische Reich. Wenn man aber erst das Reich zerschlagen haben und das »Otterngezücht« der deutschen Kaiser (wie sich der Papst ausdrückte) ausradiert haben würde, dann würde auch Deutschland nur noch ein Staat unter vielen gleichen sein. Dann würde das goldene Zeitalter des europäischen Gleichgewichts beginnen.

Bis dahin war natürlich noch allerlei Arbeit zu leisten. Zunächst mußte man mit allen Außenmächten Bündnisse abschließen. Ferner mußte der Kaiser gezwungen werden, dauernd blutige Kleinkriege zu führen. Selbstverständlich mußte man ihn auch bannen. Auch die Polen mußte man unterstützen. Ferner waren Gegenkönige nicht schlecht. England gab Geld. Man durfte auch das Mittel der Propaganda nicht außer acht lassen. Der geistliche Politiker John Salisbury schrieb einen Brief an die christlichen Völker. Er lautete: »Wer hat die Deutschen zu Richtern über die Völker gesetzt? Wer hat diesen rohen und gewalttätigen Leuten das Recht gegeben, nach ihrem Belieben einen Fürsten zu setzen über die Häupter der Menschenkinder?« Die neue Menschenrasse der Bankiers rief: Die Zeit des finsteren Mittelalters mit seinen überlebten Anschauungen ist vorbei. Man kann die Erde auch vom Kontor aus verwalten, laßt uns mal ran!

Ach, sie hatten ja alle so recht! Selbst die Deutschen, dieses böse Volk, sahen schließlich ein, daß die ganzen Italiengeschichten sinnlos geworden waren. Die Sache des Kaisers in Palermo mit seinen Sorgen um irgendwelche sizilianischen Aufstände oder ampulischen Besitzungen war nicht mehr *ihre* Sache. Es war nie mehr von Deutschland die Rede. Das stimmte sie traurig.

So kam es, daß sie auch den Knaben Konradin, den Enkel Friedrichs II., fast allein nach Italien ziehen ließen, als er 18 Jahre nach dem Tode seines Großvaters den Thron in Sizilien besteigen wollte. Das heißt: Man weiß nicht einmal, ob er überhaupt wollte, er war fast noch ein Kind. Der große Augenblick war gekommen. Der Papst hatte bereits den Feind, die Franzosen, ins Land gerufen, man nahm den kleinen Konradin gefangen, stellte ihn vor ein internationales Militärgericht und klagte ihn des Kriegsverbrechens an.

Der Kleine stand ziemlich ratlos vor seinen Richtern und wußte nicht, was er sagen sollte. Er wollte doch nur den Thron besteigen. Die Richter erbarmten sich in dieser traurigen Komödie des Prinzen und sprachen ihn frei – bis auf einen. Ich möchte Ihnen nicht vorenthalten, wer dieser eine war. Sie denken, ein Franzose? Ein Engländer? Ein Kardinal? Ein Widerständler? Ein Maquisard? Oh, nein. Es war Robert von Bari, Chef der Kanzlei des Reiches. Der Diener seines Herrn. Er ist der Ahnherr aller derer geworden, die ihr Leben lang mit ausgestreckter Hand dastehen

und etwas später »schon immer dagegen gewesen« sind.
Letzten Endes waren alle Sprüche gleichgültig. Konradin
hätte ein Engel sein können, er sollte sterben.

Am 29. Oktober 1268 fiel das Haupt des jungen Konradin,
des letzten Hohenstaufen, auf dem Marktplatz von Neapel
auf Befehl Charles von Anjou unter dem Henkerbeil.

Es ist so weit. Fertigmachen zum Zusammenbrechen. Es
ist mit Windeseile gegangen.

Das Reich ist zerschlagen, niemand, kein deutscher Fürst
wagt, nach Italien zu gehen, keiner wagt mehr, einen Fuß
über die deutschen Grenzen zu setzen, die Koalition der
Alliierten steht fest, der Papst hat gesiegt. Er schrieb an einen seiner Kardinäle einen jubelnden Brief: »Der Gottes-
fürst (der Franzose Charles) besitzt das ganze Königreich
in voller Harmonie mit Uns und mit Gott und hat den mo-
dernden Leichnam des Teufelsfürsten (des Staufers) in seiner Gewalt. Siehe, die schrecklichen Meeresstürme kamen
zur Ruhe, zu Boden gestreckt ist der teuflische Hoch-
mut!« – Wenige Wochen später aber schreibt der Chronist
des Papstes bereits in das Buch der Geschichte die erschütternden Worte: »Die Franzosen sind aller Treue und

Menschlichkeit bar. Nun wußte man erst, was man unter dem Staufer besessen hatte, und unter furchtsam unterdrückten Seufzern hieß es: ›O König, im Leben kannten wir Dich nicht, nun müssen wir Deinen Tod beklagen. Für einen reißenden Wolf unter den Schafen hielten wir Dich, aber der Vergleich mit dem jetzigen Machthaber, den wir, unbeständigen Sinnes und verführt durch die Vorspiegelung künftigen Glücks, ängstlich erwarteten, zeigt deutlich: Du warst ein sanftes Lamm. Nun, da wir die Bitterkeit des fremden Regimes durchzukosten haben, erscheint uns Deine Herrschaft süß!‹«

Zwanzig Jahre, fast eine Generation lang, wagt von nun an kein deutscher Herzog mehr, auch nur die *Königs*krone anzunehmen. Es gibt kein Reich mehr, eine der grandiosesten Schöpfungen der Weltgeschichte ist zusammengestürzt. Wer weiß, ob es noch ein Deutschland gibt! Keiner kann sagen, was mit einem Lande geschehen wird, das niemand mehr regieren will.

Die »große« Zeit ist zu Ende. Entsinnen Sie sich, daß ich sagte, sie sei zugleich für unsere Träume die gefährlichste? Und sie sei die »allertoteste«? Weder ihr Geist, noch ihre Staatsanschauung, nicht einmal ihre geographischen Grenzen sind auf uns überkommen. Nichts.

An unseren Beinen hängt das Erbe der Zeit, die erst danach begann. Erst da wurde das Deutschland »gemacht«, das *wir* kennen.

Das altdeutsche Kaiserreich ging an drei Dingen zugrunde: zwei waren abwendbar, eines wahrscheinlich nicht. Diese drei sind: das Papsttum, die Bewegung von Cluny (erinnern Sie sich? Jene so harmlose, einleuchtende Frömmigkeitsbewegung des Klosters Cluny!) und die moderne Geldwirtschaft.

Die Entscheidung über das letzte dieser drei Dinge fiel in

die Zeit Barbarossas. Denken Sie an seine verzweifelten Anstrengungen, die lange Reihe der Städte zu »besiegen«. Er erkannte die geistige Revolution gar nicht, die das Geld mit sich gebracht hatte. Er hat überhaupt nicht begriffen, was eine »Stadt« ist. Er hat geglaubt, die Städte seien »unbotmäßig«. Ach, du lieber Gott! Ja, das waren sie nebenbei auch, aber da kündigte sich ja viel mehr an. Eine Stadt war für ihn nichts als eine ummauerte Siedlung, ein Haufen beisammenstehender Leute. Er hat nicht verstanden, daß eine Stadt wie Mailand eine »Person«, etwas geschlossenes Ganzes mit Eigenleben, Stimme, Handlung und Macht geworden war; daß zwar kein einzelner Bürger, wohl aber eine ganze Stadt ein Partner war wie ein Fürst oder Bischof, der eine Stimme besaß. Mailand war ein neuer Fürst im Reich geworden. Diese Städte repräsentierten ja ein in Deutschland noch nie dagewesenes Lebensprinzip. Ja, man kann sogar noch weitergehen: Letzten Endes war es die erste abendländische Massenrevolution, die erste Erhebung der Menschen zur »Freiheit«. Diese »Freiheit« erkauften sich die Städte allerdings damit, daß sie zunächst einmal den Ast absägten, auf dem sie saßen: das Reich. Sehen Sie: Und da Barbarossa dies gegen den »gesunden Menschenverstand« ging, wollte er es nicht glauben. Deshalb war er blind gegen alle Zeichen einer neuen Zeit, gegen alle Anzeichen, daß nun die Macht und das Zeitalter der Städte, der Privatpersonen und der Kontore kommen würde. Leider kann ich Ihnen nicht sagen, was er sonst hätte tun sollen. Es mußte so kommen. Mit der anbrechenden Herrschaft des Geldes und des Kontors endet wahrscheinlich jede Möglichkeit reiner Staatspolitik. Der Bankier und der Kaiser alten Schlages sind unüberbrückbare Welten.

Wo waren wir stehengeblieben? 1268? Untergang des altdeutschen Reiches? Ende des letzten Hohenstaufen? Interregnum?

Keine Angst, wir leben ja!

Jetzt kommen Common sense und Hauptbuch und werden uns mal zeigen, was eine Harke ist!

Im siebten Kapitel

finden wir unseren Ur-Ur-Ur-Ur-Ur-Großvater ängstlich hinter den Butzenscheiben in das herrenlose Land spähend. Während er hinter den Stadtmauern ein kleiner Spießbürger wird, erobern die anderen die Erde

Als mein und Ihr Ur-Ur-Ur-Ur-Ur-Großvater am Morgen des 30. Oktober 1268 unter dem dicken Federberg aufwachten, zum Fenster schlurrten und durch die Butzenscheiben auf die herbstlich neblige Straße hinausschauten, auf der die ersten Planwagen aus der Stadt rumpelten, da konnten sie keinerlei sonderliche Veränderung der Welt feststellen. Aus der Gosse stank es immer noch so bestialisch, die Köter jaulten in den Abfällen der engen Höfe herum, die Magd plagte sich am Herd mit dem Feuerschlagen, und der Mesmer läutete zur ersten Messe. Darauf erwachte Ihre und meine Ur-Ur-Ur-Ur-Ur-Großmutter und setzte sich aufrecht im Bett auf. Neben ihr auf dem Bettischchen lag ein Bund Schlüssel, stets griffbereit, denn die »Schlüsselgewalt« war die höchste Ehre der Frau. Unsere Ur-Ur-Ur-Ur-Ur-Großmutter hatte ein Nachtgewand an, das etwa das Dreifache einer modernen Ballausrüstung betrug. Sie erhob sich und begab sich in die schòn etwas überschlagen warme Küche, wo sie sich in einem Holzbottich sorgfältig bis zum Halsausschnitt wusch. Die Magd flocht dann ihr Haar und setzte ihr die lange, spitze Haube auf, die ihr als ehrbarer Ehefrau zustand. Ihr guter Onkel, der ein Fernlaster-Unternehmen zwischen Mainz und Frankfurt besaß, hatte sie vor 20 Jahren unter die Haube gebracht. Heute war sie die Frau Schultheißin, das heißt, ihr Mann, den wir eben in Pantoffeln zum Fenster schlurren und die Messe verpassen sahen, war Stadt-Schultheiß und somit oberster Stadtrichter. Man gehörte zur Hautevolee. Allerdings nur innerhalb der Stadtmauern. Der alte Graf hatte bei einer Besprechung auf der Burg neulich unserem Ur-Ur-Ur-Ur-Ur-Großvater eine Maulschelle gegeben. Lebte man denn noch im finsteren Mittelalter? Der Schultheiß schaute aus dem Fenster: Nein, bei Gott nicht. Man lebte in einer riesigen Stadt von 8000 Einwohnern, wenn nicht noch mehr! Man war schließlich »Reichsstadt«, man unterstand nur dem König direkt, man gehörte keinem Herzog oder Grafen. Man war ein freier Mann. Die eisenklirrenden Herren sollten sich doch nicht so schrecklich wichtig machen. Es war doch nicht mehr wie früher. Was taten eigentlich die drei Söhne des alten Grafen? Ach so – dem Schultheiß fiel ein, daß sie ja in den Kämpfen gegen polnische Banden gefallen waren. Na ja, schön, gut, dachte er, aber es ließ sich doch nicht bestreiten, daß der niedere Adel verarmt war und seinen Sinn verloren hatte. Du lieber Gott! »Ritter«! »Kämpfer«! »Todgeweihte«! Wer stellte denn die dreifache Anzahl von Knappen und Landsknechten, sobald es ernst wurde? Wenn in einem Kampf 200 Ritter fielen, wer waren dann die übrigen 400 Toten? Das waren die Söhne von Städtern. Und die anderen, die nach Beendigung der Notzeit heimkehrten, zogen das Kettenhemd aus und setzten sich wieder hinter das Hauptbuch oder auf den Kutscherbock der Handelswagen oder in die Schreibstube des Rathauses. Die Ritter dagegen liefen auch im tiefsten Frieden ständig in Uniform herum: Es sah natürlich sehr imposant aus, und die Mädchen gafften ihnen heimlich nach, wenn sie mal durch die Stadt ritten. Aber, mein Gott, was haben wir Städter schließlich damit zu tun. Wir sind doch die einzigen produktiven Menschen, wir sind es doch, die die Welt vorwärtsbringen. Wir müssen endlich »fortschrittlich« werden. So weit man zurückdenken kann, war die Parole der Könige immer »Für unsere Enkel«. Das haben sie vor 200 Jahren gesagt, vor 100 Jahren und vor 50 Jahren. Nun wollen wir doch endlich mal die »Enkel« sein. Es ist wahr, schoß es unserem Ur-Ur-Ur-Ur-Ur-Großvater durch den Kopf, mein Großvater hätte nicht so gesprochen. Aber wir sind eben fortschrittlicher geworden.

Er dachte an die neueröffneten Zinnminen, die geradezu eine Industrie mit einer Schar von Arbeitern hervorgerufen hatten, an das Wachsen der Städte, an das Finanzwesen, das seinen Großvater noch völlig verwirrt hätte, und an seine eigenen zwei Säckel Silbermünzen, die wohlverwahrt in der eisernen Truhe ruhten und sein Leben sicherten. Er dachte an die hochinteressante Erfindung von Lebensmittel- und Getränkesteuern, die soviel Geld einbrachten und bereits einige Fürsten veranlaßt hatten, zum Dank dafür auf jegliche Gerichtsbarkeit zu verzichten. Wieder ein Schritt zur Freiheit! Ja, es ging vorwärts mit der Welt. Da war doch tatsächlich ein Franziskanermönch, Wilhelm von Ruysbroek, gleich nach der entsetzlichen Mongolenschlacht bei Liegnitz mutterseelenallein nach Asien geritten, hatte sich von einem Khan zum anderen über viele Tausende von Kilometern durchgeschlagen, bis er schließlich wirklich vor dem Antlitz des sagenhaften Großkhans in einer Stadt am Rande der Wüste »Gobi« stand. Dieser heldenhafte Mann hatte den Herrscher Asiens, den Enkel Dschingis Khans, gesprochen!

Ja, die Erde war nun ziemlich gut erforscht, wer weiß, ob

es noch ein Fleckchen gab, von dem man nichts wußte. Mit diesen Gedanken kleidete sich unser Ur-Ur-Ur-Ur-Ur-Großvater an, frühstückte, begab sich dann ins »Amt«, wo er als Vormittagsarbeit zwei Bauern wegen Nichtbezahlung ihrer Steuern in den Schuldturm werfen und ein junges, elternloses Mädchen dem peinlichen Gericht der Dominikaner-Inquisition entwischen ließ.

Zur gleichen Zeit ritten Eilkuriere von Neapel nach Deutschland und überbrachten die Nachricht, daß Konradin hingerichtet worden war und daß es keinen König mehr gäbe.

Keinen König mehr – –

Den Leuten fiel die Arbeit aus den Händen. Was jetzt? Nun, das Leben geht weiter. Die Menschen seufzten einmal auf und dachten: »Moderne Zeiten halt.«

Darauf krempelte man sich die Ärmel hoch. Die neue Zeit begann.

Das sah so aus:

Das brotlose kleine Rittertum zog sich den Harnisch an und begann, seine Sippenzwistigkeiten mit dem Schwert auszutragen. Das ganze Land war mit »Fehden« überzogen. Man überfiel die Warenzüge und »Pfeffersäcke« auf allen Wegen, raubte sie aus und schlug tot, was sich zur Wehr setzte. Die außerhalb der Stadtmauern Wohnenden zitterten jeden Abend bei der Frage, ob sie den nächsten Morgen erleben würden. In der Rechtsprechung wurde die Folter offiziell eingeführt, ein Gedanke, der den Deutschen bisher so fern gelegen hatte wie nur irgendwas. Das deutsche Gewohnheitsrecht, durch kaiserliche Entscheidungen festgelegt, wurde außer Kraft gesetzt. Die Bauern wurden wie Sklaven behandelt. Die Fürsten rissen sich die »Reichsstädte«, die sie verloren hatten, wieder mit Gewalt unter den Nagel. Erzbischöfe und Fürsten, die das Recht besaßen, Münzen zu prägen, prägten auf Deibelkommraus eigene Geldstücke, die schon in der Nachbarstadt nicht mehr galten. In Köln galt ein »schwerer Pfennig«, am Niederrhein, einige Kilometer weiter, ein »leichter Pfennig«, der weniger wert war. Überall erblühten Wechselstuben, in denen man herrlich verdiente. Jedes halbe Jahr wurden die Münzen »verrufen«, das heißt, es kam über Nacht eine Währungsreform. Der eine machte sie im Januar und im August, der andere im März und Oktober, die nächste Stadt dreimal im Jahr. Da wurde nicht etwa nur neues Geld geprägt und umgetauscht, sondern bei dieser Gelegenheit erfand man zum erstenmal die Geldentwertung. Gegen 12 alte Pfennige bekam man nur 9 neue. Die Fürsten schlossen Bündnisse gegen die reichen Städte, die

Städte schlossen Bündnisse gegen die Fürsten. In Westfalen griffen die rechtlichen Menschen zu dem verzweifelten Mittel von Femegerichten, die bald auf ganz Deutschland übergriffen.

»Die kaiserlose, die schreckliche Zeit«, sagten die Menschen damals und werden sich wohl gewundert haben, wie es möglich ist, daß die gleichen Menschen, die vorher da waren, sich in dem Augenblick so verwandelten, wo ein einziger Mensch, ein König, der oft sogar nicht einmal viel Macht besessen hatte, fehlte.

Also: Ein König muß wieder her!

Nun ist natürlich ein großer Unterschied, ob man, wie in den vorangegangenen Jahrhunderten, einer Idee begeistert huldigt oder ob man nur notgedrungen und in Ermangelung eines Besseren zu dem Schluß kommt: Na, dann wollen wir mal lieber wieder einen kleinen König haben, einen in mittlerer Preislage, nicht zu mächtig, nicht zu ehrgeizig, nicht zu klug, so eine Art purpurnen Aufsichtsratvorsitzenden mit beschränkter Haftung.

Die Kirche schlug den gehorsamen Grafen Rudolf von Habsburg vor. Die Herzöge prüften schnell noch die Geschäftsbücher des Herrn Rudolf, und als sie fanden, daß er eigentlich ein kleiner Wicht war, sagten sie freudig ja. Voilà! Deutschland hatte sein Geschäft in der Welt mit einem kleinen Eckladen wieder eröffnet! Ein bescheidener Eckladen ohne besondere Pläne. Er sollte nur seinen Mann ernähren.

Rudolf von Habsburg – aha, werden Sie sagen, die Habsburger beginnen. Nein, noch nicht. Es folgen erst noch 150 Jahre lang Könige aus allerlei Häusern kunterbunt durcheinander, ehe die Dauer-Monarchie des unglücklich-unseligen Hauses Habsburg beginnt.

Die Könige der nächsten 150 Jahre werden in den Schulen fleißig gelehrt. Da lernt man, wie sie dieses und jenes taten, wie sie die erste deutsche Universität in Prag stifteten, wie sie Verträge abschlossen, wie sie die Zölle regelten, wie sie Städte gegen tüchtige Bezahlung zu »Reichsstädten« erhoben, wie sie Erbschaften antraten, wie sie schließlich sogar wieder wagten, nach Rom zu reisen, um sich die traditionelle Kaiserkrone abzuholen, wie die Italiener sich wunderten und ein paar Gefechte schlugen, wie die Fürsten sich untereinander befehdeten, hauptsächlich aber, wie Pläne scheiterten und die Herren zum Schluß zu irgendeinem bestimmten und meist schwer merkbaren Datum starben.

Wir wollen uns ein Herz fassen und sie allesamt auf einen Ruck sterben lassen. Es ist natürlich schade um manchen netten König (z. B. Ludwig den Bayern), aber per saldo waren eben zu dieser Zeit König und Deutschland nicht mehr identisch. Das Leben der einzelnen Stände, der Fürsten und der Städte hatte sich »selbständig« gemacht, es war die Zeit der privaten Lebensbuchführung sozusagen, es war die Epoche, die ganz auf Kleinkram abgestellt war. Es gab keine große, einende Idee mehr. Jeder einzelne und jede Interessengemeinschaft strebte in ihrem eigenen Leben vorwärts und pfiff auf hohe Politik und Opfer. Der König versuchte sich Respekt zu verschaffen, indem er zu dem einzigen Mittel griff, das übrigblieb: reich zu werden. Man nennt diese Politik seitdem »Hauspolitik« im Gegensatz zur früheren Reichspolitik. Sie hatten alle die plausible Entschuldigung, daß sie ja notgedrungen erst einmal persönlich mächtig werden *mußten*, ehe sie genug Gewicht hatten, eine Reichspolitik gegen Fürsten, Städte, Bankiers, Kaufleute und Bischöfe durchzuführen. Das leuchtet ein, nicht wahr?

Das leuchtete auch den Fürsten und Städten ein. Deshalb hofften die Fürsten, daß die Könige immer möglichst bald starben, damit sie nicht allzu erfolgreich sammelten und erbten und damit jeder mal an die Pumpe käme. Die Städter und die Bauern dagegen wünschten gerade den bestechlichsten und kurzsichtigsten Königen ein recht langes Leben. Es erging ihnen so, wie es in einer alten russischen Anekdote erzählt wird: Da waren der russischen Regierung haarsträubende Zustände in einem Dorf zu Ohren gekommen. Ein Kommissar reiste mit allen Vollmachten in das kleine Dorf ab, um die Angelegenheit zu prüfen. Angeblich sollte der Dorfbürgermeister ein wahrer Raubvogel sein und sich im Laufe der Jahre durch Abgaben, die er den Dörflern abpreßte, zu einem reichen Mann gemacht haben. Der Kommissar fand, daß tatsächlich alles so war. Er setzte den Bürgermeister ab und schickte ihn nach Moskau ins Gefängnis. Dann reiste er mit dem Versprechen, bald einen neuen Bürgermeister zu schicken, nach Hause. Tags darauf erschien eine Abordnung der Dörfler beim Minister. Der Herr Minister empfing sie leutselig und kam ihrer Rede zuvor, indem er sagte: »Liebe Bürger, es ist fein, daß ihr hergekommen seid, ihr armen, schwergeprüften Leutchen. Ihr sollt jetzt gleich euren neuen Bürgermeister selbst bestimmen.« »Ach, Euer Hochwohlgeboren«, erwiderten die Bauern freudestrahlend, »zu gütig, Euer Gnaden! Wie uns das freut, Euer Exzellenz! Dann wäre also alles in schönster Ordnung. Da möchten wir also Euer Durchlaucht bitten, uns den alten Bürgermeister aus dem Gefängnis zurückzugeben. Denn sehen Euer Gnaden: Wenn wir jetzt einen neuen Bürgermeister bekommen, der noch nicht Bürgermeister war und noch arm ist, so beginnt für uns die ganze Geschichte noch einmal von vorn. Wir möchten lieber, daß ein bereits vollgefressenes Schaf auf unserer Wiese bleibt, als daß immer wieder ein neues, hungriges kommt.«

So war das damals.

Vergessen Sie alles, was Sie vom altdeutschen Kaiserreich bis zu Barbarossa an Idealen, Lebensanschauungen und Charakterzügen wissen. Im Interregnum und in dem Jahrhundert nach den Hohenstaufen ist das vollständig verlorengegangen. Jeder, ob hoch, ob niedrig, buddelte jetzt in seinem eigenen Garten nach dem Lebensglück.

Früher war alles stabil – jetzt war alles schwankend. Da fühlte man sich noch verhältnismäßig am geborgensten im engen Kreise, im Haus, in seiner Stadt, höchstens noch in »seinem« Fürstentum. Das war nach oben hin die letzte stabile Stufe.

Nun ist es eine alte Erfahrung: Wenn man die oberste Spitze abschlägt, so übernehmen sofort desto zahlreichere kleine Spitzen deren schlechte Eigenschaften. Jetzt waren zwei Dutzend Fürsten, Grafen und Bischöfe und drei Dutzend Bürgermeister die »Könige«. Sie alle begannen in Ermangelung eines gemeinsamen höheren Zieles nun, ihre Kleinstadtpolitik zu treiben. Man hörte auch »von draußen«, aus Italien, aus Frankreich, aus England nichts mehr, was den einzelnen sonderlich interessiert hätte. Handelsnachrichten waren eigentlich das einzige, was die kleinen Leute direkt und persönlich berührte. Zucker, Salz, Zitronen, Seide, Leinen, Leder und Erze durften nicht ausbleiben, das war sonnenklar, das griff in das Leben ein. Politik, Pläne, Ideale ... alles Quatsch. Bald war es so weit, daß der Kaufmann als der einzig wahre, nüchterne, solide Denker, der wahrhaft fortschrittliche Bürger galt.

Es ist viel Zeit verflossen seit dem Interregnum; seit der kleine Konradin starb. Suchen Sie in Gedanken das Bild Deutschlands jetzt in dem Leben der Städte. Es reitet kein Kaiser mehr durchs Land, schon lange nicht mehr. Es sind Großkaufleute und Bürgermeister, die nun reisen. Die schon modern anmutende »Renaissance« bricht an. Ja, es ist viel Zeit vergangen. Man war recht stolz darauf.

Aus jenem Jahrhundert, um 1300 und 1400, stammt die alte stille Feindschaft zwischen Bürgertum und Adel, eine Erscheinung, die bis in die heutige Zeit reicht. Der Adel war angeblich ein »Feind der Freiheit«. Eine wundervolle Propagandathese. Das Geld hat sie damals aufgebracht.

Das Geld wünschte keine Politik, das Geld wünschte keine Grenzen, das Geld konnte keine übergeordneten Ziele brauchen, das Geld wünschte »keine anderen Götter neben mir«. Kein anderes Land hat einen so langen, Hunderte von Jahren andauernden Kampf zwischen Adel und Bürgertum, zwischen Land und Stadt durchgemacht wie das unglückliche Deutschland. Die Feindschaft, mit der das Wort »Koofmich« und »Pfeffersack« heute noch ausgesprochen wird, und der Haß, der das Wort »Junker« begleitet, sind ein typisch deutsches Erbe, ein ganz unnötiges, unseliges Erbe aus jener Zeit um 1400. Damals bildeten sich im Charakter der Deutschen auch jene Züge, die sich bis heute gehalten haben und die so widerwärtig, so unleidlich und oft so beschämend sind. In der ideenlosen, engen Welt der kleinen Städte ohne Vaterland wurde der Vereinsmeier geboren, der seinen Stolz in lächerlichen Dingen sucht, der sich unter dem Banner seines Kegelklubs und unter donnernden Reden beerdigen läßt; der Titelkranke, der vor Wut bebt, wenn man ihn nicht mit Herr Doktor anredet; der »Radfahrer«, der nach unten trampelt und nach oben schamlos buckelt; der stille Hasser alles Fremden und Andersgearteten, das sein Philistertum bloßstellt, und der berühmte »Feigling in der Fremde«, der alles einsteckt, weil seit jenen alten Tagen fast niemals mehr die Macht eines Vaterlandes hinter ihm gestanden hat. Das berühmte Bild: der Deutsche in Lodentracht in Frankreich französisch radebrechend, hat seine Ursache in jenen Charakterzügen. In seiner Kleidung fühlt er sich wohl, er glaubt nicht, daß er auffällt. Aber mit seiner Sprache würde er auffallen, und da schämt er sich. Der Engländer legt, seit er die Welt eroberte, die Beine auf den Tisch. Wenn er in Venedig zwischen den Lagunen umhergondelt, fragt er nicht den Gondoliere, ob das noch venezianisches Gewässer oder ob das schon Meer ist. Er tunkt den Finger ins Wasser, leckt daran und sagt: »Salzwasser – englisch.« Wenn im 14. Jahrhundert ein englischer Kaufmann sich bei den Handelsherren in Venedig vorstellte, sagte er: »Ich bin Engländer.« Wenn ein Deutscher sich vorstellte, sagte er: »Ich bin Augsburger.« Augsburg war mehr als Deutschland.

Wenn ich diese letzten Zeilen noch einmal überlese, kann ich mir vorstellen, daß Sie sagen: »Nun schimpfen Sie mal nicht so, großer Meister, das schadet der Galle. Außerdem verfallen Sie damit in einen anderen berühmten deutschen Fehler: in die übertriebene Selbstkritik und den Gerechtigkeitsfanatismus. Sie werden mit dem Platz nicht auskommen, wir stehen erst bei 1400, und Sie haben nur noch wenige Kapitel!«

Ach, meine Lieben! Wahr, wahr! Ich beeile mich! Aber ich kann's und kann's nicht unterlassen, noch einmal auf die Geburtsstunde des deutschen Spießbürgers zurückzukommen, weil das Datum so ungeheuer wichtig ist. Es ist so wichtig, wie Sie es sich gar nicht vorstellen können. Denn ausgerechnet, als Deutschland sein erstes spießbürgerliches Schläfchen machte, ereigneten sich draußen die aufregendsten Dinge. Wir müssen nicht immer mit von der Partie sein, gewiß nicht, aber bei dieser Geschichte wären wir doch besser dabeigewesen. Die Sache war die: Damals wurde die Welt verteilt!

Es hatte sich nämlich herausgestellt, daß unser Ur-Ur-Ur-Ur-Ur-Großvater, dem die Asienreise des Franziskanermönches so imponierte, sich geirrt hatte: Die Erde war gar kein Teller, sondern eine Kugel, und sie trug noch Erdteile, von denen man bisher keine Ahnung gehabt hatte. Die Sache mit der Kugel und der Drehung der Erde um die Sonne hatte der Deutsche Nikolaus Kopernikus herausgefunden, Berthold Schwarz war durch Zufall auf das Schießpulver gekommen, der Nürnberger Martin Behaim bastelte den ersten Globus, Peter Henlein konstruierte die erste Taschenuhr, Johann Gensfleisch, genannt Gutenberg, erfand die Buchdruckerkunst (alle reif für den Nobelpreis), kurzum, just in den Jahren um 1500 herum bereitete das Schicksal alles vor, um die Erde zu entdecken. Wie später noch so oft im Leben verteilte das Schicksal die Rollen dann reichlich komisch: Die Deutschen machten in ihren Kämmerchen die weltbewegenden Erfindungen, die Bewegung der Welt übernahmen dann andere. So war es auch damals. Die Spanier, Portugiesen und Italiener sagten danke schön und begannen die Welt zu erobern. Kolumbus gondelte nach Nordamerika, Cortez nach Mexiko, Pizarro nach Südamerika, sie standen aufrecht, kühn und gottesfürchtig am Bug ihrer Segelschiffe, Helden der Neuzeit, während sich die deutschen Bürger schlafen legten. Eines steht fest, liebe Freunde: Unser Gewissen war zumindest ein sanftes Ruhekissen. Und wenn ich es mir recht überlege, muß ich gestehen: Es ist vielleicht doch besser, daß wir damals nicht dabei waren, denn das Kapitel »Entdeckung der Erde« ist eines der grausigsten, das die Geschichte jemals geschrieben hat. Natürlich wird das in den Schulbüchern nicht gelehrt, da wird höchstens ein bißchen bedauert, daß nicht alles so unblutig abging. Wir sprechen nicht gern von unangenehmen Dingen.

Die Wahrheit ist die:

Ein anständiger Mensch begab sich damals nicht auf Entdeckerfahrt. Das war unfein. Die Herren Kolumbus, Cortez und Pizarro waren daher ausgesprochene Strolche, Abenteurer, Hasardeure, Bankrotteure. Die Könige, zu denen sie gehörten, waren ganz gewissenlose Schurken. Keiner von ihnen hatte auch nur das geringste Empfinden dafür, daß sie einem nie wiederkehrenden Wunder entgegenfuhren, daß sie einer sagenhaften, ungeahnten Welt Auge in Auge gegenüberstehen würden, etwa von solcher unfaßbaren, überwältigenden Wucht, wie wenn moderne Menschen plötzlich den Pharaonen des alten Ägyptens in einer vergessenen Stadt der Sahara begegnen würden.

Uns ist die Rede überliefert, die Cortez seiner Mannschaft vor der Landung in Mexiko hielt. Sie lautet: »Zweifelt nicht, daß der Allmächtige uns Spanier im Kampf gegen die Ungläubigen niemals verläßt. Denn unsere Sache ist eine gerechte Sache, und ihr werdet unter dem Banner des Kreuzes kämpfen. Vorwärts denn mit heiterem Mut und Vertrauen!«

Mit heiterem Mut begann dann in den drei Teilen Amerikas die Ermordung von etwa einer Million Menschen, die den »weißen Göttern« vertrauensvoll entgegengekommen waren. Zwei Kulturen, mit denen sich das halbe Abendland nicht messen konnte, wurden wegrasiert. Der Rest vegetiert heute noch als zerlumpte Vagabunden und Kulis herum.

Unermeßliche Berge von Gold und Edelsteinen wanderten per Schiff nach Europa. Das war der Sinn der Sache gewesen.

Aber Gott, mit dessen Namen man solches Schindluder getrieben hatte, gestattete sich wenigstens noch nachträglich einen kleinen Scherz: Das Schiff, das die Aztekenschätze dem spanischen König Carlos bringen sollte, wurde unterwegs von den Franzosen geschnappt. Carlos saß mit offenem Munde in Madrid, während dem überraschten französischen König François das Gold in den Schoß fiel.

Diese kleine Geschichte liest sich wie eine Anekdote, aber sie ist weit mehr: Im Jahre 1519 gibt dieses fremde Gold den Ausschlag, daß zwei ausländische Könige, jener Carlos und jener François, als einzige zur Wahl zum *deutschen König* stehen! Ungeheure Bestechungssummen flossen nach Deutschland, die armseligen deutschen Kurfürsterl wußten gar nicht, wie ihnen geschah. Mit einem Schlage war ihnen klar, daß Deutschland zum Versuchskaninchen des ersten großangelegten Experimentes einer modernen »Wirtschaftseinmischung« geworden war. Frankreich und Spanien trugen hier ihren Kampf um die europäische Vormachtsstellung auf deutschem Boden aus. Carlos, einem Sprößling des spanischen Habsburger Hauses, war Deutschland völlig Wurst. Er wollte lediglich Frankreich in die Länderzange nehmen. François war Deutschland ebenfalls völlig gleichgültig, er wollte lediglich Karls Plan verhindern. In ihrer Ratlosigkeit (nachdem sie das Geld eingesteckt hatten) liefen die deutschen Kurfürsten zu Friedrich dem Weisen von Sachsen und sagten: »Ach Gott, ist das alles zum Speien! Wohin sind wir bloß gekommen! Wir müßten einen untadeligen eigenen Kandidaten aufstellen. Vetter Friedrich, Ihr habt doch von uns allen die einzige blütenreine Weste, Ihr geltet als weise, Ihr steht beim Volk in dem Ruf untadeliger Gesinnung, Ihr seid uneigennützig, auch wir selbst vertrauen Euch und wissen, daß Ihr ein feiner Mann seid, kurzum: Wollt Ihr nicht deutscher König werden? Bitte, bitte, sagt ja!«

Darauf tat Friedrich der Weise, weil er eben weise und nebenbei auch ein ganz klein bißchen feige war, das, was 400 Jahre später, 1918, sein Nachkomme bei der Revolution in Dresden machte: Er zuckte die Achseln, bohrte die Hände in die Taschen und antwortete: »Macht euern Dreck alleene!«

Darauf gingen die Kurfürsten nach Hause, rechneten noch einmal die erhaltenen Gelder nach, und siehe da, Karl erwies sich als der Spendablere. Auch eine solide Kriegsdrohung steckte dahinter.

So wurde also Karl gewählt. Der Spanier ward deutscher König. Der Franzose wurde von nun an Deutschlands erbittertster Feind, nicht, weil er die deutschen Menschen haßte, sondern weil die politische Lage ihn dazu zwang. Dies war die Geburtsstunde der »Erbfeindschaft« zwischen Frankreich und Deutschland. Das hat uns die ganz private, egoistische, rücksichtslose Hauspolitik der Habsburger eingebrockt.

Noch ahnten die Deutschen nichts von dem entscheidenden Wendepunkt, ahnten nicht, daß sie von nun an eine Nation zweiten Ranges, daß sie der Tummelplatz der ausländischen Politik, der Zankapfel fremder Mächte, die Schachfigur Spaniens, Frankreichs und Englands und der Gegenstand ständigen Hasses sein würden. Denn irgendeiner war immer enttäuscht und daher immer der Gegner. Noch ahnte es keiner. Die deutschen Städte wuchsen, der deutsche Bürgerstand schwoll, es kamen die reichen Fugger und Welser, die bewunderten Dürer, Holbein und Riemenschneider, die Dichter, Denker und großen Baumeister. Den kurzsichtigen, wohlhabend gewordenen Bürgern um 1500 und 1550 schien es, als hätten sie wirklich etwas zustande gebracht, als seien Geld und Wirtschaft eben doch größere Lebenskünstler und angenehmere Politiker. Es schien sich so ruhig und angenehm zu leben, auch ohne Reich und Ideale.

Es war ein grausiger Irrtum.

50 Jahre später kam es hageldick auf Deutschland herunter. Unsere schrecklichste Zeit begann.

wird es nach allem Vorangegange-
nen niemand überraschen, wer die
Hauptrolle spielt: ein Fremder, der
sich die deutsche Kaiserkrone kauft.
Der Mönch Luther entfesselt die er-
ste Revolution, und das Ende ist wie-
der eine Tragödie

»Die Wissenschaften blühen, die Geister wachen auf, es ist
eine Lust zu leben!« rief so um das Jahr 1519 ein junger
Mann namens Ulrich von Hutten. Das war just das Jahr,
als der Spanier Karl V. deutscher König und Kaiser wurde.
Der junge Herr Ulrich war aus überschäumender Lebens-
lust frisch aus dem Kloster entsprungen, war unter die
glühenden Dichter gegangen und vom Kaiser mit Lorbeer
und Schwert geehrt worden. Er kam aus der Fuldaer Gegend in das reiche Süddeutschland, erlebte dort zum erstenmal ein Klosett mit Wasserspülung und staunte. Mit
Recht. »Das kommt mir spanisch vor!« rief er als erster
und war damit Erfinder dieses geflügelten Wortes. Er sah
Albrecht Dürer und Mathis, den Maler, dem der moderne
Komponist Hindemith ein musikalisches Drahtverhau als
Denkmal gesetzt hat, er sah die wohlhabenden Städte, die
alle Düsternis des Mittelalters verloren hatten und prunk-
voll und groß geworden waren, er hörte Vorlesungen auf
den Universitäten, die überall aus der Erde schossen, er las
vermittels der von Gutenberg erfundenen Buchdruckerkunst von den fernen Ländern, er bewunderte einen Kom-
paß und ein eben erfundenes Fernrohr und trug in seiner
Hosentasche doch wahrhaftig ein »Nürnberger Ei«, eine

Taschenuhr! Er begegnete dem Dr. Faust und seinem Pudel, der kein Geringerer als Mephisto persönlich war, er sah den ersten weltberühmten deutschen Arzt Paracelsus bei einer Operation und erlebte die Sprengung eines Gebirgspasses vermittels jenes Pulvers, das man einfach »Pulver« nannte und das eine Umwälzung in der ganzen Kriegskunst ankündigte.

Alle diese erstaunlichen Dinge veranlaßten Ulrich von Hutten zu sagen: »Wenn ich mich nicht schwer irre, befinden wir uns eingangs der Neuzeit!« Womit er wieder absolut recht hatte.

Aber es waren nicht diese Dinge, die Ulrich von Hutten glauben ließen, daß die Geister aufgewacht seien, sondern etwas ganz anderes: Das Erscheinen eines Mannes, der meteorhaft vom unbekannten Mönch zum geistigen Führer Deutschlands aufgestiegen war. »Geistiger Führer« – das hatte es bisher in der Geschichte des Abendlandes noch nicht gegeben, und so ist es zu erklären, daß der Betreffende es selbst nicht in seiner vollen Tragweite begriff. Dieser Mann war Martin Luther.

Er war der Sohn eines thüringischen Bergmanns, der aus seinem Kinde »etwas Besseres« machen wollte. Der alte Luther sparte sich die Groschen vom Munde ab und ließ den Sohn in Erfurt Jura studieren. Jura, sagte er sich, ist immer richtig, wenn man keine bestimmten Pläne hat. Und Martin hatte keine. Er war ein Grübler, was man ihm nicht ansah, denn er war groß und massig. Heinrich George, der Schauspieler, hätte ihn gut darstellen können. Er grübelte über die eine große Frage nach, die noch niemand in der Welt beantworten konnte, die Frage nach dem Sinn des Lebens. Da er ein gläubiger Katholik war, meinte er, den Seelenfrieden im Kloster finden zu können, und wurde Mönch. Aber Gott schwieg beharrlich, und die

Oberen sagten dem jungen Bruder Martinus, das läge lediglich daran, daß er noch nicht genug Buße getan habe. Der riesige Mann begann sich nun schrecklich zu kasteien, er zog sich allmorgendlich und allabendlich Kutte und Hemd aus und schlug sich mit der Geißel blutig. Es nützte nichts, die Frage blieb offen, und seine Vorgesetzten hielten es für klüger, den jungen gelehrten Mönch ein bißchen mit der Welt in Berührung zu bringen. Er wurde Professor und Prediger in Wittenberg. 1511 machte er eine Reise nach Rom. Gläubig ging er hin, ungläubig kam er zurück. Rom hatte ihn völlig entmutigt. Aus seinen früheren demütigen Grübeleien wurde in den nächsten Jahren dumpfer Groll, und eines Tages explodierte der Kessel. Der Papst hatte die finanzgeniale Idee gehabt, an die geplagte Menschheit Zettel zu verkaufen, auf denen ihr die Vergebung von Sünden beziehungsweise Abkürzung des Fegefeuers bescheinigt wurde. Die Generalvertretung der einzelnen Landstriche verkaufte er an geistliche oder weltliche Interessenten, wie beispielsweise Erzbischöfe oder Fürsten. Eines Tages klopfte so ein Reisender, Herr Tetzel, an Luthers Tür. Er wurde der Urheber einer Revolution.

Sie wissen, was geschah: Luther schlug die »95 Thesen« an die Tür der Schloßkirche von Wittenberg und brandmarkte das Treiben der katholischen Kirche als einen Hohn auf Gott. Er war – das ist das Interessante daran – keineswegs der erste, und es wäre um ein Haar so gekommen, wie es bisher stets gekommen war, nämlich im Sande verlaufen. Aber die katholische Kirche machte einen groben Schnitzer, sie unterschätzte diesen Dr. Martinus Luther, der ein Berserker des Herzens und ein Michael Kohlhaas des Eigensinns war. Die katholische Kirche hatte vor

300 Jahren jenen gefährlichen Mönch aus Brescia, sie hatte auch Hus vor 100 Jahren gut verdaut, sie unterschätzte nun Luther. Der Fehler war, daß sie sich mit ihm auf Debatten einließ. Darauf hatte Luther nur gewartet. Man debattierte drei Jahre lang! Drei Jahre lang zog er in glanzvollen Reden und Schriften alles ans Tageslicht, was sich an Erbitterung und Verzweiflung in ihm aufgespeichert hatte. Als einer der Beauftragten des Papstes, Professor Eck, es endlich satt hatte, nach Rom reiste und den päpstlichen Bannstrahl gegen Luther erwirkte, war es zu spät. Schon längst hatte ganz Europa nur noch ein Gesprächsthema: Luther.

Die Bannbulle verbrannte er öffentlich, widerrief auch nicht, als er auf dem Reichstag in Worms vor dem Angesicht des Kaisers (des Spaniers) stand, wurde von Seiner Majestät für geächtet und vogelfrei erklärt und war über

Nacht zu einem Helden und Märtyrer geworden. Es steht geschichtlich ziemlich fest, daß er das alles gar nicht vorausgeahnt hat. Aus der »dummen Ablaßgeschichte« war eine Revolution geworden, eine regelrechte Revolution. Luther war nach dem Reichstag von Worms der ungekrönte König Deutschlands. Die drei Jahre seiner Dispute hatten genügt, um die alte deutsche Leidenschaft für Ideale und Ideen mit einem Schlage zu entflammen. In diesem Augenblick war das ganze Land mit wenigen Ausnahmen bereit, von Rom abzufallen. Genauso war die Lage in der Schweiz, in Holland, in Dänemark, in Schweden, in Norwegen und England. Eine noch nie dagewesene Macht lag in der Hand eines Mannes aus dem Volke.

Dornröschen erwachte. Es war wie im Märchen: Ein Kuß hatte das fertiggebracht, kein Scheckbuch und keine Seite Speck. Solche komischen Leute sind wir Deutschen. Uns aus unserem Spießbürgertum und unserer Lethargie aufzuwecken, hatte 100 Jahre vorher nicht einmal die »Hanse« oder der »Deutsche Ritterorden« geschafft. Dabei waren das zwei Erscheinungen in der Geschichte, die man nicht übergehen darf. Der Deutschritterorden war während der Kreuzzüge entstanden, richtete dann sein ganzes Wirken nach dem Osten und kolonisierte das Land für Deutschland bis zum Peipussee mitten in Rußland! Er war eine großartige Kolonialtruppe des Adels. Ihm auf dem Fuße folgte die »Hanse«, jene Gemeinschaft großer deutscher Handelsstädte, die im 15. Jahrhundert Ostsee und Nordsee beherrschte. Beide Organisationen entstanden aus dem Nichts, das Reich hat sich nie um sie gekümmert. Im Gegenteil, die Habsburger Dutzendkaiser haben sie oft genug verraten und verkauft. Das Reich hat sich dieser beiden wunderbaren Machtinstrumente nicht bedient, sondern weitergewurstelt. Auch das Volk hat an sie keine Träume geknüpft. Das ist immerhin recht interessant. Denn nun kam ein Mann, ein einzelner, völlig machtloser Mann namens Martin Luther aus der verschlafenen Kleinstadt Wittenberg, und über Nacht geradezu flammte die deutsche Leidenschaft wieder auf!

Edle, untadelige Charaktere, wie Ulrich von Hutten, knüpften die größten politischen Hoffnungen daran. Sie hätten es nicht tun sollen. Martin Luther war politisch ein Kind.

Während er auf der Wartburg saß und sein wahrhaft unsterbliches Werk, die Bibelübersetzung und Schaffung der hochdeutschen Sprache, vollendete, wuchs ihm der Trubel über den Kopf. Es ereignete sich für Deutschland Unerhörtes. »Volk« trat in Erscheinung. Das ganze Land war in Aufruhr, die Ritter rotteten Heere zusammen und zogen gegen die Bischöfe, die Bürger stürmten die Kirchen und zertrümmerten alle Bildnisse und Symbole, und die Bauern bewaffneten sich und riefen in ganz Süddeutschland den Krieg gegen Bischöfe und Fürsten aus. Was wollten sie? Es ist hochinteressant. Sie wollten »Aufhebung der Leibeigenschaft, Herabsetzung oder Ablösung der drückenden Abgaben und Frondienste, Gewährung des Fischerei- und Jagdrechtes und Rechtsprechung nach geschriebenem Recht«.

Die Bewegung war also bereits auf die politische Bahn gekommen! Die Sache mit Rom und Gott schien klar, jetzt ging es um das mißverstandene Lutherwort »von der Freiheit eines Christenmenschen«. Der Bürgerkrieg drohte. An einzelnen Stellen brach er bereits aus.

Verwirrt eilte Luther von der Wartburg herab und erhob beschwörend seine Stimme. Er war entsetzt über die Bilderstürmer, er war zu Tode erschrocken über den Krieg Franz von Sickingens gegen die Bischöfe und war empört über den Bruderkrieg der Bauern gegen alles, was Obrigkeit hieß. In diesem Gewissenskonflikt entschied er sich für die Ordnung und Autorität und gegen seine eigenen Anhänger.

Um den teuren Preis, wie ein Verräter der »Freiheit der Christenmenschen« zu wirken, verhinderte er den Bürgerkrieg. Es war ein Segen, denn es ging den Aufständischen um ganz unsinnige Dinge, um Dinge, für die die Zeit nicht im mindesten reif war. Sie hatten es sich nur eingebildet, weil sie sich allein überlassen waren.

Sie sollten Gott den Herrn, den Spanier Karl, bald kennenlernen.

Als Karl V. seinen italienischen Feldzug siegreich beendet hatte, kam er mit seinen spanischen Landsknechten nach Deutschland. Wir besitzen alte Urkunden, Berichte ausländischer Gesandter, aus denen hervorgeht, daß damals bereits neun Zehntel von Deutschland protestantisch waren. Es war für Karl höchste Zeit, die Einigung Deutschlands in diesem neuen Ideal und Glauben zu verhindern. Spanische Landsknechte und italienische Söldner waren es, die der fremde Herr einsetzte. Bayern war papsttreu geblieben und gab Gelder. Der protestantische Herzog Moritz von Sachsen wurde mit riesigen Zusagen und Rechten bestochen. Unter dem Zwang der fremden Hellebarden und Schwerter kehrte die Hälfte der Fürsten (und mit ihnen laut Verfassung alle ihre Untertanen) in den Schoß der römisch-katholischen Kirche zurück. Die Hälfte. Weiter reichte es nicht.

Aber es genügte dem spanischen Habsburger. Deutschland war gespalten. Bis auf den heutigen Tag ist es so geblieben, wir haben das unselige Erbe übernommen und werden es weitergeben.

Es gibt viele, die daraus schließen, daß die Gestalt Luthers für die deutsche Nation ein Unglück war. Das ist ein unsinniger Schluß. Das ganze Unheil, das nun über Deutschland hereinbrach, wurde von außen künstlich heraufbeschworen.

Wir Deutsche haben zwar geglaubt, der Dreißigjährige Krieg, der nun folgte, sei ein Religionskrieg, aber das war eine lächerliche, kindische Vorstellung. Der Dreißigjährige Krieg wurde künstlich entfesselt. In ihm trugen drei Mächte ihren Kampf um die Vorherrschaft in Europa auf deutschem Boden und mit deutschem Blut aus: die Großmacht Spanien (mit dem Papst und dem neuen, zu diesem Zweck gegründeten Jesuitenorden), die Großmacht Schweden (mit Skandinavien, Holland und England) und die Großmacht Frankreich. Frankreich mischte sich erst sehr spät ein. Dafür aber mit um so größerem Vergnügen. In dem Schreiben, in dem Minister Richelieu dem französischen König die Gründe für den Eintritt in den Krieg gegen Deutschland erklärte, heißt es: Frankreich werde durch die Habsburger in Spanien und Deutschland für dauernd eingekreist werden, es sei eine unerläßliche Tat für Frankreichs Zukunft, in den Krieg einzugreifen und sich sogar mit dem protestantischen Schweden zu verbünden. Von Deutschland oder vom Glauben ist nicht die Rede ...

Dreißig Jahre lang, von 1618 bis 1648, wurde nun unter dem Vorwand einer Glaubensstreitigkeit von fremden Völkern und eigenen gewissenlosen Generälen, wie Wallenstein, ganz Deutschland grauenhaft verwüstet. Wie klein und nichtig erschienen nun alle früheren Streitigkeiten, wie belanglos die früheren Sorgen oder die Ängste vor Stegreifrittern, nun stampfte der Krieg durch das Land, keine Mauer bot mehr Schutz, kein Reichtum einer Stadt, keine goldenen Säckel, keine Handelsverbindungen, keine

Warenzüge, keine Schlösser, keine Burgen waren mehr sicher, niemand schaute mehr spießig-verschlafen hinter den Erkerfenstern hervor, allen saß die blanke Angst im Nacken. Wo die Soldateska, ganz gleich welche, vor allem aber die kaiserliche auftrat, da wütete sie grauenhaft. Städte wurden selbstverständlich niedergebrannt, Bauernhöfe angezündet, das Vieh abgestochen, die Brunnen verseucht, die Männer getötet oder zum Dienst gepreßt, die Frauen geschändet. Weiberhorden zogen hinter den Landsknechtshaufen her und schleppten die Epidemien durch das Land. Es war der Teufel los. Löhnung brauchte man nicht. Herr Wallenstein war der Erfinder der Methode und des Satzes: »Der Krieg muß den Krieg ernähren.« Man nahm, was man brauchte. Hinter der Heerschlange bezeichnete ein Streifen von Schutt, Asche und Leichen ihren Weg. Auch unter den Soldaten herrschte Todesstimmung, wenn sie nicht gerade betrunken waren. Aus dieser Zeit stammen die Landsknechtslieder, die wir heute noch singen. Sie sind schnoddrig, kaltschnäuzig, brutal und düster. Wenn man ihre einfachen, merkwürdig monotonen Moll-Melodien hört, glaubt man, die verwilderten Haufen von Verbrechern, Gepreßten, Halbverrückten, Habenichtsen, Studenten, verlorenen Söhnen, Rittern, Deutschen, Spaniern, Holländern, Dänen, Schweden, Italienern und Franzosen am Lagerfeuer sitzen zu sehen. Ja – so endete Huttens Traum. »Die Geister sind erwacht!« Der Mensch ist gut, die Welt ist schön! Es war ein Hohn.

Der Krieg wogte hin und her. Kaiserliche Heerschlangen stießen bis zur Ostsee durch, protestantische Heerschlangen zogen durch Bayern. Das Eingreifen Frankreichs nach dem Tode Wallensteins machte dem Krieg endlich ein Ende.

Wer hatte gesiegt?

Ja, wer? Gesiegt mußte ja irgend jemand haben, das war klar, aber wer? Der katholische König von Frankreich hatte zusammen mit dem protestantischen König von Schweden gegen den Kaiser und Papst gekämpft – und gewonnen. Wer hatte nun gesiegt? Frankreich als Katholik? Frankreich als Bundesgenosse der Protestanten? Oder Frankreich als nichts von beiden, sondern einfach als Nation? Und wer hatte verloren: Kaiser Ferdinand als Katholik? Oder die römische Kirche? Oder Spanien und Italien?

Am 24. Oktober 1648 versammelten sich die Alliierten in Münster und Osnabrück und gaben die Antwort:

Gesiegt hatten weder deutsche Protestanten noch deutsche Katholiken, sondern Frankreich.

Bestraft werden mußten weder Spanien noch Italien noch die römische Kirche, sondern Deutschland.

Deutschland war schuld. Punktum!

Damals war man noch nicht so verschämt, von »Reparationen« zu sprechen, damals sagte man ganz handfest: Nun wollen wir uns mal schadlos halten, der Krieg muß sich ja rentiert haben.

Frankreich »bekam« Land und Stadt von Metz, Toul und Verdun, ferner Breisach am Rhein und sämtliche Habsburgischen Besitzungen, praktisch das ganze Elsaß, und die »Schutzherrschaft« über die 10 Reichsstädte. Schweden »bekam« ganz Vorpommern mit den Inseln Rügen, Usedom und Wollin, die Stadt Wismar und das gesamte Herzogtum Bremen-Verden mit Ausnahme der Stadt Bremen. Das besiegte Bayern »bekam« die Oberpfalz und die Kurwürde. Die Schweiz und Holland wurden offiziell vom Reich geschieden und zu selbständigen Staaten erklärt. Alle deutschen »Reichsstände« wurden zu Kleinstaaten mit voller Staatshoheit gemacht. Die Landkarte von Deutschland sah nun aus wie ein Kind, das die Masern hat. Jedes dieser zahllosen kleinen Ländchen war jetzt selbstherrlich, es konnte tun und lassen, was es wollte, auch Krieg führen auf eigene Faust und mit dem Ausland Bündnisse schließen.

Das war der sogenannte »Westfälische Friede«. Er war die Todesurkunde des deutschen Reiches.

Ja, meine Lieben, so war das. Common sense, Hauptbuch und das Haus Habsburg haben uns mal gezeigt, was eine Harke ist.

Aber keine Angst, wir leben ja! Wir sind anscheinend nicht tot zu kriegen.

Was kam nun?

Die Sache mit dem Wasserklosett – Sie wissen! – war vorbei. Es gab keine mehr. In Deutschland sah es sowieso aus wie weiland 1945. Es gab keinen Dürer und keinen Hans Sachs mehr. Bauunternehmer war das beste Geschäft. Und damit die Menschen angesichts der Ruinen und Toten ja nicht auf schlechte Gedanken kämen, verkündete man, daß der Mensch gut und die Welt schön sei. Natürlich gab es eine ganze Reihe von Leuten, die sich sauwohl fühlten, zum Beispiel die Franzosen. Ludwig der Vierzehnte, nach dem die meisten alten Stühle und Tische benannt sind, war König von Frankreich geworden. Er war eine sehr sonnige Natur, weshalb er auch der »Sonnenkönig« genannt wird. Zwanzig Jahre nach dem Westfälischen Frieden unternahm er drei Raubzüge, die er, was immer sehr günstig ist, völlig überraschend vom Zaun brach. Auch war der Zeitpunkt günstig gewählt, denn das deutsche Reich wurde gerade im Osten von riesigen Türkenscharen angegriffen, die vom »Sonnenkönig« zu diesem Unternehmen freundlich ermuntert worden waren. Während Prinz Eugen Eu-

ropa vor den Türken rettete und damit eine der bewundernswertesten Taten für die abendländische Kultur vollbrachte, schnitt sich Ludwig der Vierzehnte im Westen ein paar schöne Stücke vom Reich ab, zum Beispiel sechshundert Städte, Dörfer und Burgen im Elsässisch-Lothringischen, Freiburg, Straßburg und ein riesiges Gebiet südlich des Elsaß bis zum Genfer See. Der zwanzigjährige Waffenstillstand, den er mit Deutschland geschlossen hatte, hinderte ihn nicht, vollkommen unmotiviert in die Pfalz einzufallen und sie barbarisch zu verwüsten. Die Ruinen des Heidelberger Schlosses legen heute noch Zeugnis davon ab.

Ich weiß nicht, wie diese Geschichte in französischen Schulen gelehrt wird. Aber ich weiß, was darüber jener alte Minister Richelieu eigenhändig geschrieben hat: »... pour acquérir une entreé en Allemagne... um ein Einfallstor nach Deutschland zu schaffen...«

Ludwig XIV. wurde der wahre, heimliche Kaiser Europas. (Der offizielle war ein Habsburger in Wien.) In dieser sonnigen Stimmung erfand er einen neuen Lebens- und Kunststil, man nannte ihn Barock. Strahlende nackte Frauenkörper, lachende Putten, goldene Bögen, elfenbeinfarbene Möbel, Reifröcke und turmartige Perücken, die zum Nichtstun zwangen, zum »Kavalierstum«, wurden die Kennzeichen am glanzvollen Hofe des Sonnenkönigs.

Kein Fürstenhof Europas, mit Ausnahme Preußens, hat diesen Stil *nicht* mitgemacht. Sehnsüchtig starrte man nach Versailles und betete diese Lebensart an. Überall äffte man sie im kleinen nach. In jener Zeit wurde Französisch die Sprache der feinen Leute und der Diplomaten. Das Pendel des Lebens schlug nach den Roheiten der vergangenen Jahre in das andere Extrem aus.

Wie weit lag jetzt selbst schon die Dürersche und die Huttensche Zeit zurück! Es war damals sehr selten, daß die Menschen ihre Gedanken zurückwandern ließen; die Zeit um 1700 hatte wenig Empfinden für Geschichte. Man wußte auch schlecht Bescheid über die Vergangenheit. »Dürer? Hutten? Luther?« Ja, ja, das war so ausgangs des »finsteren« Mittelalters, nicht wahr, als die Städte düster und ummauert waren und als man die schönen, modernen, graziösen Palais und ländlichen Residenzen noch nicht kannte. Als alles noch so einen schrecklich ernsten Anstrich hatte und so bärbeißig war, selbst der Gedanke an Kaiser und Reich, während heute eben »alles ganz anders«, modern, ist.

Nur wenige werden gedacht haben: Eigentlich seltsam, sich vorzustellen, wie das Gefühl in alten Zeiten gewesen sein muß, als es ein einiges, großes Reich und eine Gestalt wie Barbarossa oder auch nur wie Ludwig von Bayern

oder zu Dürers Zeit Maximilian gegeben hat! Nun ja –
lange vorbei.

Pst! Pst! Dort in der filigranen, puderduftenden Kutsche,
die drüben mit vier Schimmeln durch den abgrundtiefen
Modder der Kleinstadtstraße fährt, sitzt sicher Durchlaucht – wir wollen den Dreispitz lüften!

Ja, mesdames, messieurs, das ist etwas anderes als das »finstere Mittelalter«. Da fährt die moderne Zeit! Der Fortschritt!

Damals wurde in Deutschland die Figur des »Serenissimus« geboren. Es ist der winzige Duodezfürst, der sein
»Land« in einer Stunde zu Fuß umschreiten kann, der,
leicht blödelnd, lächerliche Sachen sagt, aber tyrannisch,
eigensinnig und leider, leider souverän ist. Und »souverän« heißt: Herr über Krieg und Frieden, Armut und
Reichtum, Leben und Tod. Die vielen Dutzende von
deutschen Fürsten waren ihre eigenen Könige. Fern in
Wien saß irgendein Habsburger, Erbe der spanischen Linie, als deutscher Museumskaiser, sozusagen ein Mam-
mutduodezfürst. Ferdinand oder Leopold oder ein
sonstwie halbvergessener Name.

Über »Serenissimus« ist jahrhundertelang geschimpft und
gelacht worden. Seine Trotteligkeit und sein Größenwahn
sind bis heute die Zielscheibe von Spott und die Zielscheibe von Haß gewesen. Wahr ist, daß diese plötzlich zu
Göttern ernannten Herrschaften teils bösartig, teils lächerlich waren. Wahr ist aber noch etwas anderes, und das
erkennen die wenigsten Menschen: Der Absolutismus gerade dieser Duodezfürsten, ihre Energie, ihre strenge Be-
amtenzucht und ihr Erbfolgerecht, das das Gefühl der einzigen Beständigkeit verlieh, dies alles zusammen hat das
Land über viele kritische Jahrzehnte gerettet.

Deutschland glich um das Jahr 1700 herum einem ehemals

gewaltigen Fabrikwerk, das sich aufgelöst hatte und nur noch aus einer Schar von Heimarbeitern bestand. Diese Heimarbeiter aber waren fleißig und konnten sich einigermaßen gut ernähren. In den verlassenen Fabrikräumen saß im Direktorenzimmer in Wien einsam der Generaldirektor, wußte, daß längst alle Mann zu Hause auf eigene Rechnung arbeiteten, sah auch, daß sich in verschiedenen Gebäudeteilen fremde Fabrikanten einfach häuslich niederließen, und hatte sich selbst schon vorsorglich außerhalb des Werkes nach Nebeneinkünften umgesehen. Auch spielte er im Fußballtoto. Und wenn er eines Tages eine Million gewinnen würde, dann würde er alle Heimarbeiter, die karteimäßig immer noch die Belegschaft der Fabrik bildeten, neu engagieren.

Der Traum des Generaldirektors verwirklichte sich nicht. Im Jahre 1740, als die Barockperücke schon vergessen und sogar der Zopf nicht mehr das Neueste war, als die Schwerter in den Rumpelkammern lagen und jeder ordentliche Straßenräuber bereits eine gewaltige Pistole besaß, starb Generaldirektor Karl VI. in Wien, ohne einen männlichen Nachfolger. Auf seinen Stuhl setzte sich seine Tochter, Maria-Theresia.

Eines Tages klopfte es an die Tür der Generaldirektorin, und herein trat ein schmächtiger Mann mit spitzer Nase und zurückfallendem Kinn, das eigentlich gar nicht sehr nach Willenskraft aussah. Er trug einen schlichten Rock und einen Dreispitz auf dem Kopf. Er warf den Krückstock auf den Schreibtisch und sagte:

»Kennt Sie mich, Generaldirektorin?«

»Jawohl«, antwortete sie, »Ihr seid der Alte Fritz.«

»Dann weiß Sie wohl auch, was Ihr bevorsteht?«

»Ich ahne es«, erwiderte Maria-Theresia mit wogendem Busen, »ich ahne es: der berühmte Siebenjährige Krieg.«

Im neunten Kapitel

hebt sich der Vorhang zum ersten-
mal über der Neuzeit. Friedrich der
Große tritt ins Rampenlicht der
Weltgeschichte und wird Deutsch-
lands bester Heldendarsteller

Friedrich den Großen kennen alle. Wenn es eine Welt-
rangliste an Popularität gäbe, so stünde er bestimmt gleich
hinter Greta Garbo und Brigitte Bardot an dritter Stelle,
daran ist gar nicht zu zweifeln. Ich habe daher die schwersten Bedenken, sein weltbekanntes Bild zu zerstören, aber
es wird sich nicht anders machen lassen, damit Sie die Geschichte Deutschlands, die nun vor einem totalen Wendepunkt steht, begreifen.
Der berühmte Maler Adolf Menzel und die Filmindustrie,
diese feinsinnige, vollelektrische Tochter der mittelalterlichen Bänkelsängerei, diese beiden sind schuld, daß wir uns
Friedrich den Großen wie Otto Gebühr vorstellen. In
Wahrheit hatten seine Züge viel mehr Ähnlichkeit mit
Theo Lingen. Allerdings war der Alte Fritz erheblich kleiner. Er war sogar sehr klein und schmächtig. Aus seinen
Augen, die wegen der Magerkeit seines Altersgesichtes
groß wirkten, schossen keinerlei majestätische Blitze,
sondern je nach dem, wie bei gewöhnlichen Sterblichen,
blickten sie gütig (selten) oder ironisch (häufiger) oder är-
gerlich (meist) drein. Er war gekleidet wie die einfachsten
seiner Untertanen, völlig schmucklos. Das hatte zwei
Gründe: Er war knickrig, und er war ein bißchen schlam-
pig. Seine Röcke waren stets vollgekleckert von Essen und
Tabakschnupfen. Sein Umgangston war oft verletzend

und despotisch. Kurios ist, daß die meisten der unzähligen liebenswerten Anekdoten über ihn dennoch wohl auf Wahrheit beruhen werden, denn die Stimmung und sein Verhalten konnten blitzartig wechseln, wenn jemand mit einem kühnen, geistreichen Wort oder einer imponierenden Geste wie mit einem Funken seine Leidenschaft für Esprit und Charakter zu entzünden verstand. Beides liebte er über alles, deshalb hingen ihm die Menschen zum Schluß auch zum Halse heraus, denn beides ist selten. Auch er hing daraufhin natürlich den Menschen zum Hals heraus. So peinlich es klingt, es läßt sich nicht leugnen. Seinem Vater schon war er ein Greuel (der König wollte ihn wegen eines Fluchtversuches hinrichten lassen), seine Frau hat ihn gehaßt (er verbannte sie sofort nach der aufgezwungenen Hochzeit aus dem Hause). Kinder hatte er nicht, er besaß nicht das geringste Verständnis für Familienglück, für Ehe und Liebe. Die Existenz der genialen Deutschen seiner Zeit ging fast spurlos an ihm vorüber, er lehnte eine Stellenbewerbung Lessings ab, der Name des großen Astronomen Herschel war ihm unbekannt, Klopstock hat ihn nicht interessiert, für Schiller rührte er keinen Finger, Goethes »Götz von Berlichingen« fand er kindisch, Immanuel Kant lebte lange unerkannt von ihm in seinem Königreich; er machte sich lustig über den deutschen Geist, schrieb ein Deutsch voller Fehler und sprach am liebsten französisch; er ersparte keiner Generation, die ihn erlebte, einen Krieg; auf wen seine Aufmerksamkeit und sein Wohlwollen fielen, der bekreuzigte sich, denn von diesem Augenblick an gab es keine Ruhe und kein Privatleben mehr. Er arbeitete 18 Stunden pro Tag; er starb einsam und verlassen.

Und nun muß ich Ihnen das Erstaunlichste sagen: Der Mann, der so war und so aussah, war ein »Genie«. Er war der größte Herrscher, Feldherr, Staatsmann und Organisator, den Deutschland seit dem Ende des Mittelalters bis auf den heutigen Tag gehabt hat. Als er tot war, wußten es alle sofort.

Zunächst aber war er nicht tot, sondern außerordentlich lebendig. Zuallernächst war der »Alte Fritz« sogar jung – nicht wiederzuerkennen gegen den späteren alten König. Seine Verwandlung von einem flotten, etwas weichlichen, rührseligen und feigen jungen Herrn zu einem beispiellos pflichtbewußten, gänzlich furchtlosen, aufopfernden und klugen Staatsmann ist eines der großen psychologischen Rätsel dieser Welt. Die Geschichte hat dieses Wunder ein paarmal wiederholt: Kaiser Augustus war in seiner Jugend ein verkommenes Subjekt, der Heilige Franziskus war ein liederlicher Lebemann und Goethe ein grüner Junge. Der Volksmund sagt: »Der Mensch wächst mit seinen Aufgaben.« Ach, meine Lieben! Darf ich Sie an Nero, an Papst Alexander Borgia, an Heinrich den Vierten erinnern... Ich kann Ihnen nicht sagen, woran es liegt. Vielleicht haben die Griechen noch am ehesten recht, die der Meinung waren, daß »der Krieg der Vater aller Dinge« ist. Sie meinten das nicht militärisch, Gott behüte! Sie meinten: Der Krieg, allein schon der Gedanke und die Möglichkeit, bestimmen das Leben auf dieser Erde bis in die feinsten Fasern, und Millionen von Männern sind erst zur inneren Größe erwacht, als sie zum erstenmal auf dem Schlachtfeld dem Tod ins Auge sahen und sich selbst überwanden.

In seiner ersten Schlacht (Mollwitz·1741) floh Friedrich II. beim geringsten Anzeichen einer unglücklichen Wendung vom Schlachtfeld. 15 Jahre später, vor Beginn des Siebenjährigen Krieges, gab er an sein Kabinett folgenden Befehl heraus: »Sollte ich getötet werden oder in die Hände des Feindes fallen, so verbiete ich, daß man darauf die geringste Rücksicht nehme. Man soll meinem Bruder gehorchen. Ganz als ob ich niemals auf der Welt existiert hätte.« Er war Friedrich der Große geworden.

Im gleichen Jahre, wie Maria Theresia in Wien, erbte Friedrich II. in Potsdam von seinem Vater, dem »Soldaten-König«, die Krone in Brandenburg und Preußen. Er war 28 Jahre alt. Das Ereignis stand im Schatten der Thronbesteigung des ersten weiblichen Regenten und erregte keinerlei Aufsehen. Die Welt ahnte nicht, was für ein Mann da aufstand.

Wir waren nicht dabei, als er den Thron bestieg, aber wer die zahllosen alten Dokumente, seine vielen Briefe, Randbemerkungen und Notizen studiert, neigt zu der Ansicht, daß es in seltsam naiver Weise geschah. Er legte die Hand an die Augen und betrachtete von seinem erhöhten Standpunkt, von dem man ja zweifellos einen besonders guten Rundblick haben mußte, Deutschland.

Der Dreißigjährige Krieg lag beinahe so weit zurück, wie für uns die Zeit Napoleons. Er war für den jungen Friedrich fast sagenhaft. Wie unendlich viel Zeit war seitdem vergangen, und wie hatten sich die Menschen verändert! Der Alte Dessauer hatte den dröhnenden Gleichschritt und das moderne Vorderladergewehr erfunden, Barometer, Luftpumpe, Laterna Magica, Pendeluhr, Manometer, die Lichtgesetze, das Porzellan, das Quecksilber-Thermometer, die Gesetze des Himmels, die Schwärzung des Chlorsilbers durch Licht, erster Schritt zur Photographie, und die Pocken-Schutzimpfung waren gefunden worden! Legendenhaft weit schien die Zeit Ludwigs des Vierzehnten zurückzuliegen.

In Wahrheit war die Zeit nur einen winzigen Schritt gegangen. Die Männer trugen nun nicht mehr Haartürme, dafür aber einen Zopf wie die Chinesen, und die Frauen schleppten wahre Strandkörbe von Rohrgeflechten unter ihren Röcken herum. Die Mauern der Städte waren geblieben, wie sie aus dem Dreißigjährigen Krieg hervorgegangen waren: verfallen, sandverweht und überwachsen. Sie waren nun mit Bäumen bepflanzt und zu Bollwerkpromenaden geworden, wo man abends frische Luft schöpfen konnte, soweit sie damals in Deutschland vorhanden war. Aus dem Wort Bollwerk wurde im Französischen der Name Boulevard.

Frankreich war immer noch Trumpf. Wenn es einem gut ging, sagte man, »der lebt wie Gott in Frankreich«. Frankreich war der wahre Herr Europas. Durch die völlige Bedeutungslosigkeit des deutschen Kaisers war es so weit gekommen, daß es kaum einen unter den drei Dutzend deutscher Fürsten gab, der nicht regelmäßig aus Paris Unterstützungsgelder empfangen hätte. Die vielen kleinen Ländchen hatten »strenge Grenzen« um sich gezogen, waren aber natürlich allein gar nicht lebensfähig. Dem einen fehlte Kohle, dem andern Holz, dem dritten Fleisch, dem vierten Industrie, dem fünften alles. Früher hatte es sich ausgeglichen, jetzt gab es dreitausend Zollschranken, drei Dutzend Währungen, Rechtsprechungen, Uniformen und Pässe, denn es gab drei Dutzend Herrgötter. Mit dem Louisdor aus Paris kaufte sich der eine Fürst das Fleisch beim anderen, der andere das Holz beim nächsten. Mit seinen Dollars – Verzeihung, ich meinte Louisdor – hielt Frankreich den Schlüssel zu allen Grenzen, zum Wohlstand und zur Not, zur Einigkeit und Uneinigkeit in der Hand. Es konnte den Hahn zudrehen und öffnen, wie es ihm beliebte.

Die schönste Stunde im Monat war stets die, wenn der Geldbriefträger aus Frankreich kam. »Wes Brot ich eß, des Lied ich sing«, heisst ein altes Sprichwort. In Deutschland sang man daher damals französisch. Aus dieser Zeit stammen unsere vielen Fremdwörter und unsere Sucht, mit ihnen fein zu tun. Damals kam der Abschiedsgruß »Adieu« auf. Er bürgerte sich so stark ein, daß es, wie ich mich noch genau entsinne, im Ersten Weltkrieg einen Sturm der Entrüstung und des Lachens gab, als man zum erstenmal das Wort »Auf Wiedersehen« hörte.

In Wien sagte man damals schon »Servus«!

Fast alle drei Dutzend Herrgötter lebten über ihre Verhältnisse. Jeder baute sich ein kleines Versailles. Die Stadt, die daneben lag, wurde »Residenz«. In der Residenz lernte man, hohe Herren fließend in der dritten Person anzusprechen. Welch ein Wandel! Früher hatte der Stallknecht zu Otto dem Großen, dem Herrn des Abendlandes, »Herr König« gesagt, jetzt sagte Goethe, der Größte unserer Nation, zu dem nichtigen Adolar XXVI. »Eure allergnädigste Herzogliche Durchlaucht...« Das war auch für den jungen Friedrich damals so selbstverständlich, wie es uns heute selbstverständlich ist, alle Menschen, auch die dümmsten und niedrigsten Vertreter unserer Gattung als »Herren« anzureden, was sie ja nun gewiß nicht sind.

Vollkommen erloschen war der Glanz des Kaisertums. Eigentlich war Maria Theresia (deren Erbfähigkeit übrigens im Reich nur zu einem Teil anerkannt wurde) nicht mehr als eine Fürstin in ihrem Stammland. Wenn sie regieren wollte, mußte sie das in »ihren« Ländern tun, denn alles andere stand nur auf dem Papier. Ein merkwürdiges Stammland, dieses »Österreich«: In blinder Gier hatten die Habsburger unter Vernachlässigung aller Reichsgeschäfte und Kaiserpflichten ihren persönlichen Besitz mit allen Mitteln der Verträge, der Tauschgeschäfte und der Heirat vergrößert. Aus jener Zeit stammt das Wort: »Tu felix Austria nube«, »Du, glückliches Österreich, heirate«.

Man kam sich sehr schlau vor. Das Schicksal präsentierte jedoch jetzt die Rechnung: Die Habsburger Untertanen bestanden aus Böhmen, Mähren, Österreichern, Krainern, Tirolern, Siebenbürgern, Ungarn, Oberitalienern, Flamen, Wallonen und Serben, ein sinnwidriges Völkergemisch, das uns die Welt später schwer übelgenommen hat. Es zwang den Kaiser damals, undeutsch zu denken. Die Ungarn haßten ihn, die Böhmen haßten ihn, die Wallonen haßten ihn, die Italiener haßten ihn. Es war ihm egal. Verzweifelt klammerte er sich an seinen erheirateten und erschacherten Besitz, ständig jonglierend.

Das mächtige Ausland, in erster Linie natürlich Frankreich, sah damals mit Gelächter auf die kleinen deutschen Fürsten und mit Verachtung auf den Kaiser, der ja ein Kaiser des Abendlandes sein sollte.

Da stand also nun der junge König von Preußen, Friedrich, und schaute in die Runde. Ganz bestimmt mit anderen Gefühlen. Er hat die bestehende Ordnung als selbstverständlich empfunden. Was hätte er auch sonst empfinden können! Er hatte eines der merkwürdigsten Länder im Deutschen Reich geerbt; über jene »Sandbüchse« Brandenburg und das hinter dem Monde liegende Ostpreußen, über seinen Herrn Vater und dessen Soldatenmarotte lächelte man an allen Höfen. Es ärgerte Friedrich sehr. Er wäre so gern bewundert worden.

Er überlegte, was zu tun sei. Er war ja nun ein König, und ein König muß doch irgend etwas tun.

Der ganze Hof in Potsdam fiel aus allen Wolken, als Friedrich eines Morgens ins Zimmer trat und erklärte, daß er von der Kaiserin sofort die Abtretung Schlesiens in Erfüllung eines alten Vertrages verlangen werde. Die Forderung bestand tatsächlich zu Recht.

Alles hatte man erwartet, nur das nicht. Eben noch hatte

der junge König als Prinz ein Buch geschrieben, in dem er
die Gewalt geißelte, und seinem Vater war der Kaiser geradezu unantastbar gewesen.

Die spätere Geschichtsschreibung hat Friedrich II. hier
schon tiefsinnige Ideen und weitblickende Reichspolitik
zugestanden. Leider ist davon kein Wort wahr. Er war da-

mals noch ein grüner Junge. Er hat über diesen Augenblick
später selbst geschrieben: »Die Befriedigung, meinen Namen in der Öffentlichkeit und später in der Geschichte zu
sehen, hat mich verführt.«

Maria Theresia lehnte ab.

Darauf öffnete Friedrich seinen Staatsschatz, in dem die
sauer ersparten Millionen des Soldatenkönigs steckten,
und mobilisierte sein Heer. Die alten erprobten Generäle
und Feldmarschälle seines Vaters führten es für den ah-
nungslosen und unerfahrenen Sohn in den kalten Dezem-

bertagen (eine Sensation damals!) des Jahres 1740 über die Grenze nach Schlesien hinein.

Maria Theresia war außer sich über diesen Krautjunker aus der Sandbüchse. Bei Mollwitz stießen die beiden Heere aufeinander. Die weißgekleideten Kaiserlichen stürmten in dichten Haufen. In dröhnendem Gleichschritt, wie ein Roboter, kamen die Preußen heran. Die Schlacht wurde eine grausame Lehre für den jungen Herrn. Nicht etwa, daß er sie verlor. Der alte Schwerin brachte es fertig, sie zu gewinnen. Aber Friedrich ging mit einem erschütternden Erlebnis aus ihr hervor: Er war geflohen. Er hatte versagt, er hatte etwas getan, worauf der Tod stand.

Dieser Tag wandelte ihn vollständig.

Nach dem Sieg flogen ihm die Bundesgenossen zu. Mit Erschütterung sah er, daß ein spontaner Schritt die ganze riesige Maschinerie des Reiches, ja der ganzen Welt, in Bewegung gesetzt hatte. Er hatte in die Geschichte eingegriffen! Sie begann zu mahlen.

In dieser Stunde sah Friedrich zum erstenmal die großen Zusammenhänge. Er sah das Ausland ihm hilfsbereit die Hand reichen, und während er über dieses unerklärliche Hilfsangebot und die kalte Treulosigkeit der Fürsten gegen die Kaiserin nachgrübelte, kam ihm die Erkenntnis über die wahre Lage des deutschen Reiches. Es war der Abschied von seiner Jugend, der Unvernunft und der Sorglosigkeit. Alle Illusionen fielen von ihm ab, er wurde ein Staatsmann.

Es ist heute schwer zu sagen, wie weit seine Gedanken gingen. Sicher ist, daß er nie daran dachte, die Hohenzollern könnten einmal das Reich erneuern und die Kaiserkrone tragen. Aber sicher ist, daß er so stark werden wollte, daß ohne Preußen nichts mehr im Reich geschehen konnte.

Es ist sehr aufschlußreich, sich die anzusehen, die ihm die Hand reichten: Bayern, Sachsen, Frankreich. Auf der Stelle verbündete sich daraufhin England mit Wien.

Friedrich II. gewann den 1. und 2. Schlesischen Krieg. Aber Maria Theresia war entschlossen, dieses Ergebnis zu korrigieren. Nach zehnjährigem, eifrigem diplomatischem Ränkespiel, in dem sie die Eitelkeit und den Einfluß sämtlicher »Unterröcke« mobilisierte, war sie soweit. Wieder standen sich zwei Lager gegenüber, und wir wollen nicht versäumen, sie uns abermals genau anzusehen. Im Lager Österreichs: Bayern, Sachsen, Frankreich und Rußland. Im Lager Preußens: England.

Sie wundern sich, daß jetzt alles völlig umgekehrt war? Sie fragen, wofür die Franzosen eigentlich gekämpft hatten, wenn sie nun Bundesgenossen Österreichs wurden? Sie werden vielleicht auch nicht begreifen, warum das Bündnis zwischen Friedrich II. und William Pitt im Englischen Parlament einen Sturm der Begeisterung auslöste?

Sie werden es sogleich verstehen. Was auch Ihr und mein Ur-Ur-Ur-Großvater nicht erkannte, überblickte Friedrich der Große sofort: daß es gar nicht um Preußen oder Habsburg oder Schlesien ging; es ging um etwas viel Gigantischeres, um die Verteilung der neuentdeckten Kontinente. In 6000 bis 20 000 Kilometern Entfernung, in Nordamerika und Indien bereitete sich ein Weltkrieg vor, der erste Weltkrieg der modernen Geschichte. Es ging um Besitz, der hundertmal so reich war wie Europa, um Land, das tausendmal so groß war wie Schlesien, es ging um ein ganz großes Spiel. Weder Wien noch Potsdam waren in diesem Spiel.

Es war eine Sache, die nur die Stärksten unter sich ausmachen konnten, und die Stärksten waren Frankreich und England. Sie haßten sich in diesem Moment tödlich. Daß

England der Endspielgegner um die Weltherrschaft war, war für Paris die große Überraschung.

Die Engländer hatten es von langer, sehr langer Hand kühl bis in die Knochen vorbereitet. Unter dem Deckmantel des berühmten »europäischen Gleichgewichts« hatten sie sich bald auf diese, bald auf jene Seite geschlagen und systematisch den ewigen Krieg auf dem europäischen Festland aufrechterhalten. Sie benutzten die Fama von der »habsburgischen Gefahr«, um Frankreich in dauernder Besorgnis zu halten. Vergessen war in Paris der hundertjährige französisch-englische Krieg mit all seinem Grauen, man starrte gebannt zum Rhein.

Es muß von englischen Kaminen aus betrachtet ein außerordentlich reizvoller Zustand gewesen sein. Nur brachte er nicht viel ein. Dies sollte jetzt nachgeholt werden. Es war die nackte Gier nach den unermeßlichen Juwelen und dem Gold, das man in den Staatsschätzen der indischen Maharadschas gesehen hatte, und nach dem Pelzhandel Nordamerikas, – es war die nackte Gier, die die Engländer auf den alten römischen Gedanken eines »Kolonialreiches« brachte – ein lange vergessener Begriff.

England entwickelte damals eine ebenso einfache wie originelle Methode: Zuerst machten die Deutschen die Erfindungen; vermittels dieser Erfindungen entdeckten Portugiesen und Spanier fremde Länder. Nach einer Weile kamen holländische Siedler. Dann folgten französische Missionare, und zum Schluß kamen englische Kanonen.

Coopers »Lederstrumpf« spielt in jener Zeit.

Erinnern Sie sich? Ein reizendes Buch. Ein nettes, harmloses Buch. Und so edel. So richtig, um in die Hände der Jugend gelegt zu werden.

Das sollte es auch. Millionen von jungen Menschen lasen darin, daß in jener Zeit die Wälder und Savannen Nordamerikas von ein paar Schuften unsicher gemacht wurden, die alle zufällig Franzosen waren und sich mit den ebenfalls schuftigen Huronen-Indianern verbündet hatten. Hinter allen Büschen und Felsen lugten diese Kerle hervor und kannten keinen Frieden, während eine erlesene Schar von herrlichen Menschen, von edlen Delawarenhäuptlingen und rührenden Kommandantentöchterchen auf der Seite der Briten standen. Alle jugendlichen Herzen bangten um Chingagogk, die »Große Schlange«, und um Lederstrumpf und zitterten für ihren Sieg.

Sie zitterten für Englands Sieg. Damit hatte dieses erste Kriegsberichterbuch des ersten Weltkriegs der Neuzeit seinen Sinn erfüllt. England begann die Aufgabe zu übernehmen, die übrige Welt über die laufenden Ereignisse publizistisch aufzuklären.

Alle diese Dinge durchschaute Friedrich der Große wahrscheinlich ziemlich klar – was eine große Leistung ist.

Eines aber sah er nicht, einen schweren, unvorhergesehenen Schlag, den ihm sein loses Mundwerk einbrachte: den Kriegseintritt Rußlands! Zarin Elisabeth, Tochter Peters des Großen, hatte erfahren, daß sich Friedrich über ihren Lebenswandel lustig machte. Das genügte. Sie bebte. Friedrich hat die Hysterie der Frauen unterschätzt. Er verstand nichts von ihnen.

Der Witz, den er an der Tafelrunde von Sanssouci (frisch erbaut!) machte und den der französische Gesandte eiligst nach Paris und Wien meldete, dieses eine Wort brachte Preußen an den Rand des Abgrunds und hätte um ein Haar die Weltgeschichte anders verlaufen lassen. Der kleine Witz zwischen Dessert und Mokka (gab's seit 50 Jahren!) kostete viel Blut und den König fast die Krone und das Leben.

Friedrich der Große wollte den 3. Schlesischen Krieg (der

dann 7 Jahre dauerte) rasch beenden. Ehe Maria Theresia losschlagen konnte, fiel er über das feindliche Sachsen her, erbeutete das gesamte Staatsarchiv, ließ die geheimen Pläne der Kaiserin veröffentlichen, hielt sich keine Sekunde auf und marschierte in drei Heersäulen nach Böhmen hinein, um das dort versammelte österreichische Heer in die Zange zu nehmen und in einer Kesselschlacht zu vernichten. Ein guter Plan, nur mißlang er. Die Österreicher konnten sich auf Prag zurückziehen, und ein Entsatzheer schlug Friedrich den Großen bei Kolin derart, daß er Böhmen räumen mußte.

William Pitt (Englands Außenminister) hatte Geld und ein kleines Heer geschickt, das in Hannover dem König den Rücken nach Westen decken sollte. Beim Heranrücken der Franzosen machten die Engländer kehrt und gingen nach Hause. Die Franzosen näherten sich der Elbe, die Österreicher rückten in Schlesien ein, die Russen standen vor Königsberg. Friedrich stand allein da. Das alles hatte sich blitzschnell abgespielt.

Seine Lage war verzweifelt, und von nun an blieb sie es. Sie wurde immer fürchterlicher. In dieser Zeit vollbrachte der König wahre Wunder. Er durchzog das Land in Gewaltmärschen von Osten nach Westen, von Norden nach Süden; mit zerfetzten Monturen, zerrissenen Zöpfen, müde zum Umfallen und hungrig schlugen seine Grenadiere im Westen bei Roßbach die Franzosen, im Osten die Österreicher bei Leuthen, im Norden die Russen bei Zorndorf. Er raste hin und her und schlug verzweifelt um sich, immer in vorderster Linie, immer genial planend und geradezu tollkühn handelnd. Die Verwaltung in Potsdam funktionierte wie eine Maschine, die Anstrengung, die das Volk machte, war ungeheuer für die damalige Zeit – der erste totale Krieg.

Es wirkt geradezu wie Hohn, wenn wir heute wissen, daß Friedrich der Große damals in ganz Deutschland mit leuchtenden Augen verfolgt und seine Siege über die Franzosen, Russen und Österreicher heimlich bejubelt wurden. Ein Ideal war aufgestanden, ein Held! Seit langen, langen Jahren ein König, ein echter König! Die Söhne derer, die so fühlten, ja vielleicht sogar sie selbst aber marschierten auf den Befehl ihres Landesfürsten, der stärker war als sie, gegen den Preußenkönig.

Am verzweifeltsten war England. Es schlug blutige Schlachten in Nordamerika und Indien. Wenn Friedrich den Krieg verlor und Frankreich Atem schöpfen konnte, mußte es böse werden. William Pitt schickte mehr Geld. Aber es nützte nichts, die feindlichen Verbündeten hielten wie die Kletten zusammen.

Monat für Monat und Jahr für Jahr vergingen, und Friedrich hielt immer noch stand. Furchtbare Rückschläge kamen, die Schlacht bei Hochkirch ging verloren, der Feind erbeutete fast die gesamte Artillerie der Preußen. Russen und Österreicher schickten sich an, auf Berlin loszugehen. Mit den letzten Kräften griff der König die Russen bei Kunersdorf (an der Oder) an. Der Sieg war greifbar nahe, da traf die österreichische Kavallerie ein. Friedrich wurde vernichtend geschlagen. 20 000 Russen und 15 000 Österreicher näherten sich Berlin. Der König hatte den zehnten Teil, er saß in Schlesien, er war machtlos. Berlin fiel.

Ja, Sie lesen richtig! Berlin fiel. Damals schon spazierten Russen »Unter den Linden«.

Das war im Oktober 1760.

Ein Jahr später sehen wir Friedrich immer noch kämpfend. Immer noch existiert der König von Preußen. Immer noch ist der Krieg nicht beendet. Was Friedrich aufrechterhielt, weiß der liebe Gott. In diesem Stadium tat er nicht mehr und nicht weniger als das, was im Jahre 1946 in Nürnberg verbrecherisch genannt wurde: Er wollte es nicht glauben, er konnte es nicht fassen und war entschlossen, bis zur Selbstvernichtung seines Volkes zu kämpfen. Ja, so war das damals.

In dieser Situation sagte sich England von Friedrich los und stellte die Zahlungen ein.

In den Geschichtsbüchern steht zu lesen, daß der Sturz des englischen Außenministers Pitt die Ursache war. Ich möchte Ihnen die bessere Erklärung vorschlagen: In Indien war die Entscheidungsschlacht bei Plassey gefallen, die Ostindische Kompanie aufgelöst und Indien der britischen Krone unterstellt. Und in Nordamerika ist Quebeck, die letzte Stadt, in der Hand der Briten. Friedrich der Große ist uninteressant geworden! Der Weltkrieg da draußen war entschieden.

Am Weihnachtsabend 1761 saß Friedrich der Große mit

dem Rest seiner Getreuen in verschneiten Zelten eines notdürftig befestigten Lagers. Bei Bunzelwitz, irgendwo in Schlesien. Dort erwartete er auch das neue Jahr. Und wahrscheinlich das Ende.

Er hatte den Siebenjährigen Krieg verloren. Das ist die Wahrheit. Die furchtbarsten Gegner waren die Russen gewesen. Ein anderes Wort, damals vor sieben Jahren bei Tisch, und die Welt hätte anders ausgesehen.

In diesem Augenblick griff das Schicksal unerklärlich ein. Innerhalb von Stunden fast wurde aus Friedrich der Sieger des Siebenjährigen Krieges! Ein Wunder geschah.

Am 5. Januar 1762 starb Elisabeth von Rußland. Der neue Zar war ein glühender Bewunderer Friedrichs. Wie alle damals insgeheim.

Die russischen Soldaten machten eine Kehrtwendung von 180 Grad. Sie waren plötzlich Preußens Verbündete. Alles weitere brauche ich Ihnen bei dem Format Friedrichs des Großen wohl nicht mehr zu erklären.

Sie atmen auf, vermute ich. Ja, das taten die Menschen damals auch. Die fürchterliche Angstpartie, der schreckliche Opfergang Preußens war zu Ende. Es war Friede. Friede. Friede. Die Väter und Söhne kehrten heim, viele waren gefallen, viele fanden ihr Haus nicht mehr, Städte waren zerschossen und Dörfer abgebrannt, ein Anblick, den Preußen fast 100 Jahre lang nicht mehr gekannt hatte. Es war ein friedliches Land gewesen, ein ruhiges, ehrsames, pflichtbewußtes und fast spartanisch denkendes Land, dessen plötzlicher Aufstand, dessen flammender Machtausbruch die ganze abendländische Welt in basses Erstaunen versetzte. In das Staunen mischte sich verhängnisvoll: Furcht. Preußen war über Nacht Großmacht geworden!

Wie seltsam! Alle glaubten es, alle, von Paris angefangen bis Wien und München und Stuttgart und Karlsruhe und Weimar. So sehr blenden Ereignisse!

Ach, meine Lieben, Preußen war ja gar nicht Großmacht! Es war ein armes, ausgequetschtes Land, dem sieben Jahre lang die Bauern und Arbeiter gefehlt hatten, dessen Männer gefallen waren, dessen Vieh und Boden Not litt, dessen Geld ausgegeben war, dessen König mit 50 Jahren die Resignation eines alten, müden Mannes und das den großen Krieg eigentlich verloren hatte. Die Ereignisse, deren Herr der König keinesfalls mehr gewesen war, hatten es bewirkt, die Preußen »salonfähig« für die Gesellschaft der »großen Drei« zu machen. Die Wahrheit ist, daß ein kräftiger Windstoß, ein neuer Ansturm Preußen umgeworfen hätte.

Die Probe aufs Exempel wurde nicht gemacht. England, für das Friedrich den Weltkrieg in Indien und Amerika gewinnen half, war damals beschäftigt, den Union Jack an allen Masten der indischen und nordamerikanischen Garnisonen hochzuziehen und die unendlichen Schätze auf seinen Fregatten und Schonern nach Hause zu segeln. Robert Clive, einstmals Handlungsgehilfe, und der berüchtigte grausame Warren Hastings besorgten das. Der sagenhafte Reichtum englischer Familien begann auf diese bemerkenswerte Weise. In London hielt man Preußen wohl kaum für eine Großmacht. Man blickte dort weit in die Zukunft und maß schon mit anderen Maßstäben.

Frankreich jedoch war zutiefst erschrocken. Das kann man verstehen: Während sich Friedrich der Große kaum der Österreicher und Russen hatte erwehren können, hatte ein preußisches Heer (nicht einmal unter dem König, sondern unter Feldmarschall Ferdinand von Braunschweig) die Franzosen pausenlos geschlagen. Zuletzt in Krefeld, welches bekanntlich schon jenseits des Rheines liegt. Die Gestalt des Königs war zu seinen Lebzeiten bereits legendär geworden. Napoleon sprach später einmal aus, was Wahrheit war: »Nicht die Armee hat Preußen sieben Jahre lang gegen die drei größten Mächte Europas verteidigt, sondern ein einziger Mann, Frédéric le Grand!«

Um keinen Deutschen ist ein so großer Kranz von Legenden gewoben worden, auch nicht um Barbarossa, wie um den Alten Fritz. Es ist spaßig und interessant, daß man ihn selbst oft fragte, ob die Geschichten wahr seien. So sollte der König seinem Leibarzt einmal vor den Kopf gebafft haben: »Hat Er schon viele Menschen ins Jenseits befördert?« und der Arzt hätte geantwortet: »Nicht so viele wie Eure Majestät, aber auch nicht mit so viel Ruhm.« Uns ist überliefert, was Friedrich der Große dazu sagte: »Die Antwort wäre schön gewesen, ich gestehe es, aber sie ist leider erdichtet.«

Nach dem Kriege exerzierte Friedrich der Große 23 Jahre lang der Welt ein »Friedensprogramm« vor, mit einer Staatsauffassung, die in Europa jahrhundertelang verlorengegangen war. Das Land erholte sich und erblühte zusehends. Sein berühmtes Wort »Ich bin der erste Diener des Staates«, ein Wort, das wir seitdem bis zum Erbrechen oft und verlogen gehört haben, war damals derart revolutionär, wie wir es uns heute überhaupt nicht mehr vorstellen können. Sprachlos schaute das Abendland auf den kleinen Staat Preußen.

Wenn damals ein preußischer Gardeoffizier zu Besuch seiner Tante ins »Ausland« nach Mannheim oder Weimar oder Wien reiste, so wurde er auf den Gesellschaften mit jener leicht gruseligen Neugier betrachtet, mit der 1940 Frankreich die ersten Gestalten der Waffen-SS auf den Champs Elysées anstarrte. »Was ist denn Euer Preußen

nur für ein Land, Monsieur, wie ist Euer König, wie ist das alles nur seltsam, mon Lieutenant, und Geld gilt bei Euch nichts und Ehre alles, und auch das einfache Volk, diese Canaille, kann den König sprechen und Klage führen, und vor dem Gesetz sind alle Menschen gleich, ja, was ist denn das für ein Mensch, Euer König? Das muß ja ein ganz, ganz anderes Leben bei Euch in Brandenburg sein, Monsieur, sind denn nicht alle Menschen Soldaten, und wird man nicht sofort erschossen, wenn man etwas falsch gemacht hat, und ist es wahr, daß gar keine Freude herrscht und niemand lachen darf? Oder gehen in Potsdam die Kavaliere genauso wie hier in Wien auf der Straße im Sonnenschein und haben gepuderte Zöpfe, nehmen eine Prise Schnupftabak und tänzeln den Mamsells nach? Erzählt doch, Monsieur, erzählt, es ist ja so furchtbar spannend!«
Der friderizianische Gardelieutenant, der sich bestimmt nicht geheimnisvoll vorkam und sicher nicht gewußt hat, was die reizende Jungfer nun eigentlich wissen wollte, wird wohl nur schweigend von seiner 1,90-m-Höhe herabgelächelt haben, und dem aufgeregten Fräulein wird es heiß und kalt den Rücken heruntergelaufen sein. Welch ein Mann, wird sie gedacht haben!
Die Welle, die von Potsdam ausging und die unvorstellbar verzärtelte und verweibischte Versailler Atmosphäre hinwegblies, erreichte als erste die Frauen. Sie waren die ersten Träger des neuen Geistes (wie meistens im Leben), sie brachten einen neuen Männertyp herauf, und sie selbst waren es, die der Weiberwirtschaft ein Ende machten. Es ist kein Zufall, daß einst eine ganze Schar von Röcken Friedrichs Gegner war: Maria Theresia in Wien, Elisabeth in Petersburg, Madame Pompadour in Paris. Und es ist kein Zufall, daß sie die letzten.waren. Ein neuer Geist war aufgekommen.

1786 starb Friedrich II., König von Preußen.

Bei dem Wort »König« fällt mir ein, daß ich Ihnen eigentlich noch die Erklärung dafür schuldig bin, daß es neben dem Kaiser einen König, und zwar einen einzigen deutschen König gab.

Sie werden sich erinnern, daß »deutscher König« in früheren Jahrhunderten einen ganz bestimmten Sinn hatte: Die alten Kaiser hatten ihre noch unmündigen Söhne zum Zeichen der Nachfolgeschaft zum König krönen lassen. Dieser Sinn steckt in dem Wort König nicht mehr drin. Als Friedrichs Großvater gegen ein paar Zugeständnisse vom Kaiser den Titel erwarb, wurde er damit nicht König in Deutschland, sondern König eines außerhalb Deutschlands liegenden Ländchens, nämlich Preußens (des heutigen Ostpreußens). Es hatte schon vorher einen ähnlichen Fall gegeben: August der Starke von Sachsen war König von Polen. Er wurde nicht deutscher König, sondern ein Deutscher wurde König, das ist etwas wesentlich anderes. Die Hohenzollern hielten die Krone fest, die Sachsen verloren sie wieder. Die riesigen Landerwerbungen Friedrichs des Großen und die Macht seiner Persönlichkeit machten aus ihm zum erstenmal einen »deutschen König«. Es war sein Ziel gewesen.

Drei Jahre nach Friedrichs Tode trat die ungeheure Umwälzung, die er selbst mit geschaffen hatte, klar zutage, und das Schicksal bot Deutschland eine Chance wie nie mehr. Aber in Potsdam saß nicht mehr das kleine Männchen auf der Terrasse von Sanssouci, das Adolf Menzel so erschütternd in einer Vignette gezeichnet hat.

1789 war die Lage folgende:

Österreich hatte sich im Bunde mit Rußland in einen langwierigen Krieg mit der Türkei gestürzt. Es war ein absolut wahnsinniges und ganz und gar undeutsches Unternehmen. Man hat später versucht, einen Sinn hineinzulegen, und es einen Vorbeugungskrieg gegen die Türkengefahr genannt. Das ist nicht wahr.

Es war ein Habsburger Habgierkrieg, dessen Ende nicht abzusehen war. Rußland wurde im gleichen Augenblick von Schweden in schwere Grenzauseinandersetzungen verwickelt, in Ungarn brachen Revolten gegen Wien aus, im habsburgischen Belgien der offene Aufstand. Und in Paris stürzte der Himmel ein: Das Volk erhob sich, brach die Allmacht des Königs und stürmte zum Zeichen dessen die Bastille, die Festung von Paris. Ganz Frankreich war aus den Fugen. Es hätte einer einzigen Handbewegung des Alten Fritzen bedurft, und das Deutsche Reich wäre wiedererstanden. Aber Friedrich der Große war tot, die Chance kam zu spät.

Nicht die kleinen Fürsten, aber Hunderttausende und Millionen von Bürgern wären bereit gewesen, Habsburg abzuschütteln, die Grenzen niederzureißen und in dem König von Preußen den neuen Herrn Deutschlands zu sehen – aber nichts geschah. Der Augenblick, den alle weitsichtigen Menschen mit Erregung erkannten, ging vorüber. *So* kam er kein zweites Mal wieder.

Das zehnte Kapitel

bietet ein Volksstück, in dessen Mittelpunkt die Verwandlung der drei Grazien »Freiheit, Gleichheit und Brüderlichkeit« auf offener Bühne in den Kaiser Napoleon steht

An einem Julitag des Jahres 1789 erwachte unser Ur-Ur-Großvater von dem herrlichen Sonnenschein, der durch die gewölbten Fensterscheiben und die duftigen Tüllgardinen auf das elfenbeinlackierte und leicht vergoldete Rokokobett fiel, in dem er, der Königlich-Preußische Cameral-Rath, und seine Gattin ruhten. Es war Sonntag. Sie erhoben sich gemächlich, mein Ur-Ur-Großvater etwas eher als seine Gemahlin, weil ihm einfiel, daß er vielleicht noch heimlich schnell in die Speisekammer gehen und dort von dem Rest von gestern abend naschen könnte. Es hatte ein fabelhaftes Gericht gegeben: Schinken und dazu in der Pfanne gebraten diese neumodischen Erdfrüchte, die seit einigen Jahren so in Mode waren und deren Anbau dem verstorbenen alten König so sehr am Herzen gelegen hatte. Man nannte sie Pommes de terre, das einfache Volk sagte Kartoffeln.

Nach der gelungenen Inspektion der Speisekammer begab sich der Cameral-Rath in das kleine Ankleidekabinett, klappte die mit schöner Einlegearbeit verzierte Waschkommode auf, rief dem Frauenzimmer in der Küche nach warmem Wasser zum Rasieren und schärfte inzwischen, genau so, wie wir es heute noch tun, das Messer am Ledergurt. Er rasierte und wusch sich, dann band er sich in seinen nur wenige Zentimeter langen Zopf eine kleine

Schleife und dachte mit stillem Lächeln an die künstlichen Perücken, die noch in seiner Jugend getragen wurden. Er kleidete sich dann an, dunkle Schnallenschuhe, seidene Kniehose, darüber ein braunes, sehr elegantes Jackett, das man heuer ein wenig kürzer trug. Jabot und Manschettenspitzen waren nicht daran, schlicht war modern. Madame erwartete ihn schon am Frühstückstisch, und sie waren gerade im Begriff, sich über den Kakao und den schlesischen Streuselkuchen herzumachen, als ein Besucher kam und eine geradezu sensationelle Nachricht brachte, die mein und Ihr Ur-Ur-Großvater zunächst kaum glauben wollte: In Paris war eine Revolution ausgebrochen! Der »Pöbel« hatte die Bastille gestürmt und sie niedergebrannt, der König, Ludwig der Sechzehnte, war in ziemlicher Angst, und eine »Nationalversammlung« wollte Frankreichs neue Verfassung beschließen. Die Straßen in Paris sollten schwarz von Menschenmassen sein, ein anständiger Mensch wagte sich nicht mehr hinaus.

»Voilà!« sagte mein und Ihr Ur-Ur-Großvater, »da haben wir die Bescherung! Ich kann es kaum fassen, aber wenn Ihr, mein Freund, es sagt, wird es stimmen. Eine richtige Revolution, mon Dieu! Aber, mein Freund, es war so etwas vorauszusehen, es gab genug schlimme Zeichen. Danken wir Gott, daß in Preußen alles in Ordnung ist, daß schon der große König mit der Zeit gegangen ist, daß er Gerechtigkeit einführte, Leibeigene freigab und ein Vater des Volkes war. Erinnert Ihr Euch, mon Cher, wie empört Friedrich der Große war, als er hörte, daß einzelne deutsche Fürsten, wie z. B. der Hesse und der Württemberger, ihre Landessöhne um schnödes englisches Geld für den Unabhängigkeitskampf nach Amerika verkauften? Erinnert Ihr Euch, daß er in Preußen die Anwerbung verbot und sagte, man dürfte sein Blut nur für das Vaterland geben? Im Vertrauen, mon Cher: Wenn in Preußen nicht alles so gut stünde, würde ich besorgt sein, denn unser gnädiger König Friedrich Wilhelm II. ist vom Alten Fritzen so verschieden wie... na, lassen wir das Thema. Also eine Revolution!«

Der Besucher nickte gedankenvoll: »Ja, es ist schrecklich. Und dies in unserem aufgeklärten Zeitalter!«

»Gerade! Gerade deshalb!« fuhr unser Ur-Ur-Großvater auf, »gerade das ist der Grund! In Versailles lebte man, als hätten wir noch die Zeiten von Ludwig dem Vierzehnten. Versailles hat vergessen, daß die Menschen aufgewacht sind, daß Voltaire und Rousseau ihre Bücher geschrieben haben, daß dieser Friedrich Schiller über sein Drama ›Die Räuber‹ das Motto ›In tyrannos‹ setzte. Gegen die Tyrannen! In Versailles hat man vergessen, daß man nicht wie unter dem Sonnenkönig eben den Dreißigjährigen Krieg gewonnen, sondern den Siebenjährigen verloren hat! Man hat auch Indien und Amerika verloren! Das hat Geld gekostet, viel Geld, mon Cher, laßt Euch das von mir sagen, ich bin Cameral-Rath. Geld ist der Schlüssel zu dem Rätsel. Geld und Handel, mon Cher, sind ja auch die Ursache, daß sich Nordamerika von seinem Mutterland lossagte und kürzlich den Bruderkrieg gewann.«

Der Besuch schüttelte den Kopf: »Es ging uns, dem Volk, schon oft schlecht, ohne daß es zu einer Revolution kam. Non, non. Die Gründe liegen tiefer.«

»Mais oui!«, schrie Großvater, »natürlich liegen die Wurzeln noch tiefer. Sie liegen am falsch und schief gewordenen Aufbau der menschlichen Gesellschaft und an den falsch gewordenen Wechselbeziehungen zwischen Herrscher und Volk. Und dann liegt es an solchen Volksverführern wie dem Engländer Adam Smith, der die Menschen nicht nach Qualität, sondern über einen Kamm mißt, der jedem, der ein Maul und zehn Finger hat, sagt, auch Könige und Gelehrte hätten nur ein Maul und zehn Finger, und er sei genau so ein Herr wie jeder andere und er solle die Ideale über Bord werfen und jeden Handschlag so teuer wie möglich verkaufen und sich zusammenrotten und nur ruhig räsonieren! Da war die königliche Sauwirtschaft in Frankreich der rechte Nährboden, mon Cher!«

»Aber lieber Freund«, entgegnete der Besuch, »hat ein ausgesogenes und ausgemergeltes Volk nicht ein Recht dazu? Denkt daran, wie in England Kinder von 8 und 10 Jahren im Bergwerk unter Tage arbeiten müssen, damit sie nicht verhungern, denkt daran, wie Ludwig XVI. gedankenlos dahinlebt und der Untertan sich kaum das Mehl zum Brot kaufen kann und ..«

»Ich hab's nicht vergessen«, rief Ihr und mein Ur-Ur-Großvater in heller Aufregung. »leider, leider ist es so. Ihr könnt sogar noch weitergehen: Eine führende Schicht, wie der Pariser Adel, die so verderbt und kurzsichtig ist, daß sie bei Molières Dramen zu ihrer eigenen Verhöhnung und der Brandmarkung ihrer Verderbtheit auch noch pervers Beifall klatscht, anstatt sich wenigstens dies zu verbitten, diese Schicht verdient revolutioniert zu werden!«

»Um Gottes willen, mon Ami!«

»Doch, doch, doch! Warum sollten wir Preußen das nicht sagen? Ist es bei uns so? Nein. Wir sind gesund. Wissen Sie, wer der Arzt war? Der König, der tote Große, meine ich, und sein harter Vater, der Soldatenkönig. Wir haben unter ihm oft genug gestöhnt, erinnert Ihr Euch? Aber es war gut so. Wie sagt Paulus in der Bibel: Oh, daß ihr doch kalt oder heiß wäret; da ihr aber lau seid, will ich euch ausspeien aus meinem Munde! Tiefe Wahrheit, mon Cher, und zugleich die Tragik deutschen Wesens. Die Lauen sind natürlich beliebter, weil sie bequemer sind. Seht Ihr:

Deshalb sind diese Redereien von Menschenrechten und Gleichheit und Freiheit so furchtbar gefährlich, sie machen Subordination, Pflicht und Opfer lächerlich. Freiheit? Freiheit wovon, mon Cher? Fragt den Pariser Pöbel, er weiß es nicht. Gleichheit? Mon Dieu! Eine künstliche Gleichheit wäre eine schreiende Ungerechtigkeit gegen die Tüchtigeren und Wertvolleren. Ihr werdet Euch noch wundern, teurer Freund, wie wenig Edles bei dieser Pariser Revolution zutage kommt und wieviel niedrigste Instinkte! Versailles verdient diese Lehre, aber wir verdienen nicht, daß diese Gedanken in die Welt gesetzt wurden.«

»Aber, mein Freund, es sind letzten Endes uralte Gedanken. Das Volk war schon der Träger der Macht und Politik bei den edlen Griechen …«

»Edlen Griechen? Hahaha! Erstens trifft das nur für kurze Zeiträume zu, und zweitens: Seht Euch mal das alte Athen an! Kaum eine zweite Republik hat soviel Blut vergossen und innerhalb ihrer Mauern soviel Zank, Streit und Intrige gehabt. Betrachtet bloß nicht die alte Geschichte falsch!«

»Aber das klassische Rom und seine Demokratie waren doch ein Musterbeispiel für …«

»Für gar nichts, mon Cher, verzeiht, daß ich Euch unterbreche. In der Zeit, als es wirklich groß war, wurde es von einer führenden Schicht regiert, die durch fortwährende Erziehung und Auswahl darauf vorbereitet war. Und später, als es nicht mehr so war, war es nicht mehr groß.«

»Ach Gott – es ist alles so schwer zu beurteilen. Was nennt Ihr ›groß‹? Verzeiht mir meine Frage und erschreckt nicht: War Friedrich der Große wirklich ›groß‹? Was ist das: ›groß‹? Gewonnene Schlachten? Land?«

»Nein, mon Cher, Ihr wißt es genau wie ich: Lebensinhalt geben, Glauben geben, Stabilität geben.«

»Hat das der Alte Fritz?«

»Wie kein zweiter seit Barbarossa.«

»Und wenn der Alte Fritz den Krieg verloren, sein Land zugrunde gerichtet hätte und gefallen wäre, was wäre er dann?«

»Vielleicht fünf Jahre lang ein Kriegsverbrecher.«

»Und dann?«

»Der gute Wille, das Wollen, das Ziel, das Ideal, das Streben ist entscheidend!«

»Und ist es dann nicht auch bei den Revolutionären in Paris entscheidend?«

»Ach, mon Cher!« seufzte unser Ur-Ur-Großvater, schob seinem Gast die Tabaksdose hin und stopfte sich selbst eine Meerschaumpfeife (das war jetzt moderner als Schnupfen). »Ich weiß es nicht. Es ist so schwierig zu sagen, wohin das alles führen soll.«

»Aber, wohin soll es führen? Ich weiß nicht, wieso Ihr hinter dieser Revolte soviel sucht! Wieso Ihr dem allem soviel Zukünftiges beimeßt und es eine Zeitwende nennt. Die Bevölkerung von Paris hat dem König einen bösen Streich gespielt und möchte weniger Steuern zahlen und sich satt essen, das ist doch alles. Morgen ist alles vorbei, das sagen auch die Emigranten, die gestern abend aus Paris gekommen sind.«

»Emigranten? Qu'est-ce que ça? Was ist das, ich habe diese Bezeichnung noch nie gehört?«

»Sie nennen sich so. Es sind drei reizende Grafenfamilien, die sich bedroht fühlen und für kurze Zeit auswandern.«

»Ah, das nennt man Emigranten. Eh bien!«

Wenige Wochen später kam die Nachricht nach Deutschland, daß die Revolution weiterginge, daß sie alle Standesvorrechte aufgehoben und den König zu einem Beamten gemacht habe. Abermals einige Wochen später hörte man, daß der Adel abgeschafft sei. Das Erstaunen in Deutsch-

land war sehr groß. Es verging kein Tag, an dem nicht
neue, beinahe unfaßbare Nachrichten ankamen. Im Juni
hörte man, der König sei in einer Kutsche geflohen, man
wisse nicht wohin, aber die Nationalversammlung habe
auf seine Ergreifung einen Preis gesetzt. Kurz danach kam
die Meldung nach Deutschland, der König sei in Varennes
von einem Postbeamten erkannt und in Befolgung des Be-
fehls einer rechtmäßigen Regierung und in Befolgung des
Beamteneides angezeigt worden. Er sei vom Pöbel nach
Paris zurückgeschleppt worden. Dann kamen Nachrichten, daß aller ausländischer Besitz eingezogen und das Todesurteil über die Emigranten ausgesprochen worden sei.
In Deutschland war man sprachlos. Einige gingen mit glühenden Augen und ungebundenen, langen Haaren umher
und pflanzten in ihrem Garten zwischen Kohlrabi und
Blumenkohl einen »Freiheitsbaum«. Man hörte, daß der
Kaiser (Franz II., der Enkel Maria Theresias) Schritte un-

ternehmen würde, um die »Interessen des deutschen Reiches« zu schützen. Er bangte allerdings keineswegs um das deutsche Reich, sondern um den habsburgischen Besitz in Belgien. Man hörte aus Hofkreisen, daß die Wiener auch den preußischen König für die Idee eines vorsorglichen Bündnisses zu gewinnen versuchten.

Unserem Ur-Ur-Großvater schienen alle diese Nachrichten und dazu das ewig hetzende Reden der »Emigranten«, der Aufruhr dort drüben und die tödliche Ruhe hier so beunruhigend, so schwer durchschaubar, so merkwürdig. Was waren das bloß für Zeiten! Was waren das bloß für furchtbare neue Begriffe: das Volk als Feind, der Feind nicht mehr das Ausland, sondern der Nachbar, der unbekannte Nebenmann!

Er saß manchmal stundenlang brütend da. Wenn der Alte Fritz noch lebte, dann würde man wissen, was jetzt zu tun sei. Er konnte sich die Situation nicht erklären.

Er hätte sie sich leicht erklären können, wenn er seine Erinnerungen um 250 Jahre zurückgerichtet hätte. Damals geschah das gleiche in Deutschland: Die Bauern erhoben sich und schlugen die Obrigkeit tot in ihrer Not. Sie trafen nur auf ein fest gefügtes Reichsregime. Eines allerdings hätte diese Erinnerung nicht erklären können: damals war ein Mann (ungewollt) der Urheber, – Luther. Wer war es heute? Anscheinend niemand.

Eines Morgens, im April 1792, platzte die Nachricht herein, daß Frankreich Österreich den Krieg erklärt habe.

Was nun begann, war der berühmte Filzpantoffelkrieg, den der erste deutsche Kriegsberichter der Neuzeit schlachtenbummelnd mitmachte und in einem Buch verewigte: Johann Wolfgang von Goethe. Er hielt sich Gott sei Dank aus der Schußlinie dieses traurigen Unternehmens, in das natürlich auch prompt Preußen mit seiner falschverstandenen Nibelungentreue zu Wien hineinstolperte.

Die ganze Angelegenheit ist im Laufe der Zeit hin und her gewälzt und betrachtet worden. Es leuchtet ein, daß dieser Krieg vorsorglich vom Kaiser vorbereitet wurde, um seine eigene monarchische Staatsform zu schützen. Es leuchtet ein. Es leuchtet zu sehr ein. Wenn Sie nichts dagegen haben, sehen wir uns die Sache, die uns heute noch in die Schuhe geschoben wird, einmal genauer an.

Frankreich, unter der Herrschaft der Revolutionäre, war vollkommen am Ende seiner Finanzen. Es ging drunter und drüber. Es brach, da man bedenkenlos Papiergeld druckte, eine Inflation riesigen Ausmaßes aus. Man wußte nicht mehr ein noch aus. Die Schicht der Machthaber sank immer tiefer, es waren zuerst tatsächlich ehrenwerte Bürger, wie z. B. der bekannte Astronom Bailly, dann war es der schlimmste Pöbel. Die Führer dieses Pöbels, bezeichnenderweise lauter verkrachte Intellektuelle, sahen aus diesem ziellosen Dilemma nur einen Ausweg, der seitdem beliebt geworden ist: die Leidenschaft von der Innenpolitik auf die Außenpolitik abzulenken. Vor allem, als man mit der Hinrichtung des Königs den Schlußpunkt hinter diese Entwicklung gesetzt hatte, mußte ein neues Ziel geschaffen werden.

Das Ziel war – und jetzt kommt das Hochinteressante – gar nicht etwa die Abwehr eines Angriffs (die Kriegserklärung ging von Frankreich aus) und auch nicht etwa ein kommunistischer Welteroberungsplan, sondern etwas ganz primitiv Chauvinistisches: die Aufwärmung des dümmsten aller französischen Geschreie. Kein König hätte sich chauvinistischer zeigen können als diese angeblichen Freiheitsanbeter. Am 31. Januar sprach es Danton aus: »Die Grenzen der Republik sind durch die Natur gesteckt. Wir werden sie ganz erreichen – am Rhein. Dort müssen die Grenzsteine unserer Republik stehen, und keine Gewalt wird uns dies zu erreichen hindern!«

In der nächsten Sitzung der Nationalversammlung sagte es Carnot: »Die alten und natürlichen Grenzen Frankreichs sind der Rhein, die Alpen und die Pyrenäen. Die Teile, die davon losgerissen sind, sind es nur durch angemaßte Gewalt!« So, jetzt kennen wir den Kriegsgrund.

Ja, es war erstaunlich, und das Volk von Frankreich bemerkte es gar nicht, daß diese Weltbeglücker und Tyrannenhasser das ganze chauvinistische Programm Ludwigs XIV. geschlossen übernahmen.

Zum erstenmal in der Geschichte der Neuzeit führte in Europa eine Republik Krieg. Ich muß sagen, die Herren, die sich bisher immer über die fehdelustigen Monarchen beschwert hatten, konnten es auch nicht übel.

Sie rafften die Massen von der Straße zusammen und warfen sie an die Front. Das Ende wäre nicht zweifelhaft gewesen, wenn auf der Gegenseite nicht Mummelgreise und lustlose Fürsten die Führer gewesen wären. Die französischen Emigranten reisten im Hinterland herum, schwenkten aufgeregt ihre Spitzentaschentücher und die Parfümfläschchen und forderten eifrig zum Heldentod auf. Immer neue Scharen von Emigranten strömten aus Frankreich herüber, denn Robespierre wütete wie ein Wahnsinniger. Täglich bestiegen bis zu hundert Menschen, vollkommen unschuldig, in Paris das Schaffott. Europa wurde unruhig: England, Spanien, Holland, Neapel und Sardinien erklärten Frankreich den Krieg.

Welch eine Schar von Verbündeten: Ihre Unfähigkeit muß gigantisch und ehrfurchtgebietend gewesen sein, denn die Franzosen drangen tatsächlich programmgemäß bis zum Rhein und bis nach Holland vor!

Am 27. Juli 1794 kam eine aufregende Nachricht aus Paris: Die Revolutionspartei, in der sich keiner mehr seines Lebens sicher fühlte, hatte Robespierre hingerichtet!

Frankreich hatte sich den Kopf abgeschlagen!

An allen Fürstenhöfen bibberte man vor Aufregung, was jetzt geschehen würde. Stündlich wartete man auf die Kunde, daß die Revolution beendet und Frankreich zusammengebrochen sei. Die Emigranten packten bereits die Koffer und verabschiedeten sich von den Köchinnen. Die Minister nahmen die Landkarten zur Hand.

Es kam anders. Ihr und mein Ur-Ur-Großvater hatte recht behalten. Der Mann auf der Straße, bisher namenlos, war eine Macht geworden. Aber es war Jacke wie Hose, ob Monarchie oder Republik, ob Fürst oder Mann von der Straße. Die Gesetze des Lebenskampfes zwingen Republiken genauso wie Monarchien, und die menschlichen Schwächen, Irrtümer und Leidenschaften gekrönter Häupter ähneln denen von Kesselschmieden und Kutschern wie ein Ei dem anderen. Das große republikanische Experiment Frankreichs hat im Völkerleben nichts geändert außer einem: Die Verantwortung wurde anonym und der Haß persönlich! Man konnte nicht mehr sagen: »Ludwig XIV. hat die Pfalz niedergebrannt«, sondern »die Franzosen haben...«. Ich glaube, das Leben ist dadurch um einen Zug böser geworden.

Kriegsmüde und in Sorge um seine Ostgrenze kehrte Preußen 1795 dem Kriegsschauplatz den Rücken und schloß mit »den Franzosen« Frieden.

Die Geschichtsbücher lehren, daß es ein schimpflicher Friede war. Es sei ein Verrat an den Verbündeten und ein Verrat am Deutschen Reich gewesen, denn Friedrich Wilhelm II. hat den Franzosen in diesem Separatfrieden das ganze linke Rheinufer sang- und klanglos zugestanden. Ja, das hat er tatsächlich. Er hatte es satt, und überdies war er ein Schafskopf. Er war ein Schafskopf, daß er es laut sagte. Der Kaiser in Wien war schlauer. Auch er schloß bald darauf mit Frankreich Frieden, aber unter der Bedingung der »unangetasteten Unverletzlichkeit des Reichsgebietes«. Daß er, als Kaiser, das linke Rheinufer abtrat – das stand nur in einem geheimen Protokoll, das niemand erfuhr.

Spanien schloß Frieden, Sardinien schloß Frieden, Holland schloß Frieden. Neapel schloß Frieden. Alle gingen plötzlich nach Hause. Es war höchst merkwürdig! Jetzt war doch Frankreich tatsächlich der Angreifer, es stand am Rhein, in Holland, in Belgien, in Italien! In Paris saßen immer noch die bösen Revolutionäre, und König Ludwig nebst Gemahlin Marie Antoinette von Habsburg waren nicht wieder lebendig geworden!

Und alle gingen nach Hause! Seltsam.

»Mon Cher«, sagte Ihr und mein Ur-Ur-Großvater zu seinem Sohn, dem Lieutenant der 1. Ulanen, der schmutz- und staubbedeckt des Morgens mit seinem Regiment heimgekehrt war und nun den ersten Abend im Familienkreise um die hochmoderne Petroleumlampe saß, »mon cher, wir wollen nicht mehr vom Kriege sprechen, sonst werden sich vielleicht deine Mutter und dein Schwesterchen beschweren. Die Frauen von heute haben ganz neue Interessen, nicht wahr, Friederike?«

Unsere Ur-Großtante, damals genau 17½ Jahre alt, errötete tief, blickte ihren Bruder, unseren Ur-Großvater schwärmerisch an und sagte:

»Oh, Michael! Es ist alles so sehr aufregend! Ich höre dir so gerne zu! Aber auch bei uns in der Heimat hat sich viel ereignet. Stelle dir vor, Johann Wolfgang Goethe – du kennst ihn doch – hat ein himmlisches neues Buch geschrieben, ›Wilhelm Meister‹! Und dann, Michael, stelle dir vor, was ich neulich gesehen habe! Der Herr Papa hat die Frau Mama und mich in die Akademie mitgenommen, und da war ein Herr aus England, der zeigte uns zum erstenmal in der Welt das Gaslicht, das er erfunden hat. Stelle dir vor, Gaslicht! Haben wir gelacht! Und das hat gezischt und geknallt, mon Dieu!«

»Kind!« schalt unsere Ur-Ur-Großmutter strafend, denn sie hatte eine ans Gruseln grenzende Hochachtung vor dieser neuen Erfindung.

»Michael« begann mein und Ihr Ur-Ur-Großvater noch einmal, »eines wollte ich dich, sozusagen als Augenzeugen und militärischen Sachverständigen, noch fragen. Versteht ihr jungen Leute und Officiers eigentlich, wieso dieser Krieg so – ja wie soll ich sagen – so in der Luft hängengeblieben und auseinandergelaufen ist?«

»Ich glaube, Papa, Sie haben – verzeihen Sie mir – nicht die richtige Auffassung. Wir sind – nicht so sehr wir Preußen, aber die Österreicher – wir sind in den letzten Gefechten ganz regulär besiegt worden. Zu Anfang freilich hätte alles anders kommen können, aber dann nicht mehr.«

»Wann nicht mehr?«

»Seit der Kaiser durch ganz Italien und bis nach Kärnten gejagt wurde. Seit die Franzosen diesen italienischen General haben, diesen – Herrgott, mir liegt der Name auf der Zunge – diesen – na! – 26 Jahre ist er erst alt – diesen – diesen Napoleon Bonaparte. Richtig.«

Unser Ur-Ur-Großvater schaute still und trübsinnig vor sich hin. Dann erhob er sich resigniert und sagte:

»Wir wollen schlafen gehen.«

Und das tat dann Deutschland auch.

*verwandelt sich mit Hilfe der fort-
schreitenden Technik der Drehbühne das beliebte Volksstück in ein
ebenso beliebtes Ausstattungsstück.
Der Hauptdarsteller wurde beibehalten*

Ein paar Jahre später brauchte in Europa niemand mehr
nachzudenken, wie der ehrgeizige Artillerieoffizier hieß,
der durch die Protektion der Generalswitwe Beauharnais
das Schoßkind der Pariser Revolutionäre wurde und ihnen
den Krieg gewann. Die Mütter sagten zu ihren unartigen
Kindern: »Paß auf, daß nicht der Napoleon kommt, der
die kleinen Kinder frißt!« Ich wußte bis vor kurzem nicht,
daß englische Mütter die Erfinder dieses Wortes waren,
ich las es erst kürzlich, hätte es mir aber denken können,
denn um vor fremden Ohren so etwas zu sagen, mußte der
Kanal beruhigend dazwischenliegen. Auf dem Festland
hätte es niemand gewagt.

Die Situation hatte sich ganz folgerichtig weiterentwik-
kelt. Die vereinten Nationen hatten es nicht zuwege gebracht, das revolutionäre Frankreich zu schlagen. Natürlich nicht. Da wurden diplomatische Noten gewechselt,
Akten angelegt, mit jedem der drei Dutzend deutschen
Ländchen possierlich verhandelt, ob es wohl mitmachen
würde oder nicht, da wurden Unterausschüsse gebildet,
die Stirnen in Denkerfalten gelegt, die Gegner zu verstehen versucht. Pensionsreife Generäle zogen sich wieder
den Waffenrock an, den sie seit dem Alten Fritzen nicht
mehr getragen hatten. Dann stimmten die Rechnungen

und Zahlen hinten und vorne nicht, der Krieg spielte sich auf deutschem Boden ab, die Siege, die man schließlich zum Schluß noch errang, nützten nichts, denn der Wiener Hof schloß plötzlich Frieden. Die deutschen Fürsten, die mit ihren bescheidenen paar Regimentern mitgemacht hatten, kehrten in dem Gefühl heim, daß sie eigentlich recht blöde gewesen waren, sich wegen irgendwelcher Ländereien des Habsburgers in der Welt herumzuschlagen. Sie frühstückten zum erstenmal wieder in aller Ruhe auf der Terrasse des Schlosses ihrer Residenz, und ein wohliges Bad versöhnte sie endgültig mit der Welt.

Ganz anders schaute es jenseits des Rheines aus. Dort drüben stand Frankreich sozusagen immer noch wie ein zitternder Terrier mit bebenden Flanken da. Die Massen, heimgekehrt und aus der bürgerlichen Existenz geschleudert, standen erwartungsvoll auf der Straße. Griffbereit für Generäle.

Es ging ihnen schlecht. Sie bildeten eine Gefahr, sie waren wurzellos, aufgepeitscht und überdies hungrig. In dieser Situation stimmte die Pariser Regierung dem Plan des jungen, nun ebenfalls vor der Arbeitslosigkeit stehenden Generals Bonaparte zu, mit Land- und Seestreitkräften nach Ägypten zu gehen. Dort, sozusagen vor der Entreetür nach Indien, beabsichtigte Napoleon, den Engländern die Gurgel zuzudrücken. Denn England hatte *keinen* Frieden geschlossen, nein, England nicht, England war schon immer beharrlich.

Friedrich Wilhelm III., der neue träumerische König von Preußen, der Mann, auf den als Erben des Alten Fritzen viele Fürsten guckten, legte kopfschüttelnd ein neues Notenblatt auf und setzte sein geliebtes Orgelspiel fort.

Die Bürger in den deutschen Ländchen hätten einen anderen Schritt auch gar nicht verstanden. Die Amputation des großen linksrheinischen Gebietes schmerzte in Leipzig, in Bamberg, in Passau nicht. Es war wie bei einem Körper, dem das Zentralnervensystem fehlt. Jeder betrieb nur die Tagespolitik seines Ländchens, man tat nur das, was sich eigentlich aus der augenblicklichen Stunde ergab und was einen ganz eindeutigen, offensichtlichen Anlaß hatte. Der Begriff »Reichspolitik« war überhaupt abhanden gekommen. Man fühlte sich dabei aber durchaus nicht etwa als blinde Henne oder Spielball anderer Mächte, sondern als nüchtern und »aufgeklärt«. Das war es, was die Masse mit »gesundem Menschenverstand« meinte. Dagegen setzte man seine höchste Energie darein, irgendwelche winzigen Rechte und »Freiheiten« von seinem Fürsten zu ergattern. Wem das gelang, der galt als der Klügste und Fortschrittlichste von allen, ein wahrer Anwärter auf den Außenministerposten.

Die Zeit der Abwesenheit Napoleons von Europa wäre die letzte Gelegenheit gewesen, sich noch einmal, wie es im mittelalterlichen Kaiserreich eine Kleinigkeit gewesen wäre, geschlossen zu erheben. Man hätte sich die geraubten Länder zurückholen, man hätte das Reichsgebiet wiederherstellen und man hätte mit diesem Sieg über Frankreich dem General Napoleon die ganze Zukunft nehmen können.

Nun – Sie wissen ja, was sich in Wahrheit im Laufe weniger Monate und Jahre ereignete. Sicher wissen Sie es, zumindest aus deutschen Filmen, die sich mit Vorliebe der beiden Zerstörer des Reiches, Ludwigs XIV. und Napoleons I., annehmen. Daß die Franzosen jemals einen enthusiastischen Film über Barbarossa oder den Alten Fritzen gedreht hätten, ist meiner Aufmerksamkeit bisher entgangen. Das zeigt eben wieder einmal deutlich, daß wir uns dauernd um Dinge kümmern, die uns nichts angehen, während die anderen Völker sich da wirklich vornehm zurückhalten.

Entschuldigen Sie die Abschweifung. Wir ließen Napoleon gerade unter den Pyramiden stehen und das bekannte Wort sagen: »Soldaten! Jahrtausende sehen auf euch herab!« Er achtete weder auf den Doppelsinn des Wortes »herabsehen« noch auf seine Flotte, die in seinem Rücken ankerte. Sie wissen: Lord Nelson vernichtete sie bei Abukir vollständig. Napoleon schlug sich dann, wie die Geschichtsbücher lehren, heldenhaft auf dem Landwege durch, eilte in einer kühnen Bootsfahrt seinen Soldaten voraus nach Frankreich, wurde dort vom Volk jubelnd begrüßt, sprengte mit einem kühnen Handstreich die rat- und tatlose »Volksvertretung der Fünfhundert« und wurde von den Truppen und der Menge zum Staatschef ausgerufen. Die Massen bauten felsenfest darauf, daß sich nun wieder viel Ruhmreiches für Frankreich ereignen würde.

Es war sogleich ein wunderbarer Anlaß da, den Rhein zum zweitenmal zu überschreiten: Österreich hatte dem Drängen der Engländer nachgegeben und erneut ein Bündnis gegen Frankreich geschlossen. Der Habsburger konnte es einfach nicht fassen, daß seine riesigen Besitzungen in Belgien und Luxemburg verloren sein sollten. Die Engländer und Russen schickten zwei kleine Häufchen Soldaten. Das dritte Häufchen waren die Österreicher. So sah die Chance aus, die sich Kaiser Franz II. errechnete. Es war tragisch. Keiner ahnte, daß in dem jungen Franzosen ein europäischer Dschingis-Khan steckte.

Der Kampf begann, als Napoleon noch im Orient war. Kaum zurückgekommen, machte er kurzen Prozeß. Die Schlachten fanden auf deutschem Reichsboden statt, ganze Landstriche sahen grauenhaft aus, Städte und Dörfer brannten, Tausende von Toten bedeckten die Felder. Der kleine General mit dem prallen Bauch in der weißen Stutzerhose empfing stumm und eisig die Gesandten, die um Frieden baten. Er diktierte ihnen einen Frieden, daß sie staunten. Das Merkwürdigste war, daß er dabei nicht wie einer verfuhr, der endlich eine Forderung eintreiben kann. Er bestätigte allerdings den Raub des linken Rheinufers, aber einen neuen Quadratmeter forderte er nicht. Im Gegenteil! Und das ist die Erklärung dafür, daß den meisten Deutschen der Friede nicht im mindesten hart schien. Manchen Fürsten, die ja sowieso gar nicht im Krieg mit Frankreich gestanden hatten, schien er geradezu das große Los zu sein. So wird zum Beispiel der preußische König sehr erstaunt gewesen sein, als er plötzlich erfuhr, daß ihm von nun an fast das gesamte Gebiet Thüringen, Harz und Westfalen gehörte. Napoleon hatte »angeordnet«, daß alle freien Reichsstädte (mit Ausnahme von sechs) aufzuheben und zu verteilen seien. Er hatte ferner befohlen, daß die riesigen kirchlichen Länder, die geistlichen Gebiete in Thüringen, im Harz, in Westfalen, am Rhein, am Main und an der Donau sofort aufgelöst und verteilt würden. Die großen süddeutschen Kirchenländer gab er an Bayern und Baden. Die frommen und streng katholischen Bayern und Badener steckten sie, ohne mit der Wimper zu zucken, in die Tasche. Bleibt ja in der Familie, werden sie gedacht haben.

Tatsächlich aber war dieser Friede kaum etwas anderes als die Aufhebung der deutschen Verfassung und die Absetzung des Kaisers!

In Wien war man zu Tode erschrocken. So hatte man sich diesen Mann nicht vorgestellt.

Die Franzosen waren berauscht. Gloire! Gloire!

Liberté, Egalité, Fraternité – alles war über Bord gegan-

gen. Am liebsten hätte man gesehen, der kleine, unter-
setzte Mann da vor ihnen wäre wieder Ludwig der Vierzehnte gewesen. Am 18. Mai 1804 machten sie es wahr: Sie
riefen den General Napoleon zum Kaiser der Franzosen
aus. Am 2. Dezember wurde er, mit dem Zepter Karls des
Großen in der Hand, vom Papst gesalbt.
Napoleon hatte aus allen eroberten Ländern und Provin-
zen rund um Frankreich herum Republiken gemacht. Als
er sich zum Kaiser krönte, machte er mit einem Federstrich aus sämtlichen Republiken Königreiche und besetzte die Throne mit seinen Verwandten.

In Wien zergrübelte man sich den Kopf, wohin das alles
führen sollte. Noch einmal, zum drittenmal, versuchte
Österreich, eine Wende herbeizuführen. England brachte
eine Koalition mit Rußland und Schweden zusammen.
Der Aufwand war nicht groß, die drei verbündeten Länder

lagen weitab in Sicherheit und riskierten bei dieser Lotterie nicht mehr als ein Achtellos. Die Engländer erreichten ihr Ziel: Bei Trafalgar vernichtete Nelson die gesamte französische Flotte, und die Briten waren jetzt Beherrscher der Meere.

Auf dem Festland aber siegte Napoleon. Es war alles vergeblich gewesen.

Zu wenig und zu spät.

Mit Zins und Zinseszins zahlte hier das Schicksal den Habsburgern ihre Sünden zurück.

Manchmal glaube ich fast, daß sich der deutschen Fürsten in jenen Jahren eine Art Börsenfieber bemächtigte. Es muß gewesen sein, als sei mit Napoleon eine Stinnesfigur aufgekommen, als wollte man rechtzeitig Aktien erwerben und in der großen Spekulation drin sein. Hessen, Nassau, Baden, Württemberg und Bayern kämpften bei diesem letzten Versuch des Habsburgers bereits auf seiten Napoleons!

Es ist müßig zu fragen, wie das möglich war. Die Antwort ist sehr einfach. Napoleon dankte fürstlich. Die Hessen und Badener wurden Großherzöge. Die Wittelsbacher und die Württemberger wurden gekrönt. Ehe der Hahn dreimal krähte, wie es in der Bibel heißt, waren sie Könige. Sie nahmen ihre Krönchen aus der Hand eines französischen »Korporals« und küßten diese Hand.

Am 1. August 1806 sagten sich sechzehn deutsche Fürsten vom Reich los und begaben sich als »Rheinbund« unter französisches Protektorat. Da legte Franz II. von Habsburg den Kaisertitel des alten Römischen Reiches Deutscher Nation nieder.

Das Ende war da.

Während draußen ein geschäftiges Gerassel, ein heiteres, erregtes Lachen, Feiern und Festreden war, las im Reichs-

tagssaal zu Regensburg in die tödliche Stille hinein der kaiserliche Gesandte den Brief Franz' von Habsburg vor, in dem er in armen, bescheidenen Worten dem deutschen Volk sagte, daß er seine Ohnmacht einsehe, daß er seine Pflicht als Kaiser nicht mehr erfüllen könne, sein Würde niederlege und alle Menschen von ihrem Eid entbinde.
Das geschah am 6. August 1806.
Das tausend Jahre alte deutsche Reich existierte nicht mehr.

Ich möchte nicht versäumen, Ihnen die »Ehrentafel« jener sechzehn treulosen deutschen Fürstenhäuser zu geben:
der König von Bayern,
der König von Württemberg,
der Kurerzkanzler Dalberg von Mainz,
der Großherzog von Baden,
der Herzog von Kleve und Berg,
der Herzog von Ahremberg,
der Landgraf von Hessen-Darmstadt,
der Fürst von Nassau-Usingen,
der Fürst von Nassau-Weilburg,
der Fürst von Hohenzollern-Sigmaringen,
der Fürst von Hohenzollern-Hechingen,
der Fürst von Salm-Salm,
der Fürst von Salm-Kyrburg,
der Fürst von Isenburg-Bürstein,
der Fürst von Lichtenstein,
der Fürst von der Leien.

In der Versandbuchhandlung von Palm in Nürnberg traf aus einer Druckerei eine kleine Schrift ein, die wie jede andere an die Buchläden weitergesandt wurde. Sie hieß »Deutschland in seiner tiefsten Erniedrigung«.

Einige Tage später ließ der Franzose Napoleon den deutschen Bürger Palm aus der deutschen Stadt Nürnberg herausholen und in der deutschen Stadt Braunau erschießen. Es krähte kein Hahn danach.

Nun –

– unser Ur-Ur-Großvater hat es überlebt. Er hat den Mund gehalten. Er hat die Schlachten überlebt, die Seuchen, das Zahnweh, das Podagra und die Teuerung, die über das Land kam, denn Napoleon preßte die Vasallenländer rücksichtslos aus. Damals kam der Biedermeierstil in Deutschland langsam auf. Erinnern Sie sich? So einfach und schlicht, nicht wahr? Ja, es war das billigste, müssen Sie wissen. Man machte aus der Not eine Tugend. Auch der kostspielige Zopf und die Schillerlocke waren gefallen. Die Menschen sahen jetzt sehr verändert aus. Sie trugen zwar noch die Schnallenschuhe und meist auch noch die Kniehosen, aber man sah auch schon die lange, bis auf den Fuß reichende enge Röhrenhose, und darüber trug man ein langes Jackett, ähnlich unserem Gehrock, der daraus entstanden ist. Das Haar war kurz geschnitten und gebürstet, und ab und zu wagte sich ein Schnurrbart auf die Straße. Kurzum, der moderne, zivil aussehende Mensch war da.

Natürlich trugen die Gärten weiter ihren Kohl und ihre Karotten, die Kühe gaben weiter ihre Milch. Menschen starben und wurden geboren, lachten und weinten, wie früher. Aber sie weinten, so im Durchschnitt, ein bißchen mehr. Man merkte es nur nicht, weil es jeder für sein eigenes Leid hielt, für ein privates, persönliches. In Wahrheit war es ein Sammelleid. Es leuchtet aus den vielen Briefen hervor, die wir aus jener Zeit besitzen, denn man schrieb damals gern Briefe. Es ist rührend, sie zu lesen. Da merkt man zum erstenmal, daß das Volk die Staatsgeschicke stärker zu empfinden beginnt als die Fürsten. In den Briefen, die die Mütter schrieben, steht zwischen den Zeilen Angst um die Jugend, um die Söhne. Die 16 Länder des »Rheinbundes« waren verpflichtet, Napoleon auf Abruf 64 000 junge Soldaten zu stellen. Und jedermann wußte nun, daß Tod und Leben dieser 64 000 nicht unbedingt mehr etwas mit Deutschland zu tun haben mußten. Vielleicht würden sie in Spanien oder Holland oder England fallen. Das wurde in Paris entschieden. Man war an fremde Schicksale gekettet. Allen wurde plötzlich klar, was früher »Reich« und »Freiheit« bedeutet und was die alten Kaiser gewollt hatten. Friedrich von Schiller, der in seinen letzten Jahren so populär war, daß die Väter ihre Buben hochhoben, damit sie den großen Mann in der Menge sehen konnten, hatte sein Freiheitsdrama »Wilhelm Tell« geschrieben.

Von dieser Welle getragen, erwachte endlich Friedrich Wilhelm III. von Preußen. Seine durchaus nicht so feenhaft-zerbrechliche, sondern sehr tatkräftige Gemahlin, Königin Luise, Außenminister Hardenberg und die Generalität machten dem König klar, daß das deutsche Reich soeben untergegangen sei und Preußen allein dahinschwimme. Die kleinen norddeutschen Länder scharten sich um Preußen wie die Küken um die Glucke.

Es ist schwer, sich heute in die Lage unserer Ur-Ur-Großväter zu versetzen. Man schaute gespannt auf die letzte unangetastete Macht in Deutschland, auf den preußischen König, und wartete, was er nun tun würde. Natürlich war es denkbar, daß er gar nichts tat. Wie gesagt, die Gärten trugen ja weiter ihren Kohl, und jeden Morgen kam die Sonne mit einem neuen Tag herauf.

Der preußische König bekam hier vom Schicksal die Lektion erteilt, daß ein Friede per saldo genau so teuer sein kann wie ein Krieg. Schließt man die Augen vor einer Entwicklung im Völkerleben, so kommt der Krieg zwar erst nach Jahren oder nach einer Generation, aber dann mit tödlicher Sicherheit zu einem unabwendbaren Zeitpunkt. Dies war der Augenblick.

Napoleonische Truppen besetzten, durchstreiften und requirierten bereits preußisches Gebiet. Da entschloß sich Friedrich Wilhelm III. zu einem Schritt, der wie eine Bombe einschlug: Er schickte seinen Minister Haugwitz zu Napoleon und forderte den französischen Kaiser auf, sofort Süddeutschland zu räumen und die rheinischen Städte freizugeben.

Ganz Deutschland hielt den Atem an.

Aber es geschah gar nichts Sonderliches. Napoleon war über Erwarten freundlich, fast amüsiert, sagte, darüber werde man noch sprechen, er habe zunächst einmal eine andere Idee, die Preußen sicher gefallen werde: Es solle doch seine drei so abseits liegenden Gebietsinseln Kleve, Neuenburg und Ansbach abtreten, er biete ihm dafür das große Fürstentum Hannover.

Haugwitz schloß den Vertrag ab. Es ist bedauerlich, daß der König ihn nicht vor ein Kriegsgericht stellte (Haugwitz hatte gar keine Vollmachten), sondern in seiner völligen Hilflosigkeit den Vertrag anerkannte. Vielleicht waren verbrecherische Berater am Werk, denn normalerweise konnte so etwas nur ein vollkommen Wahnsinniger tun: Hannover gehörte durch die Personalunion der Herrscher den Engländern, und Napoleon hatte da absolut nichts zu vergeben. Napoleon wußte es.

Jetzt kam es Zug um Zug. Preußen zog in Hannover ein. England erklärte Preußen den Krieg. Schweden schloß sich England an. Napoleon bot Hannover England an. Er besetzte zugleich mit seinen französischen Truppen preußisches Gebiet.

Da stand er nun, der dumme, gutgläubige Michel.

Napoleon hatte den Krieg, den er haben wollte.

Schlacht Nr. 1: Saalfeld. Prinz Louis Ferdinand, der begabteste der Generäle fällt. Napoleon siegt.

Schlacht Nr. 2: Jena und Auerstedt, eine Doppelschlacht. Oberbefehlshaber der Preußen ist der greise Herzog von Braunschweig, der schon unter dem Alten Fritzen focht. Er fällt. Napoleon siegt, das preußische Heer befindet sich in Auflösung. Die Franzosen marschieren geradewegs nach Berlin durch.

Schlacht Nr. 3: Preußisch-Eylau, bereits weit in Ostpreußen, keine Entscheidung.

Schlacht Nr. 4: Friedland, Napoleon siegt.

In wenigen Monaten war alles vorbei. Der König und die Königin hatten sich mit den Truppen bis in den äußersten östlichen Winkel geflüchtet. Ihre letzte Station war nun Tilsit. Auch Napoleon zog ein. An dem einen Ende der Stadt saß der preußische König, am anderen der französische Kaiser.

Königin Luise überwand sich, den Bittgang zu Napoleon auf sich zu nehmen. Man hielt das für das beste. Die junge Frau ging hin und bat den Eroberer um einen milden Frieden. Sie bat, als hätte Preußen etwas verbrochen.

Diese Szene soll den Korsen, den französischen »Adler«, in seinem majestätischen Stolz gerührt haben. Ich möchte Ihnen später dazu noch etwas erzählen.

Der Friede war eine Demütigung ohnegleichen. Preußen wurde kreuz und quer zerstückelt. Seine Einwohnerzahl sank auf vier Millionen. Alles Land links der Elbe nahm sich Napoleon und gab es seinem Bruder.

Frankreich reichte nun von Gibraltar bis Lübeck. Sachsen, das schnell genug Farbe gewechselt hatte, bekam als Handgeld auf weitere Dienste die Königskrone. Danzig wurde »Freistaat«, eine neue Erfindung, die sich für Dauerkonflikte bis auf den heutigen Tag bewährt hat.

Napoleon war nicht arbeitslos geworden. Er hatte weiter viel zu tun, er hatte alle Hände voll. Zwei große Erhebungen mußten blutig niedergeschlagen werden: In Spanien und in Tirol hatte sich das Volk erhoben. Die Sache wurde »bereinigt«.

Nun war noch einer übrig. Sie denken Rußland? O nein: England.

England war von Napoleon allmählich gänzlich eingekreist und von der Umwelt abgeriegelt worden. Vielleicht hätte es schon zu Kreuze kriechen müssen, wenn es nicht noch das riesige Lebensmittel- und Rohstoffreservoir Rußland hinter sich gehabt hätte. Seine Schiffe schlichen sich durch die Ostsee oder machten den großen Bogen über das Nordkap. Napoleon hat einmal den Plan gefaßt, nach Indien zu gehen und hier England tödlich zu treffen. Aber er erinnerte sich Ägyptens und ließ die Idee wieder fallen. Er entschied sich für die zweite Möglichkeit: die Eroberung Rußlands.

Noch einmal wurde Europa in die Zitronenpresse gelegt und herausgeholt, was möglich war.

Im Mai 1812 ergoß sich eine für damalige Vorstellungen phantastische Welle von Soldaten nach Rußland hinein, über eine halbe Million Franzosen, Deutsche, Italiener, Schweizer, Holländer, Spanier und Polen. In der Fremdenlegion marschierten allein 30 000 Bayern, 30 000 Österreicher, 20 000 Preußen. Hinter ihnen standen die Bajonette der Franzosen. Inmitten seiner Garde ritt der kleine spitzbäuchige Revolutionsgeneral, jetzt Nachfolger Karls des Großen, gen Osten.

Europa schien dem Erdteil Dschingis-Khans seinen Gegenbesuch abzustatten.

Nach zwei siegreichen Schlachten zog Napoleon in das brennende Moskau ein. Die Einwohner waren, wie in allen Städten, in die er gekommen war, verschwunden, die Vorräte vernichtet, die Brücken zerstört, die Häuser Ruinen. Der Osten zeigte zum erstenmal das System der »verbrannten Erde«. Es ist alles schon dagewesen, sagt Ben Akiba. Man muß nur die Geschichte kennen.

Der Zar schloß keinen Frieden. Napoleon wagte nicht, weiterzuziehen. Wohin auch? Die Verbindung mit der Heimat war abgerissen, die Truppen lebten aus dem Lande, die Munition wurde knapp. Ende Oktober wurde Napoleon klar, daß er in Moskau nicht überwintern konnte. Er befahl den Rückzug.

Aber es war zu spät. Der Winter setzte in diesem Jahre bereits Anfang November ein, und der Weg zurück war eine Ewigkeit. Es wurde ein erschütterndes Strafgericht.

Ein grausiges Gedicht aus späterer Zeit erzählt:

> Mit Mann und Roß und Wagen,
> so hat sie Gott geschlagen.
> Es irrt durch Schnee und Wald umher
> das große, mächtige Franzosenheer:
> der Kaiser auf der Flucht,
> Soldaten ohne Zucht.
> Mit Mann und Roß und Wagen,
> so hat sie Gott geschlagen.

Mit ihnen schlug er Deutschlands Väter und Mütter, deren Söhne durch das endlose Rußland zogen, todmatt westwärts, bis sie sich müde in den Schnee legten und starben. Von 30 000 Bayern, die ausgezogen waren, kehrten 3000 heim. 27000 fielen. Wofür? Auf dem Obelisk, den König Ludwig von Bayern diesen Toten in München errichten

ließ, steht die Lüge: »Auch sie starben für des Vaterlands Befreiung.«

Auf diesem Trümmerfeld Deutschland, in dieser hoffnungslos scheinenden Situation stand ein Land auf. Urplötzlich.

Preußen erhob sich. Das phantastische Schauspiel des Verzweiflungsausbruchs eines ganzen Volkes, der Befreiungskampf 1813/14 begann. Die Vorgeschichte ist hochinteressant und wesentlich anders, als sie gelehrt zu werden pflegt.

Meine lieben Freunde, was haben Sie gelernt? Kann ich es erraten:... trottliger König... Jugend steht auf... Volk ans Gewehr... der König überspielt... die Bürger nehmen die Sache in die Hand... Elba... Waterloo... ach ja, eine sehr heroische Geschichte. Und so einfach. Aber es ist nicht die Wahrheit. Die Wahrheit ist viel interessanter. Sie ist abenteuerlich.

Die Dokumente haben längst bewiesen, daß nicht das Volk den König und die Regierung trieb, sondern der König das Volk. Das war eine überraschende Entdeckung. Der Schein hatte bisher getrogen. Man wußte, daß Yorck, der kommandierende General der Preußen, sich beim Rußlandfeldzug ganz abwartend verhalten und dann von den Franzosen gelöst hatte. Auf eigene Faust schloß er mit den Russen das Bündnis von Tauroggen gegen Napoleon. Friedrich Wilhelm III. befahl, Yorck zu verhaften.

Nun – so sollte es auch Napoleon scheinen. Berlin hatte über Nacht gelernt, Geheimpolitik zu treiben.

Vor fünf Jahren war Freiherr vom Stein als Staatskanzler berufen worden, vor zwei Jahren Hardenberg, vor kurzem Scharnhorst. Es war alles vorbereitet. Scharnhorst bildete »im Rahmen des Erlaubten« im Schnellverfahren und dauerndem Wechsel von Einziehen und Entlassen eine neue Armee aus. Das war der Befehl des Königs, der plötzlich nicht mehr Orgel spielte, sondern Befehle unterschrieb. Er wußte auch, wie Tauroggen zustande gekommen war: Sämtliche russischen Generäle, die die Verhandlungen führten, waren geborene Preußen: General Diebitsch, Oberstleutnant Clausewitz, Oberstleutnant Dohna. Der spätere Kaiser Wilhelm I., der damals ein kleiner Junge war, hat berichtet, daß sein Vater den Haftbefehl gegen Yorck mit einem Lächeln erließ und in Hochstimmung war, während alle Familienmitglieder ganz verstört umherliefen. »Ich denke, Ihr seid zum Ball eingeladen?« fragte er den Kronprinzen, den er in einer Ecke hockend entdeckte. »Wir haben bei dieser schlimmen Nachricht aus Tauroggen abgesagt«, antwortete der Junge. Darauf die historische Entgegnung des Königs: »Das hätte Euch nicht abhalten sollen!«

Der Haftbefehl gegen Yorck wurde nie ausgeführt.

Aber der französische Kommandant von Berlin, Marschall Augerau, war beruhigt. Das war der Sinn. In aller Ruhe reiste der König aus Berlin ab und begab sich nach dem unbesetzten Breslau. Er konnte die Maske abnehmen. Am 17. März erließ er den berühmten Aufruf »An mein Volk«. Die Begeisterung, vor allem der Jugend, kannte keine Grenzen. 500 000 Freiheitskämpfer strömten zusammen. Rußland, Schweden und England schickten Hilfe. Europa wollte das Unterfangen wagen.

In zwei Jahren erbitterter Kämpfe, in denen sich Frankreich rasend wie ein zu Tode wundes Tier verteidigte, befreite sich das Abendland von dem »Aigle«, dem maßlosen Eroberer, dem nun schon fast grauhaarigen General.

Paris fiel, Frankreich brach zusammen.

Napoleon übergab seinen Degen. Die Alliierten schickten ihn nach Elba, nach dem gescheiterten Versuch seiner Wiederkehr auf das Eiland Helena. Erst sechs Jahre später starb er...

... der gewesene Herr der Welt

... der Adler.

Die Völkerschlacht bei Leipzig und die Schlacht bei Waterloo entschieden den Krieg.

Und nun – nun lassen Sie mich diesen Film noch einmal zurückdrehen! Solange Sie noch ganz voll von seinem hinreißenden Bild sind, möchte ich Ihnen Züge aus dem wahren Gesicht dieses Mannes zeigen, oder, wie man beim Film sagt: etwas aus dem Abfall der Schnittmeisterin »Geschichtsschreibung«.

Am 5. Februar 1768 wurde Napoleone Buonaparte als Sohn italienischer, armer Eltern auf der damals italienischen Insel Korsika geboren, und nicht, wie Napoleon es später fälschte, erst am 15. August 1769, als Korsika bereits französisch war.

Der junge Napoleon war besessen von einem gänzlich skrupellosen Ehrgeiz. Mit Menschen zu verfahren, irgendwie, war seine Leidenschaft. Er war Militär durch und durch, Militär, nicht Soldat. Er stellte sich der Französischen Revolution zur Verfügung, denn andernfalls hätte er in die Emigration oder Pension gehen müssen. Er war militärisch äußerst begabt und ungeheuer fleißig. Es hat in jener Zeit niemand gegeben, der vor jedem Marsch und jedem Gefecht Terrain, Karten und Zahlen so intensiv studierte. Er geriet in eine vergreiste Generalität. So stieg er selbst rasch zum Oberbefehlshaber auf. Den Weg dazu ebnete ihm Josephine Beauharnais, Witwe eines Revolutionsgenerals, die die Machthaber sehr gut persönlich kannte. Er heiratete sie. Als er in Ägypten und Vorderasien England zu treffen versuchte, aber von Nelson geschlagen wurde, war es keineswegs so, daß er den Truppen nach Frankreich vorauseilte und dies in einer tollkühnen Segelfahrt bewerkstelligte, sondern er ließ ohne Befehl aus Paris seine Truppen im größten Elend im Stich. 3000 Gefangene, denen er das Ehrenwort gegeben hatte, ließ er einfach hinrichten. Dann floh er auf einem Segelschiff.

In Paris angekommen, sah er, daß es schlecht um Frankreich stand, aber daß die Soldaten seine Siege in Italien nicht vergessen hatten und auf ihn hofften. Er beschloß, die Regierung zu stürzen und sich an die Spitze zu setzen. Bis hierher ist es historisch. Es ist jedoch nicht wahr, daß er kühn die »Volksvertretung der Fünfhundert« sprengte, so daß die Abgeordneten vor Angst aus den Fenstern sprangen. Tatsache ist folgendes: Er erschien vor der Volksvertretung, um sich zu rechtfertigen. Die Abgeordneten sprangen auf, packten ihn beim Kragen und schrien »Nieder mit dem Diktator!«, worauf Napoleon vor Schreck in Ohnmacht fiel und aus dem Saal getragen wurde. Ganz andere Leute, vor allem sein Bruder Lucien, führten dann, ihn geradezu vor sich hertreibend, den Staatsstreich durch. Diese Darstellung wurde amtlich aus der Welt geschafft. Einem Grenadier namens Thomé wurde zwanzig Jahre lang eine Ehrenpension gezahlt, weil er damals angeblich Napoleon das Leben gerettet hatte. Kein Wort davon ist wahr.

Napoleon setzte in einer ringsum unfähigen und zerrissenen Welt seinen Aufstieg fort. Er wünschte, Kaiser zu werden. Eine flugs vorher veranstaltete »Volksbefragung« bestätigte das »spontan«. Aus Anlaß der Krönung hatte der Direktor des Louvre eine Entdeckung gemacht: Er hatte angeblich das Zepter Karls des Großen aufgefunden. Er überreichte es Napoleon, und Napoleon trat mit dieser Reliquie als Symbol seiner Berufung vor den Hochaltar von Notre-Dame. In Wahrheit war das angebliche Zepter Karls des Großen der Taktstock eines Dirigenten aus der Barockzeit. Der eingravierte Name war entfernt worden. An der Spitze war der Taktstock mit einer kleinen Figur Karls des Großen auf einem Thron sitzend versehen. Darunter stand die Inschrift: Sanctus Carolus Magnus, »Heiliger Karl der Große«.

Napoleon hatte vorzügliche Verwaltungsideen, und sein Gesetzbuch »Code Napoleon« ist heute noch musterhaft. Daneben ließ er, als eine der anscheinend dringlichsten Handlungen, 100 Jakobinerfreunde deportieren und verschwinden, um sich von ihnen zu befreien. Um die Bourbonen zu erschrecken, ließ er den blutjungen Herzog von Enghien grundlos erschießen.

Er hatte keine Bedenken, sobald er in Bedrängnis kam. Im österreichisch-tiroler Krieg ließ er Andreas Hofer, einen Mann von untadeliger Haltung, wie einen Verbrecher hinrichten.

Keineswegs machte der Besuch der Königin Luise auf ihn irgendeinen Eindruck. Er achtete niemand. Als in der Schlacht bei Jena der greise Herzog von Braunschweig durch einen Schuß in die Augen tödlich verwundet wurde und Napoleon um Milde bitten ließ, antwortete der Korse: »Ich kenne keinen Herzog von Braunschweig, ich kenne nur einen General Braunschweig.« Königin Luise hätte sich die Demütigung sparen können. Nicht sie, sondern die Drohung des Zaren war das einzige, was Napoleon abgehalten hat, Preußen vollständig auszuradieren. Er hatte es vor. Er hat dem Zaren die Teilung der Weltherrschaft in Ost und West, mitten durch Deutschland, angeboten. Dieses Angebot ist also nicht neu.

Die wenigsten wissen, wie die genaueren Bedingungen des Friedens mit Preußen aussahen: Er nahm genau die Hälfte des Landes weg. Die Weichselmündung und der »Freistaat« Danzig wurden französisch besetzt. Das restliche Preußen erhielt eine Besatzungsmacht von 160 000 Mann, damals eine ungeheure Zahl. Alles ging auf Kosten der Preußen. Dazu kam eine »Kriegsentschädigung«, deren jährliche Zahlen nicht einmal festgesetzt wurden.

Deutschland war so ausgesogen, daß eine Inflation drohte. In Wien erhielten die Truppen wegen der Entwertung des Geldes die vierfache Löhnung. Deutsche Wissenschaftler erfanden die maschinelle Zuckergewinnung aus Rüben als »Ersatz«.

Im französischen Oberitalien brach die Pest aus. »Ein Aderlaß tut einem Volke gut«, sagte Napoleon.

Mit 600 000 Mann zog er dann nach Rußland. Es hat sich die Meinung festgesetzt, daß nichts anderes als der unüberwindliche Winter den Untergang der Armee verursachte. Es gibt aber Dokumente von Augenzeugen, die etwas anderes, viel Interessanteres aussagen, etwas, was schon auf den kommenden Zusammenbruch des ganzen Mammutkonzerns Napoleons hindeutet. Oberst Fezensac und General von Brand, die beide mit Napoleon zogen, schreiben: »Ich habe später vielfach mit Offizieren aller Grade und mit verständigen Unteroffizieren über die Auflösung der Armee gesprochen, namentlich mit solchen, die bis Orsza und Bobr in Reih und Glied gestanden. Sie waren einstimmig der Meinung, daß die Unordnung und liederliche Zucht in der Armee den Grund zu deren Auflösung gelegt. Lange vorher, ehe die Kälte oder der eigentliche Mangel an Lebensmitteln begann, gab es Tausende Unbewaffnete, die bei den unübersehbaren Wagenburgen und Bagagen sich herumtrieben.«

550 000 Menschen starben. 150 000 Pferde verreckten.

Am 23. Juni 1813 sagte ihm bei einer Audienz der sehr kluge Wiener Gesandte Fürst Metternich voraus, daß nun der Zeitpunkt gekommen sei, wo Napoleon die Rechnung schließen solle. Napoleon schrie ihn an: »Einen Mann wie mich, den kümmert es einen Scheißdreck, ob eine Million Mann zugrunde geht!« Metternich machte einen Schritt zur Tür und antwortete fragend: »Warum sagen Sie mir das unter vier Augen, Sire? Wir wollen die Tür öffnen, Ihre Worte werden dann von einem Ende Europas an das andere gehört werden.«

Dennoch konnte Napoleon, der auch in Rußland die Armee im Stich ließ und in einem Schlitten allein nach Hause floh, ungehindert durch Deutschland fahren. Alle erkannten ihn. Niemand krümmte ihm ein Haar.

Als Napoleon zum erstenmal abdankte, schickte man ihn zwar nach Elba, aber mit dem Titel Fürst und der Verleihung des Fürstentums Elba. Unter den Delegierten, die für diese Ehrung stimmten, befand sich auch der Nachkomme jenes Herzogs, den Napoleon nicht »gekannt« hatte.

Napoleon ruht in Paris unter einem Marmorhimmel, und der bombastische Triumphbogen schaut von den Champs-Elysées herüber.

Ist das eine Lehre der Geschichte?

Wenn sie es ist:

Werden alle Napoleone einmal unter Marmor ruhen?

In Wien trat der Friedenskongreß zusammen. Der Komet war versunken. Er ließ Europa als Scherbenhaufen und das deutsche Reich untergegangen zurück.

Das zwölfte Kapitel

zeigt die Darsteller bereits in Geh-
rock und Zylinder. Es spielt im Jahr-
hundert der Erfindungen. Ohne
Trick und ohne doppelten Boden
werden erfunden: die Volksvertre-
tung, der Sozialismus, die Barrika-
den, die Eisenbahn, der Telegraph
und das Deutschlandlied

Ich weiß nicht, und es läßt sich heute auch nicht mehr fest-
stellen, ob das deutsche Volk, ich meine, die Bürger ge-
glaubt haben, daß mit dem Ende des gewaltsamen Napo-
leonischen Zwischenspiels das deutsche Reich ohne viel
Federlesens wiedererstehen würde. Ich weiß nicht, ob sie
das glaubten. Gewünscht haben sie es ganz sicher.
Nun – es war in Wien nicht zwei Minuten die Rede davon.
Man wollte »diplomatisch« vorgehen.
Die Deutschen waren nie gute Diplomaten. Woran liegt
das?
Lassen Sie mich einschalten, was der Engländer Sir Henry
Wolton einst in Augsburg in ein Gästebuch als Definition
schrieb:
»Men sent abroad to lie for the benefit of their country.«
Liegt's daran?
Diplomatie ist die Kunst des Möglichen. Innenpolitik ist
die Versöhnung des Möglichen mit dem Unmöglichen.
1815 lag den Siegermächten die Welt offen. Die Völker,
das heißt die Menschen, die Bürger, Ihr und mein Ur-Ur-
Großvater, sahen keine Schwierigkeiten, ihre Sehnsüchte
und Träume verwirklicht zu bekommen. Die Schreckens-

zeit war vorbei, der Tyrann war fort, alles atmete auf, alles lächelte und hatte das Gefühl: »Seid umschlungen, Millionen, diesen Kuß der ganzen Welt!« Die Welt ist schön, der Mensch ist gut.

Auch ein Mann wie Wilhelm von Humboldt, der preußische Delegierte des Wiener Kongresses, dachte sehr optimistisch.

Europa würde aufblühen, Schiffe würden über die Meere fahren und – – hoppla, hier hob der englische Gesandte die Hand. Er erhob sich und erklärte mit einer Stimme, die keinen Zweifel über den Ernst aufkommen ließ: »Die Voraussetzung jeder weiteren Zusammenarbeit ist, daß das Wort von der Freiheit der Meere nicht mehr fällt.«

Die Gesandten nickten etwas düster und verbeugten sich. Zweifellos: ohne England hätte man den Krieg nicht gewinnen können. Aber man würde andere Entfaltungsmöglichkeiten haben. Im Osten, in den alten Kulturländern des deutschen Ritterordens könnte – – hier erhob sich blitzschnell der russische Delegierte: »Die Bundesgenossen Deutschlands sind sich darin einig, daß das Gebiet bis zur Warthe russische Interessensphäre ist!«

Die Gesandten schwiegen. Zweifellos: ohne Rußland hätte man den Krieg nicht gewinnen können.

Aber das jahrhundertelange Unrecht im Westen würde gutgemacht werden, die deutschen Gebiete, die in den letzten Jahren geraubt worden waren, wenigstens das Elsaß, die uralte deutsche Reichsstadt Straßburg zurückgegeben und –

Talleyrand (merkwürdigerweise saß Frankreichs Meißner »zur Ehrung der französischen Nation« mit am Tisch des Wiener Kongresses) hob den Kopf und blickte, jeden einzelnen der deutschen Delegierten ansehend, in die Runde: »Wem? Wem, messieurs? Wem von Ihnen? Wem gehört es? Dem deutschen Reich? Es gibt kein deutsches Reich mehr. Die deutschen Länder sind frei, messieurs.«

Frei! Köstliches Wort. Das war sehr geschickt.

Also – nichts? Nein, nichts.

Das Volk hat sehnsüchtig nach Wien geschaut, wo der Kongreß tagte. Es ahnte ja nicht, daß wir Deutschen nur Handlanger gewesen waren, neununddreißig Handlanger, einzeln machtlos und in keiner Gewerkschaft »Reich«. Der Krieg, unsere unendlichen Opfer hatten lediglich eine Epoche annulliert, sie hatten die Zeit Napoleons »rückgängig« gemacht. Man hätte sagen können und hat es in England auch vielleicht gesagt: »Wo waren wir stehengeblieben ...?«

Der Friedensvertrag, der schließlich zustande kam, revidierte auch *nicht ein einziges* Unrecht. Daß sich Grenzen innerhalb Deutschlands veränderten, ist, weil es interna-

tional ja nichts bedeutete, herzlich uninteressant. Preußen wuchs bis an den Rhein; Bayern, Württemberg veränderten sich ein wenig; die Grenzen *Deutschlands* veränderten sich kaum. Frankreich, das unentbehrliche Requisit des »europäischen Gleichgewichts« blieb fast unangetastet. Der Franzose Renand sagte einmal, die Zeit zwischen 1820 und 1840 sei die schönste Frankreichs gewesen. Ich glaube es ihm.

Alle internationalen Reibungsflächen wurden sorgfältig beibehalten, keine Grenzsinnlosigkeit beseitigt. Der Zustand war ja zu schön. Machtlos sah das Bündel deutscher Länderdelegierter zu.

Ein Versuch Preußens, die beschämenden Inflationskönige und -herzöge wieder zu annullieren, erregte höchstes, ja geradezu peinliches Aufsehen. Im Gegenteil, auch Hannover wurde noch »Königreich«. Die Engländer hatten es wieder in Besitz genommen. In einem großen deutschen Land inmitten Deutschlands war also ein Engländer König.

An die Wiederherstellung des »Deutschen Reiches« hat unter diesen Umständen unter den deutschen Fürsten niemand ernsthaft gedacht. Das Ausland hätte es auch gar nicht geduldet. Es war etwas anderes »vorgesehen«.

Mit freundlicher Genehmigung schlossen sich die deutschen Länder zum »Deutschen Bund« zusammen. Das war das Ergebnis, das vorher schon in London, Paris und Petersburg festgestanden hatte.

Ein englischer Diplomat hat einem deutschen Gesandten gegenüber das Urteil ausgesprochen. Ich schäme mich fast, es zu wiederholen. Er sagte: »Ihr seid eine entmannte Nation!«

Das deutsche Volk, die Menschen auf der Straße verzagten beinahe. Hatten sie nicht eben einen der größten Kriege gewonnen? Warum war es nun wieder so gekommen, warum wurde Deutschland wieder betrogen? Warum kam kein deutsches Reich? Warum wurden die deutschen Bürger, die Schulter an Schulter, Bayern neben Preußen, Badener neben Sachsen in den Krieg gegangen und Schulter an Schulter heimgekehrt waren, jetzt wieder in 39 Käfige gesperrt, unter 39 Herren, in 39 Grenzen, mit 39 Münzen, 39 Rechten, 39 Vaterländern? Wo der eine Bruder im einen und der andere Bruder im anderen Käfig landete und als Fremder, als Ausländer, fast als Feind angesehen werden sollte? Die Enttäuschung war maßlos.

Vielleicht verstehen Sie jetzt, was Hoffmann von Fallersleben meinte, als er sein Gedicht schrieb, das einmal Deutschlands unglückliche Nationalhymne werden sollte:

>»Deutschland, Deutschland über alles,
über alles in der Welt,
wenn es stets zu Schutz und Trutze
brüderlich zusammenhält.«

Das Lied ist so oft böswillig mißverstanden worden. Es ist weiter nichts als das Lied unserer Sehnsucht. Zur gleichen Zeit sang man in Frankreich die napoleonische Marseillaise weiter und in England das »Britannia rule the waves«. »Allons! Enfants de la patrie ...« ist ein Schlachtruf und das englische »Right or wrong, my country« geradezu furchterregend. Die Hymne Hoffmanns von Fallersleben ist ein Zuspruch, ein Beschwichtigen der Angst, die man uns so reichlich gelehrt hatte, der Sorge und des Kleinmuts.

(Übrigens machten nicht Kaiser und Könige und Generäle dieses Lied zur deutschen Nationalhymne, sondern die Weimarer Republik unter Friedrich Ebert.)

Holen wir tief Atem, und schreiten wir weiter in die Zeit hinein!

Sie wissen doch, was ein Haus mit »Eigentumswohnungen« ist? Wenn Sie ein moderner Großstädter sind, wissen Sie es sicher: Ein Gebäude, das keinen Hauswirt als Besitzer hat, sondern dessen einzelne Wohnungen den Mietern gehören, und zwar mit Stock und Stein. Der Mieter ist also gar kein Mieter, sondern Eigentümer eines Haus-Scheibchens, mit dem er tatsächlich machen kann, was er will. Er kann ein Loch in die Wand hauen, er kann aus einem Zimmer drei machen, er kann einen Balkon zum Kaninchenstall machen, er kann ein Gitter an sein Fenster legen, er kann aber auch alles bleiben lassen. Es braucht ihn nicht zu kümmern, ob die anderen den Garten gemeinsam frisch gesät haben möchten oder ob sie finden, daß der Zaun unbedingt erneuert werden müßte. Wenn er es nicht findet, so fällt diese Sache aus, mangels »Gemeinsamkeit«.

Ich habe mir sagen lassen, daß es ein recht stolzes Gefühl sei, eine Eigentumswohnung zu haben. Es sei doch eben eine ganz andere Sache, keinen Hausherrn über sich zu haben, sein eigener Herr zu sein. Ich kann das nachfühlen. Aber etwas an der Sache gefällt mir nicht: In fünf Jahren sieht das Haus wesentlich anders aus. Die Nachbarhäuser haben Fernheizung, dieses nicht. Man konnte sich nicht einigen. Der Wohnungsbesitzer vom Hochparterre links hat seinen Anteil am Hof dem Hauswirt von nebenan vermietet. Es steht jetzt ein fremdes Auto darauf. Die linke Front ist abgeputzt, die rechte nicht. Die Witwe im vierten Stock, die lange Zeit Zimmer vermietete, hat ihre Wohnung, das heißt, ihr Hausscheibchen, doch nicht halten können und an eine Schweizer Lebensversicherung verkauft. Die hat da Büroräume eingerichtet. Den ganzen Tag geht es jetzt treppauf, treppab. Die Mieter sind nicht feuerversichert, nur die Wohnung in der ersten Etage rechts. Dort wohnt ein Mann, der in jedem Zimmer einen offenen Kamin hat. Wenn die Geschichte mal Feuer fängt, ist das ganze Gebäude futsch. Das Bezeichnende ist, daß, von ein paar Eigenbrötlern abgesehen, die meisten wünschen, ein finanzkräftiger Mieter, zum Beispiel der Doktor im zweiten Stock, würde das ganze Haus kaufen. Dieser Dr. Preuss hat eine sehr seriöse Praxis und eigentlich das ehrlichste Interesse an dem Hause, während zum Beispiel der auch recht wohlhabende Professor Habsburger, ein internationaler Tanzstar, viel auf Reisen im Ausland ist und dort noch mehrere Häuser hat. Wenn er sagt »mein Besitz«, so denkt er in mehreren Sprachen und sicherlich am wenigsten an die Eigentumswohnungen in dem Hause Verlängerte Kleine Freiheit Nummer 15.

Das ist das »existenzialistische« Porträt des »Deutschen Bundes«. Er hatte 39 Eigentumswohnungen. Verwalter war Franz von Habsburg, der sich nach 1804, als sich Napoleon krönte, den Titel Kaiser von Österreich zugelegt hatte. Er hieß im Bundestag in Frankfurt auch tatsächlich »Vorsitzender«. Bei ihm konnte man Vorschläge einbringen, die nie bearbeitet wurden. Um verwirklicht zu werden, hätten sie sowieso eine Unmöglichkeit vollbringen müssen: die einstimmige Genehmigung von 39 Ländchen. Diese lächerliche Ohnmacht hat wenigstens eine gute Seite gehabt, sie hat uns vor neuen Überfällen und Kriegen über 50 Jahre lang bewahrt.

Das Volk hat in dieser Zeit in Ruhe seine ganze Kraft, sein ganzes Interesse und die ganze Kühnheit seiner Ideen in seine Arbeit gesteckt.

Es war Friede. War es etwa jener Friede, von dem ich sagte, er müsse eines Tages doch mit einem Krieg bezahlt werden? Wir wollen sehen.

Die zwanziger bis vierziger Jahre sind die berühmte »gute alte Zeit« gewesen, jene Erinnerung, die jede Generation an die nächste weitergegeben hat. In Städten wie Berlin, München, Wien lebte es sich recht schön. Das bürgerliche Leben blühte auf, die Persönlichkeit wurde geachtet, die individuelle Wertschätzung hob ganze Stände hoch, die Künstler und jetzt vor allem die Wissenschaftler. Das Dampfschiff, die Eisenbahn und der Postverkehr waren erfunden, das erste Haus bekam eine Heißwasserheizung, man konnte es in den neuerstandenen Zeitungen lesen, die mit einer Buchdruckschnellpresse gedruckt wurden und in denen man Dinge aus aller Welt mit Windeseile erfuhr. Irgendwo hatte man, kaum daß der Elektromagnetismus entdeckt war, schon einen Elektromotor gebaut, eine rätselhafte Teufelsmaschine, in der vielleicht Zukunft steckte. Der erste Schreibtelegraph tickte, und ein Mann namens Gabelsberger war auf eine ganz besonders verrückte Idee verfallen, er fand die deutsche Schrift zu langsam und hatte eine sogenannte Stenographie erfunden, mit der man regelrecht Reden mitschreiben konnte. Ja, die Zeit ging mit Riesenschritten vorwärts. Und das alles war Bürgergeist und Bürgerarbeit. Das Leben der Bürger war ein geschlossener Ring geworden. Die Fürsten, die bunten, schillernden Wunderpflanzen, waren außerhalb dieses Ringes. Natürlich waren sie die Landesherren, die viel, viel, viel Respekt verlangten und mitunter, wie in Hessen, noch fast allmächtig waren, funkelnde Existenzen, die beinahe etwas unwirklich wirkten – so stark und überzeugend stand jetzt das Leben der Bürger im Vordergrund.

Jedermann gab sich Mühe, ein Herr zu sein. Man ging gemessen, man grüßte gemessen, man schritt, man speiste, man disponierte, man arrivierte, man führte eine Dogge oder einen Boxer zur Seite, man trug einen hohen Hut, man fühlte sich unantastbar, frei und untadelig. Abends begab man sich zu einem Schoppen Wein oder Bier in den Ratskeller. Dort saßen der Apotheker, der Veterinär, der Assessor, der Hofrat, zwei Straßen weiter im Goldenen Hirschen die sehr männlichen, selbstbewußten Handwerksmeister, und überall sprach man von der vergangenen großen Zeit, da der König rief und alle, alle kamen, und wie das Volk den König rettete. Ein Wort von tiefer Bedeutung: Zum erstenmal hatte tatsächlich ein König nicht befohlen, sondern gebeten. Die Untertanen hatten nicht gehorcht, sondern gewährt. Die Erinnerung daran hat manchen Fürsten ganz und gar nicht gefallen. Aber das Volk war sich dessen bewußt.

Damals führten die Bürger beim Bier zwischen 9 und 11 Uhr abends nach getaner Arbeit die ersten wirklich politischen Gespräche. Jeder einzelne hatte einen politischen Wunsch und eine Vorstellung. Allianzen und Verträge zwischen Staaten wurden debattiert, der Maßstab war meistens das Idealbild, der Wunsch, also das Unerfüllbare, denn von der rauhen Welt da draußen, von dem geheimen erbarmungslosen Kampf der Großmächte wußten mein und Ihr Ur-Großvater nichts. Die Herrscher kamen daher oft nicht gut weg. Das Volk wollte nichts Revolutionäres, es wollte nur etwas Großes und forderte es laut und kritisch.

Das Volk, das Volk, das Volk ...

Das war noch nie dagewesen. Man stelle sich Potsdamer Handwerker zur Zeit des Alten Fritzen ein hochpolitisches Gespräch führend vor! Undenkbar.

Ja, man eilte auf das zwanzigste Jahrhundert zu. Wir brauchen uns nicht mehr anzustrengen, jene Menschen zu verstehen, es ist »nur noch« unser Ur-Großvater. Ich kenne ihn sogar noch aus späteren Jahren von einer Photographie her; Monsieur Daguerre hatte sie gerade erfunden. Immer stehe ich mit seltsamer Rührung und mit Staunen vor dem Bild: *Er* ist also der Sohn derer, die sich durch alle Kriege, Wirren und tödlichen Nöte der Jahrtausende gerettet haben. Ich möchte wissen, mit wieviel Sorgen, Ängsten und wieviel List. Er schaut mich von der vergilbten Photographie mit einem Lächeln an, als sei alles in schönster Ordnung, als hätte seine Zeit die Welt endgültig ins reine gebracht.

Ach, Opa, Opa! Nie kommt sie in Ordnung.

Aber ihr wart tüchtig. Euer Jahrhundert war wunderbar. Es ist ein Verhängnis gewesen, daß die Landesfürsten die Stimmung und Haltung des Volkes mißverstanden. Sie verkannten sie so vollkommen, daß sie sie für umstürzlerisch hielten. Wie es Leuten mit etwas schlechtem Gewissen eigen ist, waren die Herren seit der Französischen Revolution mißtrauisch und konnten bestimmte Worte wie Fortschritt und Freiheit nur erbleichend hören. Dazu kam, daß die Welle geschichtlichen Bewußtseins auch die Fürsten berührt hatte, daß sie sich zurückträumten in die Ordnung alter Zeiten und die Uhr ein bißchen zurückdrehen wollten. Es hat eine Reihe von Zwischenfällen gegeben, die auf die in vaterländischer Hochstimmung befindlichen Bürger wie eine eiskalte Dusche gewirkt haben. 1817 feierten Studenten auf der Wartburg das 300jährige Reformationsfest, schwangen glühende Reden und errichteten einen Scheiterhaufen, auf dem sie deutschfeindliche Bücher verbrannten. Die ganze Geschichte war eindeutig eine nationale Kundgebung – allerdings mit dem Sinn: wir ergreifen jetzt selbst die Initiative, die Fürsten sind schlechtere Deutsche als wir. Die Behörden bekamen das in den falschen oder, sagen wir genau so gut, richtigen Hals, und der Großherzog von Weimar verhängte eine

Untersuchung und die Pressezensur. Andere Länder folgten. Ein Jahr später ermordete ein Student namens Sand in Mannheim den Schriftsteller Kotzebue, der nicht nur – was bekannt war – beständig Deutschland besudelte, sondern auch, was nicht bekannt war, Spionagedienste für Rußland leistete. Es erhob sich ein internationales Gezeter. Das Ausland hatte längst erkannt, daß das Volk viel gefährlicher als die Fürsten war. Es beeilte sich also, den Finger auf den Mannheimer Mord zu legen und die deutschen Fürsten mit der Nase darauf zu stoßen. Die gekrönten Häupter gerieten ins Schwitzen. Eine allgemeine Ministerkonferenz in Karlsbad beschloß Sicherheitsmaßnahmen für alle Länder des Bundes, die Burschenschaft und die Turnvereine wurden aufgelöst, alle Zeitschriften unter Zensur und die Universitäten unter Polizeiaufsicht gestellt, Männer wie Ludwig Jahn, Ernst Moritz Arndt, Schleiermacher, die Brüder Grimm, alle diese begeisterten Deutschen wegen irgendwelcher Reden verhaftet, entlassen und bewacht. Das traf das Volk tief. Ich weiß, daß auch mein Ur-Großvater nicht verstand, was die Fürsten eigentlich wollten. Und die Fürsten verstanden nicht, was das Volk mit seiner Unruhe bezweckte. Natürlich hat die Französische Revolution von 1792 doch Rückwirkungen auf die Anschauungen der Menschen in Deutschland gehabt, sie haben es bloß selbst nicht gemerkt. Das Beispiel, daß in Paris das Volk regiert hatte, wenn auch verabscheuungswürdig und idiotisch regiert hatte, war nicht aus der Welt zu schaffen. Es ist ferner erwiesen, daß französische und polnische Berufsrevolutionäre in Wien, Berlin, Dresden, München und Frankfurt auftauchten. Als 1848 in Paris abermals eine Revolution ausbrach, die den König wegfegte, da versuchten diese Leute, das gleiche in Deutschland zu inszenieren. Das hatte etwas höchst

Merkwürdiges zur Folge: das sogenannte »tolle« Jahr! Ach, die »gute, alte Zeit«! Mein Gott, war das aufregend! Die Kunde von der neuen Revolution in Paris war eben nach Deutschland gedrungen. Die Männer eilten in den Rathauskeller und in den Goldenen Hirschen und standen erregt an der Straßenecke. Jemand hielt eine feurige Rede, worauf ein pickelhelmiger Gendarm erschien und den jungen studentischen Redner aufforderte, zur Wache mitzukommen. Im Nu umringten ihn fünfzig Passanten, erinnerten ihn an die Ehre des deutschen Volkes und an die Freiheit der Gedanken, jemand rief in leicht polnischem Akzent »Fürstenknecht«, er erstieg eine Streusandkiste und hielt eine fast fehlerfrei deutsch gesprochene Rede, in der er die Menschenmenge aufforderte, vor das Schloß zu ziehen und den Herrscher an sein Versprechen zu erinnern, dem Land eine Verfassung zu geben. Eine Frau schrie: »Deutschland hurra!«, darauf zog eine Prozession von einigen hundert Menschen vor das Schloß. Ein Prinz und ein Minister erschienen am Parterrefenster, aus der Menge wurde »Hoch Deutschland!« und »Verfassung!« geschrien, worauf der Prinz etwas dümmlich lächelte und der Minister ein Zeichen gab. Die Tore öffneten sich, und eine Soldatenkette, die Gewehre mit beiden Händen gefaßt, schickte sich an, die Menge etwas vom Schloß zurückzudrängen. Nun öffnete sich eine Balkontür, der König (oder Fürst oder Großherzog) trat heraus, verkündete die Aufhebung der Zensur und versprach die lang versprochene Verfassung noch einmal. Verwirrt, beglückt, lachend warfen die Demonstranten die Hüte in die Luft, der König (oder Fürst oder Großherzog) rief, sich sehr anstrengend, »Hoch Preußen! (oder Hessen oder Baden)«, und die Menge antwortete begeistert: »Deutschland hoch, hoch, hoch!«

Der ganze Platz vor dem Schloß war bereits schwarz von
Menschen.

Da fiel ein Schuß. Die Menschen erstarrten.

Berufsrevolutionäre werden Ihnen heute bestätigen, daß
ein Schuß immer gut ist. Ein Schuß ist das einfachste Mittel, auch die harmloseste Lage zu verschärfen, besonders
wenn man Glück hat und der Schuß jemand trifft.

Der Schuß, der damals in Berlin auf diese Weise fiel, traf.
Es gab den ersten Toten. Bis heute ist es ungeklärt, wer den
Schuß abgegeben hat. Der Mann wurde nie entdeckt.

Einige wenige, aber um so rührigere Männer bauten über
Nacht Barrikaden, bei denen dann die aufgeregte Menge
des Morgens ziemlich sinnlos Stellung bezog, denn es
wußte eigentlich niemand so recht, was überhaupt los war.
Man hörte, auch in Wien sei es so ähnlich gewesen, und
der österreichische Kaiser sei nach Tirol »geflohen«. Der
alte General Papa Wrangel wurde mit seinem Regiment
nach Berlin beordert. Die »Aufständischen« ließen ihm

sagen sie würden seine Frau sofort aufknüpfen, wenn er es wage, das Brandenburger Tor zu durchschreiten. Er wagte es, denn es war gar nichts dabei. Als er durchzog, sagte er zu seinem Adjutanten: »Obse ihr jetzt wohl uffjehangen haben?« Sie hatten nicht. Aber die Barrikaden mußten tatsächlich mit Waffengewalt genommen werden. Zu dieser Ernsthaftigkeit steht das Ende des Aufstandes in merkwürdigem Widerspruch: Zwei Tage später ritt König Friedrich Wilhelm IV. mit einer schwarzrotgoldenen Schärpe umgetan durch die Stadt, und alles war in schönster Ordnung.

Wer waren die, die auf den Barrikaden das Kommando geführt hatten?

Es wurde nicht untersucht. Alle wurden amnestiert.

Das war der Frühling des Jahres 48, das man damals das »tolle« Jahr nannte. Für jene Zeit waren es wirklich verwirrende Ereignisse gewesen.

Im April kam man auf den Gedanken, den Frankfurter Bundestag durch irgend etwas anderes zu ersetzen, wobei einem etwas Parlamentähnliches vorschwebte. Es wurde eine Wahl veranstaltet, die erste Wahl des deutschen Volkes, und am 18. Mai wandelten 586 Gestalten aus ganz Deutschland feierlich in die Frankfurter Paulskirche. Es waren die Erwählten des Volkes, seine ersten Parlamentsabgeordneten.

Wir können uns heute kaum noch ein Bild davon machen, was diese geschichtliche Entwicklung für die damalige Zeit bedeutete. Es war für sie eine Jahrtausendwende, und die erwählten 586 ehrbaren und zum größten Teil sehr bekannten Mitbürger waren für sie nicht mehr und nicht weniger als die neuen Fürsten des Landes. Da ihnen allen im Grunde genommen nicht so ganz klar war, was solch eine »Deutsche Nationalversammlung« zu unternehmen hatte, da das Ausland sich mucksmäuschenstill verhielt und da sie alle weder vom Regieren noch von der Weltlage Deutschlands auch nur die geringste Ahnung hatten, besannen sie sich auf ihren ursprünglichen und in Wahrheit einzigen Wunsch: ein einiges Deutschland beschert zu bekommen.

Und somit wären wir, wie sich hier zeigt, wieder beim Ausgangspunkt dieser »Unruhe« des Volkes: Sie hatte nichts mit den französischen Ideen gemeinsam, die Furcht war ganz überflüssig gewesen. Sie war eine nationale Flamme.

Die 586 gravitätischen Herren dokterten ein Jahr lang unter vielen Reden, Resolutionen, Protokollen und Banketten herum. Im April des nächsten Jahres legten sie ihr Ei: Eine Abordnung fuhr nach Berlin und bot Friedrich Wilhelm IV. im Namen des deutschen Volkes die Kaiserkrone an!

Friedrich Wilhelm überlegte nur einen Augenblick. Was die Herren ihm da vortrugen, war blasse Theorie, keiner übersah die Folgen, die unweigerlich eintreten mußten, keiner hatte das Ausland in Rechnung gestellt, keiner an die Fürsten gedacht. Es gab nichts, um solchen Schritt durchzusetzen, weder die deutsche Einheit noch ein deutsches Heer. England lächelte messerwetzend, Frankreich drohte mit Krieg, Österreich schickte einen warnenden Kurier nach Berlin, Rußland stellte Wien Truppen zur Verfügung.

Friedrich Wilhelm IV. lehnte die Kaiserkrone ab.

Die Herren nahmen ihre Hüte, das Parlament der Paulskirche löste sich auf, die 586 fuhren heim zu ihren Ehefrauen und schüttelten den Kopf. Wie war es denkbar, daß sie, vom reinsten Willen beseelt, klug, gebildet, Professoren, Historiker, Staatsbeamte, Künstler, die Elite des Volkes, eine *Luftblase* geboren hatten? War Politik vielleicht etwas ganz, ganz anderes? War es denkbar, daß es im Völkerleben Dinge gab, die sie nicht begriffen? Sie hatten den Karren nicht einen Zentimeter fortbewegen können. Welches war das Zauberwort, das man wissen mußte?

Der Mann, der ihnen diese Frage beantworten sollte, war in jenem Augenblick mit der Beaufsichtigung des Mistabfahrens beschäftigt. Er stand in der Mitte seines Gutshofes und schrie dem Knecht etwas zu, mit einer hohen Stimme, die in unerwartetem Widerspruch zu seiner hünenhaften Gestalt und seinem gewaltigen Schädel stand. Der Mann war damals 34 Jahre alt und denkbar uninteressant. Von allen Millionen Deutschen wäre keiner auf den Gedanken gekommen, ihm die Frage zu stellen, um deren Beantwortung sich die weisen und berühmten 586 Männer abmühten. Es dauerte noch 13 Jahre, bis ihn jemand, völlig verzweifelt und nicht mehr ein noch aus wissend, fragte. Das geschah am 22. September 1862 in einem Park am Havelufer bei Berlin. Die zwei Männer, der eine 47 Jahre alt, der andere 65 Jahre alt, gingen ruhelos auf und ab. Der Jüngere war jener Gutsherr, der inzwischen preußischer Gesandter in Wien, Petersburg und Paris gewesen war, ein gewisser Otto von Bismarck. Der alte Herr war König Wilhelm I., Bruder und Nachfolger Friedrich Wilhelms IV., einer der beiden Jungen, die damals, als Yorck verhaftet werden sollte, nicht gewagt hatten, zum Ball zu gehen. An diesem 22. September 1862, als der alte König aus Verzweiflung über die unsinnigen Schwierigkeiten, die ihm der »Landtag«, diese allgemeine neue Einrichtung, machte, die Krone niederlegen wollte – als Bismarck ihn fast einen Deserteur nannte und von dem ungläubigen König aus purer Ratlosigkeit zum Ministerpräsidenten berufen wurde, begann eine neue Epoche der deutschen Geschichte.

Eine erstaunliche Zeit!

Wollen Sie mir erlauben, ein paar Sekunden Pause zu machen, damit die Gedanken sich setzen können?

Ich möchte Ihnen inzwischen etwas sagen: Verachten Sie mir die Epoche nicht, die ich Ihnen eben beschrieben habe und die so wenig »groß«, so wenig fruchtbar, so wenig aufregend, ja, fast etwas komisch scheint. Erinnern Sie sich, was ich sagte, als im Jahre 919 Heinrich I. zum König gewählt wurde und eine »große« Zeit begann? Sie war eine der schönsten. Aber nicht sie, sondern die viel banalere Zeit, die *nach* den mittelalterlichen Kaisern kam, ist diejenige geworden, die unser Leben bis heute mitbestimmt hat. Merkwürdig: auch nicht in der »großen« Epoche Bismarcks, sondern in den unscheinbaren 50 Jahren vorher, die ich eben erzählte, wurden die Ideen geboren und probeweise durchexerziert, von denen das zwanzigste Jahrhundert, zumindest bis heute, lebte. Parteien, ein Begriff, den es nie zuvor gegeben hatte, kamen in jener biedermeierschen Epoche auf, ein Parlament entstand – nie vorher war diese Vorstellung aufgetaucht, Abgeordnete, Bürger versuchten, Politik durch Abstimmung zu machen – keine Zeit zuvor hat gewagt, das Schicksal des Reiches der Quantität, der Zahl, in die Hände zu legen.

Das alles sind *unsere heutigen* Requisiten. Man kann sie verehren oder kann sie verachten, aber man kann sie nicht leugnen.

Was danach kam, war nicht neu – nur groß.

Das dreizehnte Kapitel

bietet abermals, wie vor genau tau-
send Jahren, das Schauspiel einer
Reichsgründung, und wie damals
heißt der Hauptdarsteller Otto

Wenn man von Bismarck spricht, kann man sich fast wieder der Worte, Begriffe und Vorstellungen der uralten Zeit bedienen, der Zeit der Hohenstaufen, als die Kaiser noch die unermüdlichen, für alles sorgenden, klugen, einfachen, verehrten, unantastbaren Verwalter des Reiches waren, als es noch keine Bauern, Handwerker und Kaufleute gab, die ihren persönlichen Vorteil zum Maßstab ihrer politischen Anschauungen machten, als noch Planwagen statt Lokomotiven langsam durch die Wälder und Felder zogen, als noch ganze Generationen an den Riesendomen bauten, als das Nibelungenlied von der Treue Hagens gesungen wurde, als die Kaiser bei Wind und Wetter, Nacht und Nebel von einer Stadt zur anderen und einer Burg zur anderen ritten, der Kanzler auf dem Pferd an ihrer Seite.

Bismarck hat von seinem König und dem Reich diese Vorstellungen gehabt. Natürlich sind seine Wege sehr kompliziert gewesen, denn es fuhren keine Planwagen mehr, sondern Eisenbahnen, und um ihn herum herrschte »die Wirtschaft«, es tutete, trompetete, ratterte, rumpelte, redete, konferierte, spekulierte. Im Grunde aber waren seine Gedanken so erstaunlich einfach wie die der alten Zeit. Er überlegte:
1. Politik ist Außenpolitik.
2. Außenpolitik, die alle Karten aufdeckt, ist Selbstmord.

Daher sind Parlamente und ihre Herden von Abgeordneten eine Farce.

3. Deutschland in seiner damaligen Flickenteppichgestalt ist das Ergebnis des Westfälischen Friedens seiner Feinde, also falsch.

4. Die Einigung ist, wie selbst die »friedliebenden« nordamerikanischen Staaten in ihrem Bürgerkrieg bewiesen haben, nur durch Gewalt möglich.

5. Frankreich ist der Spielball seiner Gefühle, die aus der Zeit Ludwig XIV. stammen und mit System genährt wurden. Es ist als Verbündeter für Deutschland unnatürlich.

6. England nährt sich von der beständigen Furcht Deutschlands und Frankreichs voreinander und von seiner Erfindung des europäischen Gleichgewichts. Es ist immer auf der Seite des Schwächeren. Das täuscht Idealismus vor, ist aber in Wahrheit die unerbittliche Politik des Niederhaltens.

7. Österreich krankt an Habsburg, das aus seiner Monarchie ein Land gemacht hat, das zu acht Zehnteln Ausland war. Wir werden uns trennen müssen.

8. Skandinavien ist unwichtig.

9. Italien ist unwichtig.

10. Rußland, unser Nachbar im Osten, hat keine europäischen Interessen außer Handel, ist also ungefährlich. Es sucht einen guten Freund, der bereit und stark genug ist, Rußland zu garantieren, so wie Rußland bereit ist, den Freund zu garantieren. Das ewig umstürzlerische und unbeständige Frankreich ist Rußland unsympathisch. England wäre denkbar. Deutschland wäre denkbar. Es eilt also.

Dies waren Bismarcks 10 Punkte. Er hat sie nicht aufgeschrieben, er wußte sie auswendig.

Einige Tage nach seiner Ernennung zum preußischen Ministerpräsidenten trat er vor den Landtag, vor jene Einrichtung, die inzwischen in den deutschen Ländern als Berater und »Bewilliger« neben dem Herrscher üblich geworden war. Die Herren waren zu erregt, um ruhig auf ihren Plätzen sitzenzubleiben, als Bismarck eintrat. In dieser Sitzung erklärte ihnen Bismarck, daß der Mensch keineswegs gut und die Welt ziemlich mangelhaft sei, daß weder ein monarchistischer noch ein republikanischer Nachbar, wie die Geschichte bewiesen habe, Deutschland vor einem Angriff schütze, und daß ein Bekenntnis zum Friedenswillen und ein Verbrüderungsherz zuerst einmal den Nationen gut anstehen würde, die dauernd davon schwatzen. Er legte ihnen klar, daß ein Streit um Müllabfuhrlöhne bestimmt nichts mit »Politik« zu tun habe, daß es sich sogar zu einem Verbrechen auswachse, wenn eine Partei ihr Ja oder Nein in der großen Politik davon abhängig mache, ob ihre Müllabfuhrwünsche erfüllt würden. Er erinnerte daran, daß man die Lehren der Geschichte zwar mit Trauer, aber nichtsdestoweniger eben zur Kenntnis nehmen müsse.

Es war nicht Unklugheit, wenn Bismarck sich keine Mühe gab zu heucheln, es war die Erkenntnis, daß er keine Zeit dazu habe. Er schloß mit den Worten: »Nicht durch Reden und Majoritätsbeschlüsse werden die großen Fragen der Zeit entschieden – das ist der Irrtum der Jahre 1848 und 1849 gewesen –, sondern durch Blut und Eisen.«
Hah –!
Dies Wort haben ihm die berufsmäßigen Gegner nie mehr verziehen.

Der erste Schritt war der schwierigste, der entscheidende: Gegen den Willen des Landtags ordnete Bismarck die Erhöhung des Wehretats an, er ließ den Kriegsminister Graf von Roon sofort an die Arbeit gehen und lernte in dem Chef des Generalstabes, Graf von Moltke, einen gleichgesinnten Mann kennen. An diesem Tag wartete man im Schloß Unter den Linden in Berlin mit Spannung auf das, was nun folgen würde. In diesem Spiel lag die Revolution drin.

Aber es geschah gar nichts.

Bismarck handelte rasch, eine Verordnung jagte die andere, das Heer wurde in Windeseile aufgebaut, mit Petersburg Verhandlungen aufgenommen. Der Zar kannte den einstigen Gesandten Bismarck gut. Bismarck sprach perfekt russisch und hatte dem Zaren oft auf ein russisches Scherzwort hin, das keiner der anderen Botschafter verstand, zuzwinkern können. Man stand quasi auf freundschaftlichem Fuß. Als 1854 Rußland den Krimkrieg gegen England und Frankreich führte, war Preußen neutral geblieben. Der Zar wußte, daß dies Bismarcks Verdienst war. Ihm gefiel Preußen, wie Preußen einst Peter dem Großen gefallen hatte.

In dieser Zeit der Krise hielt Bismarck den König von allem fern. Er verhinderte mit allen Mitteln Besprechungen oder Zusammenkünfte, auch auf einem von Österreich angesetzten »Fürstentag« erschien der preußische König nicht. Es dauerte nicht lange, dann war das Fluidum erreicht, daß Preußen eine Sonderstellung einnehme.

Anderthalb Jahre später war der Krieg da.

Ich sage das absichtlich in dem Tonfall, wie es Bismarcks Feinde gesagt haben werden, weil ich zugebe: Ja, sie hatten sich in dieser Voraussage nicht geirrt.

Aber es war nicht »der« Krieg. Es war nicht der Krieg, der das Ende der Weisheit ist oder in den man hineinschliddert. Es war ein genau berechneter und exakt angesetzter. Jener kurze Feldzug gegen Dänemark war ein Probegalopp. Überflüssig zu betonen, daß der Anlaß bei Bismarcks Vorsicht und Schlauheit ein so rechtlicher war, daß alle Deutschen mitfühlten und das gesamte Ausland sich ruhig verhielt.

Es ging um Schleswig und Holstein, zwei durchaus deutsche Länder. Das regierende Haus war soeben ausgestorben, die beiden Länder hätten an Deutschland zurückfallen müssen, aber Dänemark widersetzte sich in einem Anfall von nicht zu ergründender Tollkühnheit. Die ganze Sache rollte für Preußen ab wie ein Manöver.

Aber diese erste Rechnung Bismarcks ging nicht ganz auf. Nicht, daß er den Feldzug verloren hätte! Der alte Papa Wrangel gewann ihn leicht. Das war es nicht. Aber Österreich hatte sich unerwartet hartnäckig an dem Unternehmen beteiligt, während Bismarck Wien als Bundesgenossen nur auf dem Papier wünschte, um gefährliche Gegner abzuschrecken. Die ehemalige Kaisermacht jedoch wollte verhindern, daß ein anderer als Österreich sich zum Vollstrecker Deutschlands vor den Augen der Welt machte – zumindest nicht *ohne* Habsburg.

Das war ein kleiner Schönheitsfehler. Das Verhalten Österreichs bestärkte Bismarck in der Ansicht, daß man so bald wie möglich eine Machtentscheidung zwischen Preußen und Wien herbeiführen mußte. Österreich hatte das Reich zugrunde gehen lassen, es mußte endgültig Schluß gemacht werden mit Habsburg.

Genau so eiskalt wie den dänischen Feldzug berechnete Bismarck einen Konflikt, der daraus mit Wien erwachsen sollte und natürlich auch erwuchs. Der offizielle Grund war: Österreich wollte einen 40. Bundesstaat aus Schleswig-Holstein machen, Preußen verlangte das Ende der Kleinstaaterei und die Einverleibung – einen Teil nach Österreich, den anderen Teil nach Preußen. Ganz sauber und juristisch korrekt. Nur war die freundliche Fassade des Vorschlags aufreizend für Wien. Was sollte Österreich mit einem 1000 Kilometer entfernten kleinen Landfetzen! In Wien erkannte man allmählich, daß Bismarck es auf eine Machtprobe anlegte.

König Wilhelm war überzeugt, daß Österreich vernünftig sein würde. Bismarck war überzeugt, daß Österreich unvernünftig sein würde. Er war von Haus aus Jurist, er wußte, daß es in der Welt keine Prozesse geben würde, wenn die Menschen einsähen, daß sie für die eine Seite nur verlorenes Geld bedeuten. Es *gab* jedoch Prozesse. Staaten sind Menschen.

Bismarck war in Wahrheit eine weiche, empfindsame Natur. Er hat nie mit Menschenleben gespielt und würde wohl nicht einen einzigen Gefallenen gutgeheißen haben, wenn er nicht so sicher gewesen wäre, daß das Schicksal auch die Unentschlossenen eines Tages zwingt, zu tun, was sie vermeiden wollten – und dann zu einem sinnlosen Zeitpunkt.

Er setzte also selbst den Zeitpunkt an.

Zum erstenmal wurde in Deutschland wieder große Politik gemacht.

Und wie!

Ja, wie? So: Bismarck wußte, daß Frankreich seine Augen auf Belgien geworfen hatte. Er kannte Napoleon III., den Neffen des Welteroberers, der gerade wieder mal eine französische Monarchie aufgerichtet hatte, gut aus seiner Pariser Zeit. Er sagte ihm die französischen Gelüste auf Belgien auf den Kopf zu. Napoleon gestand verblüfft. Darauf erklärte Bismarck ihm folgendes: Frankreich wird, wenn es sich Belgiens bemächtigt, sofort England zum Gegner haben. Es wird auch Wien zum Gegner haben. Es wird Preußen brauchen, wisperte Bismarck vertraulich.

Das wäre Wien nicht angenehm, aber Bismarck würde das
Risiko auf sich nehmen, wenn Napoleon III. ihn gegen
Österreich schütze. Das leuchtete dem Franzosen ein.
Bismarck grunzte behaglich.
Österreich »beeilte« sich: Es wandte sich an den Bundestag und klagte Preußen an. Es machte, vor allem an die
süddeutschen Länder, Versprechungen. Die billigste kaiserliche Beamtentour wurde geritten.
Bismarck machte keine Versprechungen. Er fragte
Moltke, ob militärisch alles bereit sei, politisch sei alles
klar.
Drei Armeen marschierten in Böhmen ein. Auf Holstein
wurde die Hand gelegt, Hannover und Kurhessen waren
24 Stunden später schon annektiert. 10 Tage nach Kriegs-
beginn fiel in der Schlacht bei Königgrätz bereits die Entscheidung. Moltke besiegte die Österreicher vollständig.
Ganz Preußen war plötzlich Feuer und Flamme. Der Kö-

nig war begeistert. Siehe da! Er wollte geradewegs nach Wien marschieren. Jetzt kam Bismarcks ganze Größe zutage. Er trat dieser stürmischen Welle von Hochstimmung schroff entgegen, drohte dem König mit seinem Rücktritt, wenn die Truppen auch nur einen Schritt weitergingen, und kämpfte um seine geheimen Ideen, die er ja nicht preisgeben konnte, selbst gegen seinen verehrten König einen verzweifelten Kampf. Es ist Tatsache, daß er damals mit Selbstmordgedanken spielte.

Er siegte.

Österreich wurde wie ein Gentleman behandelt. Die süddeutschen Länder, die auf Wiens Seite gewesen waren und nun zitterten, bekamen kein Haar gekrümmt. Sie waren sprachlos (und schlossen ein geheimes Schutzbündnis mit Bismarck ab). Napoleon III. verlangte für sein wohlwollendes Stillhalten in aller Unschuld die deutsche Pfalz, Hessen, Belgien und Luxemburg. Bismarck ließ sich das schriftlich geben. Als er es hatte, steckte er den Brief in die Tasche und lehnte ab. Jeder, der den Brief lesen wollte, bekam ihn zu sehen. Deutschland war eine einzige Flamme der Empörung über diese unbelehrbare Raublust der Franzosen. Es verbreitete sich das Gefühl, daß Bismarck eine Politik ohne Ränke trieb. Zwanzig nord- und mitteldeutsche Staaten baten um Aufnahme in Bismarcks »Norddeutschen Bund«.

Bismarck handelte rasch. Plötzlich ging auch alles. Er ordnete für alle Länder des Norddeutschen Bundes allgemeine und direkte Wahlen an. Das machte einen feinen Eindruck und kostete gar nichts. Alle Zoll-, Militär-, Post- und Telegraphieschranken fielen. Das gab ein Staunen! Die konnten einfach fallen? Ja, die konnten einfach fallen. Innerhalb von Tagen traten die Abgeordneten zusammen, innerhalb von Stunden war die vorgeschlagene Bundesverfassung akzeptiert, die gesamte militärische Führung Preußen übergeben, Bismarck zum Kanzler des Bundes ernannt. Napoleon bohrte sich noch im Ohr und überlegte, da war dies alles bereits geschehen.

Auch privat hatte sich bei Bismarck einiges ereignet, so quasi nebenbei: er war in den Grafenstand erhoben worden, und man hatte auf der Straße versucht, ihn zu erschießen. Seitdem fahren Bundeskanzler nur noch im Auto.

Diese politischen Ereignisse schlugen Wellen bis an die fernsten Ufer. Schon war Bismarcks Handeln nicht mehr die Folge der allgemeinen Ereignisse, sondern die Ereignisse waren alle die Folge seines Handelns. Wie lange hatte es das in Deutschland nicht mehr gegeben? Fünfhundert Jahre lang nicht.

Die Lage Deutschlands war nun – man schrieb Mai 1870 – höchst einfach: von irgendwoher mußte ein fürchterlicher Schlag kommen. Es war klar, daß sich das Ausland diese ungeheure Machtansammlung bei Preußen und die Einigung des Reiches auf keinen Fall gefallen lassen würde. Es wäre ganz müßig, nach Gründen zu suchen; die menschliche Natur genügt als Begründung vollauf. Bismarck wußte das.

Er irrte sich auch nicht in der Nation. Er ging mit dem Zeigefinger seine Zehn-Punkte-Tabelle durch. Da hatte er es! Es war Frankreich.

Napoleon III. war eine Einmischung in Polen mißglückt. Seine Expedition nach Mexiko, vollkommen irrsinnig, war gescheitert. Einen geplanten Zug nach Syrien und seine Besetzung hatte England verhindert. Der Anschlag auf Belgien war von Preußen vereitelt. Die Finanzen standen schlecht. Das ganze Offizierskorps litt schrecklich unter mangelnder Gloire. Presse und Schriftsteller erinnerten täglich an den verpflichtenden Namen »Napoleon« und an

die Schande der Gegenwart. Eine Volksabstimmung, die
Napoleon III. anordnete, erbrachte 50 000 ihn ablehnende
Stimmen allein in Heer und Marine.

Napoleon III. zwirbelte mißmutig seinen Bart: Es gab
aber doch keinen Anlaß! Bismarck war zu glatt.

Er fühlte bei England vor. England nickte. Stumm, ohne
sich zu kompromittieren. Aber es öffnete das Portemonn-
naie, und das war das sicherste Zeichen der Hilfe. Normalerweise hätte man annehmen können, daß Frankreichs
Gloire oder Preußens Einigungswerk die Engländer einen
Dreck anging. Bismarck nahm es nicht an. Er kannte alle
Zusammenhänge. Er wußte auch, daß Frankreich sich
schon den allzeit bereiten Habsburger gesichert hatte.

Aber der Anlaß! Sollte es Napoleon ohne ihn wagen?
Da *kam* er zu aller Freude ganz unerwartet! Ein wunder-
schöner Anlaß, den man später in der Geschichte bloß
noch ein bißchen zu verbiegen brauchte. Es war die berühmte Emser Audienz.

Die Sache war die: Das verwaiste Spanien hatte einem
Prinzen der katholischen Hohenzollernlinie den spanischen Königsthron angeboten. Der Prinz und der Chef
seines Hauses erklärten sich einverstanden. Frankreich
hörte davon und war ganz außer sich. Es fühlte sich bereits
umklammert von lauter deutschen Teufeln. Napoleon III.
schämte sich nicht, seinen Botschafter Benedetti zu König
Wilhelm zu senden. Der König war gerade zur Kur in Bad
Ems. Benedetti reiste hin, um ihm so zwischen zwei Brun-
nenkuren zu erklären, daß Frankreich den Rücktritt des
Hohenzollernprinzen von der spanischen Kandidatur
verlange. Der König antwortete ihm, daß der betreffende
Prinz großjährig sei und tun und lassen könne, was er
wolle; aber er sei ebenso einverstanden, falls der Prinz zu-
rücktrete.

Der König beriet sich mit Bismarck. Der Kanzler war der Meinung, daß die Dinge sich so oder so zuspitzen würden, es sei Jacke wie Hose. Daraufhin empfahl der König in einem Eilbrief dem Prinzen, zurückzutreten. Die Sigmaringer Hohenzollern antworteten postwendend mit einem Ja. König Wilhelm teilte Benedetti das mit. Das Gespräch fand auf der Kurpromenade statt. So schlicht waren damals die Bräuche.

Aber Benedetti drang auf eine neue Unterredung. Er sagte dem König, daß Frankreich nunmehr formell die Garantie wünsche, daß niemals ein Hohenzoller den Thron annehmen werde. Daraufhin weigerte sich König Wilhelm, den Botschafter noch einmal zu empfangen. Er ließ ihm sagen, daß die spanische Angelegenheit erledigt sei und er ihm daher nichts weiter mitzuteilen habe. Der Adjutant machte die Tür zu.

Napoleons Antwort war die Kriegserklärung!

Ganz Frankreich schäumte. Der Boche hatte gewagt, einen Franzosen durch einen Lakaien abweisen zu lassen! Auch ich habe auf der Schule noch gelernt, daß Benedetti in Bad Ems absichtlich gekränkt worden ist. Die Berichte sind alle entstellt. Gefälscht ist die Darstellung, die die französische Regierung dem Volke gab. Benedetti, der Mann, der die Wahrheit wissen mußte, hat später erklärt: »Es gab in Ems weder Beleidigte noch Beleidiger.« Der »Lakai«, der statt des Königs mit Benedetti sprach, war immerhin Fürst Radziwill.

Verzeihen Sie mir, wenn ich bei diesen diplomatischen Korkenzieherwindungen und den ersten Jahren Bismarcks etwas länger verweilt habe. Ich werde mich bei dem nun folgenden Krieg 1870/71 beeilen.

Ich habe viel von Gedanken und Ideen erzählt, wenig von Zahlen und Namen.

Die Geschichte Deutschlands – das waren immer die Gedanken und Entschlüsse in unserer Brust. Noch nie war es unser Bizeps. Ich möchte sagen: Was gewönne man, schwömme man in Zahlen und Namen und hätte der Hintergründe nicht!

Die sind nun geklärt, frischauf denn!

Moltke mobilisierte so schnell, daß die deutschen Truppen die Westgrenze überschritten, ehe sich noch Napoleon in Bewegung gesetzt hatte. Wie zur Zeit der Befreiungskriege marschierten die Deutschen wieder Schulter an Schulter, Preußen neben Hessen, Sachsen neben Württembergern, und es wird dem bayrischen König Ludwig II. unvergessen bleiben, daß er gegen den Wunsch seines Landtags und als erster zu den Fahnen eilte. Die Einheit war verwirklicht, ganz Deutschland war auf den Beinen.

In 40 Tagen war die französische Armee aufgerieben. Nach der Schlacht bei Sedan, dem klassischen Vorbild aller künftigen Kesselschlachten, übergab Napoleon III. dem greisen König von Preußen den Degen zum Zeichen der Kapitulation.

Bismarck war bei der Truppe.

Die französische Republik führte den Krieg weiter. Ihr Innenminister Gambetta floh aus dem eingeschlossenen Paris mit einem Luftballon und trommelte in der Provinz ein neues Heer von einer halben Million zusammen.

Frankreich hat gleich einer Katze drei Leben.

Moltke arbeitete wie ein Chirurg bei einer verzweifelten Operation. Zwischen den Schlachten, in Gesprächen vom Abend bis zum Morgengrauen, arbeitete Bismarck – als Internist.

Die Lage war kritisch. Da vollbrachte Bismarck noch einmal eine Glanzleistung der Politik, ein wahres Schulbeispiel von genialer Diplomatie, bei dem heute noch jeder

junge Politiker vor Bewunderung hinschmilzt: Er ließ den
Zaren verkünden, daß Rußland – oh, nicht was Sie denken,
keine Kriegserklärung, keine Hilfe, nichts dergleichen,
kein Mensch sah daher die Folgen voraus – er ließ dem Zaren empfehlen, Rußland solle den Engländern den alten
Vertrag über das Verbot einer russischen Schwarzmeer-
flotte aufkündigen. Weiter geschah nichts. Das war alles.
Dieser Mann war wirklich genial.
England nahm die Nachricht des Zaren sehr übel, aber ah-
nungslos auf. Es bat alle Großmächte zu einer Konferenz
nach London. Mit einem Schlage hörten die Waffenliefe-
rungen Londons an Frankreich auf. Gambetta stand mit
seinen 600 000 Mann da und war verzweifelt. Er machte
sich in seiner höchsten Not auf und klopfte bei allen
Großmächten an. Es war niemand anwesend. Man war in
London.
Bismarck gewann den Krieg, Moltke die dazugehörigen
Schlachten. Die Republik kapitulierte. Frankreich war am
Ende.
Während noch die letzten Gefechte im Gange waren, in-
szenierte Bismarck, den Rausch der Begeisterung ausnut-
zend, handstreichartig und verblüffender als jemals Na-
poleon I. irgend etwas in Szene gesetzt hatte, die
Gründung eines neuen deutschen Reiches. Er hatte die
Fürsten besiegt.
Am 18. Januar 1871 riefen sie im Spiegelsaal von Versailles,
an der Stätte Ludwigs des Vierzehnten, des Zerstörers des
Reiches, den preußischen König zum Deutschen Kaiser
aus.
Der neue Kaiser, Bismarcks greiser König Wilhelm, nahm
unter dem tosenden Jubel der Fürsten die Huldigung entgegen. Zu Füßen der kleinen Erhöhung, auf der er stand,
wartete Bismarck. Er wartete vergebens. Der Kaiser

sprach weder ein einziges Wort des Dankes zu ihm, noch reichte er ihm die Hand.

Bis auf den heutigen Tag hat die Welt das nicht begriffen. Seltsam. Dann scheint sie die Größe des Reichsgedankens nicht begriffen zu haben. Ein Kaiser hat keinen Komplizen, dem er hernach zublinzelt.

Der Dank des alten Königs war viel schöner: Er ließ Bismarck zeit seines Lebens den heimlichen Kaiser Deutschlands sein.

Als Wilhelm I. im Jahre 1888 starb, schloß er seine Augen beruhigt. Das Reich stand sicher und blühend da, es reichte vom Elsaß bis Memel, fast »von der Etsch bis an den Belt«. Eine neue tausendjährige Geschichte konnte beginnen.

Er ahnte nicht, daß das Werk Bismarcks nur eine Episode, nur eine Unterbrechung des vorigen Zustandes sein sollte. In noch nicht einmal 50 Jahren war alles vorbei. Nicht die Zeit vorher war das Intermezzo gewesen, sondern diese. In tragischer Blindheit gehen die Menschen umher.

Der alte Kaiser starb ahnungslos.

Auch Bismarck war noch ahnungslos.

99 Tage später sah er die Wahrheit bereits mit Entsetzen. Friedrich III., des alten Kaisers Sohn, war ein todkranker Mann, als er den Thron bestieg, ein Mann, den seine furchtbare Halskrankheit, wohl das Erbstück der Königin Luise, frühzeitig milde und versöhnend gemacht hatte. Bismarck hatte ein leichtes Spiel mit ihm. Leider hatte das gleiche leichte Spiel auch seine junge Frau Viktoria, Tochter der alten englischen Alleinherrscherin und Despotin Viktoria. Sie bedauerte sich, verachtete Deutschland und haßte Bismarck. In dieser Umwelt wuchs ihr Sohn Wilhelm auf, ein liebes Bürschlein, hell, aufgeweckt, an einem

Arm leider etwas verkrüppelt und daher ziemlich empfindlich und krankhaft stolz. Vom Vater lernte er, daß Bismarck ein großer Mann sei; von seiner Mutter lernte er, daß Bismarck ein altes Möbel sei, das man immer von einer Generation zur anderen weiterzuschleppen verurteilt sei. Von Bismarck lernte er hocherfreut das beruhigende Bewußtsein, daß Politik keine Hexerei sei.

Er war 29 Jahre alt, als sein Vater den Thron bestieg. 99 Tage später war er selbst Kaiser und König. Drei Kaiser haben das Jahr 1888 gesehen: der greise Kaiser, der weise Kaiser und der Reisekaiser.

Ein Schwarm von jungen Leuten kam auf. Sie alle hatten die komplizierte Operation, aus der das Reich entstanden war, nicht miterlebt, wußten nichts von den tausend Fäden, die ein einziger Mann in ihrer Mitte zusammengerafft hatte, festhielt und eines Tages weitergeben wollte. Sie wußten nicht, wie furchtbar schwierig es war, die Fäden zu halten, und was entstehen konnte, wenn einer entglitt. Sie hatten alles fertig dastehen sehen. Es schien ihnen seit ewigen Zeiten zu bestehen. Sie waren aus Ahnungslosigkeit völlig schwindelfrei.

Unerträglich war dem neuen jungen Kaiser daher von vornherein die Geheimniskrämerei und die Eigenmächtigkeit Bismarcks. Er litt. Und da er Kaiser war, brauchte er nicht lange zu leiden. 1890 wurde Fürst Bismarck entlassen.

Durch England und Frankreich ging ein befreites Aufatmen.

Die Tür war kaum hinter Bismarck zugefallen, da begann ein geschäftiges Konferieren in London, in Paris, in Wien. Am gleichen Tage, als Bismarck ging, war der russische Gesandte Graf Schuwalow nach Berlin gekommen, um den alten Bündnisvertrag zu erneuern. Mit tiefem Befremden sah er an Bismarcks Tisch einen anderen Mann sitzen. So gewaltig war das persönliche Ansehen des alten Reichskanzlers, daß er zögerte. Für alle Russen war Deutschland Bismarck gewesen.

Nun – er wurde der Mühe enthoben. Der junge Kaiser lehnte drei Tage später die Erneuerung des Vertrages als nicht nötig und die anderen Mächte irritierend ab.

In dieser Stunde und mit diesem Wort hat Wilhelm der Zweite über das Deutsche Reich das Todesurteil gesprochen.

Verlassen von Deutschland, suchte Rußland einen neuen Freund. Die Rechnung war so furchtbar, so erschreckend einfach. Der neue Freund stand schon mit offenen Armen da: Frankreich. Die große Zange war angesetzt.

1898 schloß ein alter, verbitterter Mann in Friedrichsruh für immer die Augen, in Qualen vor dem letzten ahnungsvoll gesehenen Bild: der riesigen Schlinge, die um Deutschland gelegt wurde.

Im vierzehnten Kapitel

stehen wie in jedem Theater, die Kritiker in der Pause vor dem letzten Akt beisammen und zeigen, daß sie alles besser wissen

Am späten Abend des 31. Dezember 1899 sprang ein junger, etwa dreißigjähriger Mann von der gemächlich mit Gebimmel dahinzuckelnden Pferdestraßenbahn, als sie die stille Parkstraße überquerte. Das Abspringen war in keiner Weise ein Wagnis, aber man war damals körperlich noch nicht sehr behende. Der junge Mann hielt mit seiner Rechten die steife Melone auf seinem Kopf fest und sah sich vor, nicht zu fallen, denn die Straße war glatt, es hatte geschneit. Dann ging er auf eines der villenartigen Häuser zu, die in den verschneiten Vorgärten lagen. Alle Fenster waren hell erleuchtet. Die schweren Plüschvorhänge waren nicht vorgezogen, man sah die prächtigen Zimmer mit den imposanten, kathedralähnlichen, gedrechselten Möbeln, den vielen neben- und übereinander hängenden Ölgemälden, die gewundenen Säulen mit Palmentöpfen und unverwelkbaren Makartsträußen und die Lüster mit den vielen Gasglühlampen. Man hörte Stimmengewirr mit gesetzten Männerstimmen untermalt und sah Hausmädchen mit weißen Häubchen auf dem erleuchteten Flur treppauf und -ab laufen, und von Zeit zu Zeit trat ein Herr, ein Assessor vielleicht oder ein Major a. D. oder ein Landrat, allein auf den Balkon heraus, um sich ein wenig die Füße zu vertreten und nach dem köstlichen Abendessen dezent zu rülpsen; er sah mit Wohlwollen in den gestirnten Winterhimmel, dann mit nicht weniger Wohlwollen auf seinen

Embonpoint, auf deutsch Bäuchlein, herab und begab sich wieder in die Wärme des Zimmers zurück. An den großen Fenstern des Wintergartens sah man einige Damen stehen, deren hochelegante Silhouetten, zu Wespentaillen geschnürt, von Herren mit hochgezwirbelten Schnurrbärten umkreist wurden. Dann öffnete sich ein Fenster, ein Mädchenkopf spähte in die Dunkelheit hinaus, erkannte den jungen Herrn, der gerade zur Gartentür hereintrat, und lächelte.

Der junge Herr war mein Vater, und das Mädchen, das ihm zulächelte, wurde meine Mutter.

Es war der Silvesterabend 1899, die letzte Nacht des alten Jahrhunderts.

Ein großer Augenblick. Das zwanzigste Jahrhundert sollte beginnen.

Als mein Vater – es konnte auch Ihrer sein – die Gesellschaftsräume betrat, war gerade ein dreifaches Hoch auf irgend etwas verklungen. In der Mitte eines Kreises von Menschen mit leuchtenden Augen stand ein älterer Herr im Gehrock. Es war seine Magnifizenz der Rektor der Universität, Geschichtsprofessor Dr. Dr. Dr. Wohlgemuth. Er hielt noch ein Glas in den Händen und schien das Hoch ausgebracht zu haben.

»Ja«, fuhr er lächelnd fort, »hier stehen wir nun, ein paar Menschen aus der Schar der Überlebenden der Jahrtausende. Wir sind es, für die die früheren Generationen alles zu tun gewillt waren, für die sie sich plagten und opferten. Und dieser Boden, auf dem wir stehen, ist der ewige Gegenstand des Sorgens gewesen von den uralten Kaisern angefangen bis heute. Unser liebes, altes Deutschland, dieses unglücklich-glückliche Land im Herzen eines von lauter Unruhe und Rastlosigkeit erfüllten Erdteils, wieviel hat es wohl an Glück und Leid gesehen, mit wieviel Tränen und

Blut ist sein Boden gedüngt worden und wie wenig ist sorglos gelacht worden! Immer, meine lieben Freunde, waren wir es, wir Deutschen, die mit der Kraft unserer Gedanken und Gefühle die Welt bewegten, aber fast nie haben wir etwas anderes geerntet als Haß und Neid. Warum? Warum nur? Ich glaube, ich kann es Ihnen sagen, meine Freunde: Wir sind ihnen ein Ärgernis im Geiste. Im Evangelium stehen die Worte, die dies erklären: ›Ich bin dazu geboren und in die Welt gekommen, daß ich für die Wahrheit zeugen soll, wer aus der Wahrheit ist, der höret meine Stimme.‹ Spricht Pilatus: ›Was ist Wahrheit?‹, und da er das gesagt hatte, ging er zu ihnen hinaus und sprach: ›Ich finde keine Schuld an ihm.‹ Da schrien sie wieder allesamt: ›Sprich nicht diesen frei, sondern Barrabas.‹ Barrabas aber war ein Mörder.

Nun – meine lieben, lieben Freunde: wir wollen nicht solchen Gedanken nachhängen, denn nun hat sich endlich, endlich alles gewendet! Ich glaube, daß unser geliebter Herrscher, Seine Majestät, der Kaiser, Wilhelm II., recht hatte, wenn er gesagt hat: Ich führe euch herrlichen Zeiten entgegen! Ja, meine Freunde, wir leben in einer herrlichen Zeit! Welche Wunder haben sich vollzogen, und zwar für immer, für alle Ewigkeit. Ich war damals ein junger Leutnant der Reserve und stand mit im Spiegelsaal von Versailles, als der verewigte Fürst Bismarck das Reich proklamierte. Das war kein flüchtiger Augenblick, glauben Sie mir, meine Freunde; wenn man Professor der Geschichte ist, wenn man die Erkenntnisse aus Tausenden von Jahren sein eigen nennt, dann trügt einen das Gefühl nicht, dann weiß man es: dies war für die Ewigkeit. Bismarck hat damals, wie stets, einen milden Frieden diktiert. Sie wissen ja: Bereits drei Jahre nach Versailles hatte Frankreich schon wieder eine größere Streitmacht als ganz Deutschland. Aber das braucht uns nicht zu beunruhigen, wir haben keine Feinde mehr, das ist vorbei. Ich glaube, wir können, nachdem wir solche Beispiele von Großmut und Friedensliebe gegeben haben, künftig ohne Furcht sein, und unser geliebter Kaiser hat das ja wohl auch instinktiv gefühlt, als er den Rückversicherungsvertrag mit Rußland als überflüssig und irritierend nicht mehr erneuerte.

In friedlicher Arbeit sollen nun unsere Kinder und Kindeskinder leben und das Leben höherentwickeln, immer höher, immer höher, so wie es der idealistische Philosoph Hegel in seinem Beispiel von der Pyramide so wunderschön als Menschheitsaufgabe erklärte. Gewalt und Tyrannei sind vorbei. Es ist wohl unser aller Ansicht, daß es eine schöne Entwicklung bedeutet, wenn sich das Volk, das ja soviel Verdienste hat, zu lauter Parteien zusammengeschlossen hat und damit seine edlen Bestrebungen kundtut. Ja, auch die soziale Bewegung, die sich jetzt seit der Gründung der sozialdemokratischen Partei so breit gemacht hat, wird dereinst wundervolle Früchte tragen. Denken Sie doch nur, welch ein gewaltiger Fortschritt allein die Gewerkschaften sind mit ihrer liebevollen Betreuung der Arbeiter und der Zahlung der Arbeitslosenhilfe, die ja nur eine vorübergehende Erscheinung ist. Die Zwangsversicherung wurde eingeführt, und der Staat hat mehrere tausend Millionen Krankenversicherung, tausend Millionen Unfallversicherung und tausend Millionen Invaliden- und Hinterbliebenenversicherung bereits bis heute gezahlt, also insgesamt viele Milliarden. Unsere herrlichen Erfindungen auf maschinellem und elektrischem Gebiet befreien die Menschen immer mehr von Arbeit, bald wird es sich bemerkbar machen, daß die harte Fron der Arbeit vorbei ist und allgemeiner Wohlstand sich verbreitet. Welch wunderschönes Bewußtsein für den

Handwerker, daß er nicht mehr in seiner eigenen Werk-
statt zu hocken braucht, sondern nun an einer Maschine
in einem der modernen Riesenwerke steht.

Ach, es ist ja so wunderbar, wie alles gekommen ist, meine
lieben Freunde. Denken Sie nur an eines, was ich Ihnen
hier vielleicht sagen darf, und ich versichere Ihnen, das
sind keine trockenen Zahlen, da steckt Leben drin: Vor 40
Jahren förderten wir nur den fünften Teil der Steinkohle,
die England hervorbrachte. Heute ist es bereits über die
Hälfte. Vor 20 Jahren produzierte England dreimal soviel
Stahl wie wir. Heute produzieren wir anderthalbmal soviel
wie England. Und genauso ist es mit Maschinen, mit Be-
waffnung, mit Schiffstonnage, erinnern Sie sich nur, daß
wir vor fünf Jahren das ›Blaue Band der Ozeane‹ gewan-
nen, das heißt, das schnellste und beste Schiff der Welt gebaut hatten. Wir haben afrikanische und überseeische Kolonien, statt, wie die anderen, blutig zu erobern, friedlich

gekauft, deutsche Qualitätsarbeit liegt heute bereits auf dem Weltmarkt an der Spitze, kurzum, mit Staunen und Bewunderung schauen der Engländer, der Franzmann, der Rußki und wie die Völker alle um uns herum heißen, auf Deutschland. Das alles haben wir in friedlicher, ehrsamer, neidloser und gerechter Arbeit, in schwerer, rastloser Arbeit geschafft, und wir werden noch weiter vorankommen, noch weiter zum Segen Europas, in Freiheit und Frieden. Ein neues Jahrhundert bricht in wenigen Minuten an, meine Freunde, ein gerechteres, besseres, schöneres Jahrhundert der Klarheit, der Reinheit und Aufgeklärtheit. Ich darf wohl sagen: endgültig der Friede und die Gerechtigkeit! Vierzig Jahre habe ich damit zugebracht, die Geschichte zu studieren, die Länder, die Völker, die Kraft einzelner Menschen und die Kraft der Bewegungen ganzer Völker, ihrer Hoffnungen und ihrer Sehnsüchte. Ich bin heute ein alter, erfahrener Mann, man hat mich für würdig befunden, die blühende deutsche Jugend zu lehren, und das mag mir das Recht geben, Ihnen, meine Freunde, auf der Schwelle des neuen Jahrhunderts zu prophezeien: Wir haben nicht umsonst geopfert! Unsere Kinder und Enkel werden es noch besser haben als wir! Es ist erreicht! Das geheimnisvolle zwanzigste Jahrhundert, in dessen Schoß noch unerkannt Gutes und Schlechtes liegt, es möge kommen. Wir fürchten uns nicht!«

Von den Kirchtürmen begannen die Glocken zu schwingen und die Zeitenwende einzuläuten. Die Menschen in ganz Deutschland standen da, freudig erregt, gläubig und mit Tränen in den Augen.

Das Schicksal klappte das alte Buch der Geschichte zu und schlug ein neues auf.

Es glich dem alten wie ein Ei dem anderen.

Im fünfzehnten Kapitel

beginnt, in Abänderung des ur-
sprünglich vorgesehenen deutschen
Festspiels, eine Tragödie von wahr-
haft antiken Ausmaßen. Die
schwerste Rolle haben diesmal die
Statisten

Mit einem so schweren und so tiefen Seufzer wie weiland
König Heinrich beginne ich die Geschichte der letzten 70
Jahre. Ach, ich fühle mich in Gedanken daran so gotts-
jämmerlich, daß ich nicht weiß, woher ich das bißchen Lächeln nehmen soll, das ich so gerne lächle. Es ist ja nicht
mehr »Geschichte«, die ich erzählen soll, es ist mein Leben. Unser Leben. Unsere Väter sind tot. Sie haben es gut
gemacht und haben es schlecht gemacht. Jetzt sind also wir
dran.
Manchmal gehe ich durch die Straßen und sehe den Menschen aufmerksam in die Gesichter. Keines gleicht mehr
den Gesichtern jener, die damals in der Silvestergesell-
schaft zusammen waren und ihr Glas auf das neue Jahrhundert hoben, keines hat mehr die Zeichen der Gläubig-
keit. Es sind Antlitze – selbst bei jungen Frauen – von oft
erstaunlicher Freudlosigkeit und ganz ohne Glanz. Die
Augen sind alle zu sehr auf dem Posten, und hinter Frech-
heit steckt Angst. Die Physiognomien, die wir heute sehen, sind denen der Menschen von 1648 ähnlich.
Indem ich diese Sätze hinschreibe, tue ich etwas Merkwürdiges. Sie werden nicht wissen, was ich meine: Ich
habe die Gegenwart »vergangenheitet«.
Bisher habe ich das Gegenteil getan, ich habe Ihnen zwei-

tausend Jahre Vergangenheit »vergegenwärtigt«. Ich habe sie in die Gegenwart gezogen. Jetzt, an der Wende der Geschichte, wo sie nicht mehr Vergangenheit ist, hört die Möglichkeit auf, sie zu »vergegenwärtigen«. Sie ist selbst Gegenwart. Wie sie weitergehen wird, wissen wir nicht. Was falsch und was richtig ist, kann an keiner Zukunft abgelesen werden. Das Bild steht riesengroß, viel zu groß, viel zu nahe vor uns, und es gibt nur eine Möglichkeit: das Fernglas umzudrehen und verkehrt vor die Augen zu halten.

Sehen Sie dort die kleinen Männchen? Das sind wir! Sie und ich! Sehen Sie, was wir alle tun? Nein, Sie können es nicht erkennen. Aber dort hebt sich etwas ab, und hier sieht man etwas ganz deutlich, und da, das Ereignis, das die kleinen Gestalten anscheinend gar nicht beachten, bringt eine entscheidende Wende. Erinnert das Gewirr dort nicht an eine Zeit, die wir schon kennen? Und das dort, sind das nicht Ereignisse, die so haargenau einer Entwicklung früherer Zeiten gleichen wie ein Ei dem anderen? Woran erinnert uns das Bild dort nur? 1870? 1648? 919? 1848? 1268? Ist das dort nicht der Limes? Und da, ist das Ludwig XIV., der die Asiaten hereinruft? Nein, nicht Ludwig XIV.? Ach, er sieht so aus! Und dort, der Mann, der ein Reich zu gründen versucht? Ist es Otto der Große oder Bismarck, oder ist es gar unser Freund Chlodowech? Wir wollen sehen.

Aber drehen Sie, wenn wir an die jüngste Geschichte herangekommen sind, ja nicht das Fernglas um! Denken Sie an die Büchse der Pandora! Frau Pandora, von Zeus im Zorn erschaffen, wollte es auch allzu genau wissen und öffnete die Büchse, in die der weise Gott alle Übel der Welt eingeschlossen hatte. Denken Sie an die Büchse der Pandora!

Ich glaube, mich nun genug gegen Ihren Zorn gesichert zu haben, und führe Sie zu meinem Vater zurück, der soeben, mit einem Glas Sekt in der Hand, in das neue Jahrhundert gesprungen ist. Nun ist er drin und kann nicht wieder heraus. Dabei weiß ich, daß er es gerne gewollt hätte, denn er besaß einen ungewöhnlichen politischen Scharfblick und sah schwarz in die Zukunft. Er ist damals mit seinem Pessimismus verlacht worden. Das ist erklärlich. Die Lage in Deutschland war ja tatsächlich so, wie sie der treffliche Dr. Dr. Dr. Wohlgemuth beschrieben hatte.

Aber, aber! Vom Kaiser bis zu Dr. Dr. Dr. Wohlgemuth herab vergaßen sie alle, was Otto der Große bereits gesagt, was Friedrich II. von Hohenstaufen geschrieben, was Bismarck immer wiederholt und was im Juli 1933 Oswald Spengler gepredigt hat: Politik ist Außenpolitik, und Erfolge sind außenpolitische Erfolge; es gibt keine anderen. Alles, was innenpolitisch so wohlig und beruhigend war, wurde außenpolitisch zu einer schrecklichen Gefahr!

Innerhalb von wenigen Jahren war Deutschland in die Welt vorgestoßen. Es erwarb Kolonien in Afrika, im Pazifik, in Asien, es richtete Schiffslinien ein und begann die Meere zu befahren, es besaß die wertvollsten Erfindungen, es schützte sie durch Patente und erlangte auf manchen Wirtschaftsgebieten geradezu eine Monopolstellung. Seine gut ausbalancierten Agrar- und Industrieverhältnisse kannten die Probleme nicht, die vor allem England schwer drückten. Es exportierte billig, und seine Waren waren von überragender Qualität. England, bisher das größte Exportland, verlor beängstigend an Boden. Englands Wirtschaft befand sich in einer Entwicklung, die ohne Gefahr nicht geändert werden konnte. Also mußten andere Dinge geändert werden. Dinge, die außerhalb Englands lagen.

Frankreich hat in dieser Zeit mehr als tausendmal offen ausgesprochen, daß es sich mit dem »Verlust« von Elsaß-Lothringen *nie* abfinden werde. Verhandlungen wurden nicht angeknüpft, man mußte also wohl annehmen, das »Nie« einmal auf eine andere Weise lösen zu können. Die französischen Zeitungen forderten offen »Revanche«. Tatsache ist, daß man in Frankreich fieberhaft rüstete. Die Schneiders aus Creuzot, Frankreichs Waffenmagnaten, versuchten, Filialen in Rußland zu errichten, die Engländer Vikkers-Armstrong bauten riesige Ableger in Italien, der Schwede Nobel, der kurze Zeit vorher Dynamit und ein neues Schießpulver erfunden hatte, zog nach Paris, sein Bruder saß in Petersburg. Wenn man alle diese Punkte mit feinen Strichen verbindet, so entsteht ein vielzackiger Stern, in dessen Mittelpunkt eingeschlossen Deutschland liegt, wo Alfred Krupp in weiser kommerzieller Voraussicht auch nicht faul war.

Es dauerte nicht lange, dann genierte man sich nicht mehr, die feinen Bleistiftstriche deutlich mit Tinte nachzuziehen. 1902 schloß Großbritannien ein Militärbündnis mit Japan. Warum wohl? 1904 mit Frankreich. Warum wohl? 1907 mit Rußland. Warum wohl? Ich will Ihnen die Frage leidenschaftslos und mit den Worten dessen, der es ja wohl wissen mußte, beantworten: Beim Abschiedsbankett der französischen Manöver des Jahres 1912 brachte unter dem Jubel der Anwesenden der russische Großfürst Nikolaj Nikolajewitsch folgenden Trinkspruch aus: »Ich trinke auf unsere gemeinsamen Siege in der Zukunft! Auf Wiedersehen in Berlin, messieurs!«

Die Ereignisse liegen 60 Jahre zurück, das Urteil der Geschichte steht seit langem fest. In der Zeit von 1871 bis 1914 hat Deutschland nicht einen einzigen Krieg geführt. In dieser Zeit kämpften Spanien gegen USA, USA gegen

Hawaii, Japan gegen Rußland, Rußland gegen die Türkei, die Türkei gegen Italien, Griechenland gegen die Türkei, England gegen Indien, Fidschi, Zypern, Burenland und Ägypten, Frankreich gegen Tunis, Dahome, Marokko und Madagaskar. Ja, man fragt sich verwundert, wie es überhaupt möglich war, die Welt irrezuführen und Deutschland die Alleinschuld an dem Weltkrieg von 1914 zuzuschreiben. Nun – das ging ganz einfach.

Stellen Sie sich auf der einen Seite lauter joviale Herren vor, Herren in Zivil, der Uniform angeblich ganz abhold, Herren mit breitem Lächeln, dicker Zigarre und stets schüttelbereiter Hand. Das ganze Volk, die ganze Welt sieht diese gemütlichen Herren. Sie sieht sie harmlos spazierengehen, sie sieht sie Polo spielen, sie sieht sie einen Schnaps trinken, sie sieht sie mit einem Hut zu drei Mark fünfzig und auf der Pferdebahn bei der Eröffnung einer Weltausstellung. Sie sieht sie wohlhabend und gern Kredite gebend – gegen kleine Gefälligkeiten. Sie sieht erfreuliche, Vertrauen erweckende Mitmenschen.

Stellen Sie sich auf der anderen Seite einen Kaiser vor, den die ganze Welt abwechselnd in Grenadier-Uniform, in Kürassier-Uniform, in Husaren-Uniform, in Dragoner-Uniform, in Marine-Uniform, in Jägermeister-Uniform, in Schützenkönig-Uniform, in Helm, Mütze, in Dreispitz, Federbusch, in Pickelhaube sah. Sobald des Morgens ein Lakai ins Zimmer trat, schon stand der Kaiser als Soldat da! Er hatte, wie ich schon sagte, einen etwas verkrüppelten linken Arm, eine Tatsache, unter der er ständig litt und die ihn von Jugend auf zu besonderer Forschheit antrieb. Da jagten Telegramme um die Welt (in fremden Angelegenheiten, in die man sich besser nicht einmischt), da trompetete er in Augenblicken, wo er hätte jahrelang verhandeln sollen, sein teutonisches »Niemals!« hinaus. Nie

sah man ihn gemütlich lächeln, nie sah man ihn einer Tänzerin die Wange tätscheln, nie sah man ihn Polo spielen, nie einen Schnaps trinken, nie mit einem Hut zu drei Mark fünfzig.

Welch eine dankbare Figur für ein weltumspannendes Nachrichtenbüro wie Reuter-London! An dieser Stelle müssen wir etwas nachholen, was meines Wissens bisher noch nicht ausgesprochen wurde: Wie einst Friedrich Barbarossa in der Verkennung der Macht der Bürgerstädte, so hat Bismarck in der Verkennung einer ähnlich indifferenten Erscheinung einen Fehler begangen, der sich für Deutschland jetzt lebensgefährlich auswirken sollte. Was er übersehen oder völlig unterschätzt hat, war die Geburtsstunde des internationalen Nachrichtendienstes. Es ist kein Zufall, daß in seiner Zeit Reuter gegründet wurde – von einem Deutschen, der in Deutschland kein Verständnis fand und nach London ging. Bismarck hat an die Macht und das Privileg der Fakten geglaubt, das heißt, der Wahrheit. Er hat den Augenblick von weltgeschichtlicher Bedeutung nicht erkannt, als der manipulierte Nachrichtendienst eine Großmacht wurde.

Die Zeitungen jener Vorkriegsjahre sprechen eine nüchterne Sprache, man kann sie ja heute nachblättern.

Angesichts dieser kaum noch zu überbietenden kompakten Anzeichen stand der Kaiser mit seinem Kanzler Bülow da und sagte wie der alte Wiener Graf Bobby in der Geschichte mit Mizzi und Graf Schmeidl: »Diese Ungewißheit!«

Hilflos und leichtgläubig war er überzeugt, daß die Welt schön und der Mensch gut sei. Und es ehrt ihn gewiß als Mensch, daß er keinen Grund zu den geringsten Befürchtungen sah. Über ihn als Kaiser aber bricht es den Stab. Denn das Ungeheure und Unfaßbare war eben Tatsache: Man bereitete den Sturz Deutschlands vor.

Sie finden den Satz zu sehr vereinfacht? Wirklich? Ach – glauben Sie mir, er kann gar nicht einfach genug sein!

Wir müssen die Dinge nüchtern sehen: auf der einen Seite reine Geschäftsleute, auf der anderen Seite ein fast mittelalterlicher Kaiser mit staufischen Vorstellungen von der Welt und seinem Reich. Auf der einen Seite Wilhelm II., der sein Land in dem Gefühl betrachtete, es stünde so seit uralten Zeiten, sei selbstverständlich, naturgemäß und unveränderlich. Er hatte die Reichsgründung Bismarcks nicht bewußt miterlebt, für ihn war das Reich »immer schon« da. Er hatte keine Ahnung, was Bismarck da geleistet hatte. Solange er zurückdenken konnte, stand Deutschland da.

Die andere Seite sah das Gebilde »Deutsches Reich« aber wesentlich anders. Solange diese alten Herrschaften zurückdenken konnten, hatte es kein deutsches Reich gegeben! Es hatte in Wien einen ohnmächtigen österreichisch-ungarischen Kaiser gegeben, und Deutschland war nichts als eine Unzahl von kleinen Ländern, ländlich-sittlich. Für jene alten Herren war Bismarcks Reichsgründung, die zu verhindern sie leider nicht schnell und kräftig genug gewesen waren, eine Störung des traditionellen Zustandes in Europa, ein Exzeß geradezu. Das Reich mit seiner rapiden, wenn auch friedlichen Entwicklung war in die gewohnten Berechnungen einfach nicht einzubauen.

So verschieden sahen die beiden Seiten das Gebilde »Deutschland«. Wir dürfen nicht erstaunt sein! Wir werden nicht umhinkönnen, in der von nun an folgenden Geschichte immer wieder den Versuch zu sehen, das Reich Bismarcks wiederherzustellen, und immer wieder den Versuch, dies jedesmal zu verhindern und den Zustand von 1815 wieder herbeizuführen.

Im Herbst 1914 brach der Krieg aus.

Auf dem Umweg über die konfliktgewohnte Habsburger Monarchie Österreich-Ungarn. Es traf sich zufällig sehr günstig: Ein verhetzter Mörder mit dem bezeichnenden, schicksalsschweren Namen Princip tötete in Sarajewo das österreichische Thronfolgerpaar. Österreich stellte an Serbien harte Sühneforderungen. Die Serben lehnten sie, wie es in dem Spiel vorgesehen war, ab. Darauf erklärte Österreich-Ungarn Serbien den Krieg. In diesem Augenblick griff Rußland ein. Der Zar machte mobil! Die deutsche Regierung war entsetzt.

»Diese Ungewißheit!« stöhnte Reichskanzler von Bethmann-Hollweg und richtete eine brennende Anfrage nach Paris. Auch in Wien versuchte er verzweifelt zu begütigen. Die Maschinerie war jedoch bei der Unfähigkeit der Wiener Hofburg nicht mehr aufzuhalten. Man klammerte sich in Wien an den deutschen Bundesgenossen.

Österreich zog Deutschland in den Krieg, Rußland brachte Frankreich und England ein. Später wurden es 26 Feinde. In Worten: sechsundzwanzig. Der Weltkrieg war da.

Es ist viel darüber geredet worden, daß wir es unbedingt hätten vermeiden müssen, selbst an Frankreich den Krieg zu erklären. Nun: fünfundzwanzig Jahre später taten wir es nicht – Sie wissen es ja.

Man hat auch gesagt, ohne die utopische Nibelungentreue Wilhelms II. gegenüber dem alten Kaiser Franz Joseph hätte sich Deutschland vor einem Krieg bewahren können. Ja, so stellen sich das die Martinsgänse im Oktober vor, ehe sie am 10. November in der Pfanne liegen.

Der Krieg dauerte vier Jahre.

Die Akten und Dokumente sind jahrelang in den Staatsarchiven verborgen gehalten worden. Seit sie ans Tageslicht gekommen sind, hat die Geschichte ihr Urteil gefällt.

Nach der Arrasschlacht und der Doppelschlacht von Aisne und Champagne stand Deutschland nach drei Jahren entsetzlicher Opfer wahrscheinlich vor dem Siege. Das war im März 1917. In Paris ging es drunter und drüber. Die Truppen meuterten, die Bevölkerung verlangte Frieden, die Politiker sausten verzweifelt zwischen London und Paris hin und her.

Ein Ereignis, ein Brief von wenigen Zeilen, hat in den Lauf des Schicksals entscheidend eingegriffen: Kaiser Karl von Österreich, Nachfolger des toten Franz Joseph, schrieb hinter dem Rücken Deutschlands und seiner eigenen Regierung einen Brief an Poincaré und bot ihm den Frieden an.

Das war am 31. März 1917.

Wenige Tage später traf Karl von Habsburg in Bad Homburg mit Kaiser Wilhelm zusammen und versicherte ihn der unvergänglichen Bundestreue. Als der österreichische Außenminister von dem entsetzlichen Brief erfuhr, gab ihm Karl sein kaiserliches Ehrenwort, von dem Schreiben nichts zu wissen.

Den Alliierten fiel es wie Schuppen von den Augen. Mit diesem Brief in der Hand überzeugten sie den amerikanischen Präsidenten Wilson, daß Deutschland und Österreich am Ende seien und daß es nur noch des Gnadenstoßes bedürfe.

Am 6. April 1917 traten die Vereinigten Staaten in den Krieg gegen Deutschland ein.

Sie kamen, wie sie seitdem immer, gleich wohin, gekommen sind: frisch, fromm, froh, ungetrübt von Sachkenntnis und unter der Fahne heiliger Empörung.

Anderthalb Jahre hielten Deutschland und Österreich noch stand. Dann waren sie ausgehungert und fertig. Im Wald von Compiègne wurde die bedingungslose Kapitulation unterschrieben.

Friedensdiktate sind für die Sieger etwas Schönes. Eine köstliche Zeit! Da werden die Wunschzettel ausgeschrieben wie vor Weihnachten. Aber sie haben eine unangenehme Eigenschaft: Sie decken für die Nachwelt endgültig auf, für welche Ziele der Krieg geführt wurde.

Und nun wollen wir uns einmal den Versailler Vertrag in aller Gemütsruhe ansehen. Also: Was hat man sich so heiß gewünscht? Wie soll Deutschland aussehen? Fein säuberlich, wie auf dem Seziertisch liegen da die Kriegsziele vor unseren Blicken ausgebreitet:

1. Zerschlagung einer Wirtschaftsmacht. Von der Schwerindustrie bis zu den Kuckucksuhren hat sich jeder seinen lästigen deutschen Konkurrenten vom Halse geschafft.

2. Auslöschung des alten Reichsgedankens und Wieder-

herstellung der früheren Kräfteverteilung. Das Intermezzo des »zweiten Reiches« ist zu Ende, die alten Atlanten können wieder hervorgeholt werden. Der »Despot« hackt Holz in Doorn, Deutschland ist »befreit«. Zum erstenmal in der Geschichte wird eine »Kriegsverbrecherliste« aufgestellt, die 859 Namen mit dem greisen Hindenburg an der Spitze enthält.

3. Territoriale Änderungen und Einlösung von Versprechen an Vasallenstaaten. Ja, was glauben Sie denn, was dieses »Philharmonische Orchester« gekostet hat? Da sind die zu bezahlen, die so laut trompetet haben, dann die zarten Geiger, dann die mit dem Paukenschlag von Sarajewo – soll der Dirigent sie etwa bezahlen? Nein, das geht alles auf Spesen.

Die Tränen, das Elend, die Verzweiflung, der Tod von Hunderttausenden haben uns im Augenblick nicht zu interessieren. Uns interessiert nur: Welche Erkenntnis lehrt Versailles?

Die Niederringung Deutschlands hat den Feindmächten unerwartet schwere Opfer abverlangt. Die Erbitterung ist so stark, daß sie nicht mehr nach ihrer Berechtigung fragt. Der Menschenkenner wird hier bereits wissen: Sollte sich das noch einmal wiederholen, werden furchtbare Instinkte die Oberhand gewinnen.

Es wiederholte sich noch einmal.

Der Kaiser, aus schwerem Traum erwacht, verwirrt, beschämt, hatte in Doorn noch nicht seine ersten Klafter Holz gespalten, da war der Versailler Vertrag bereits unterschrieben. Deutschland war Republik – zum erstenmal in seiner tausendjährigen Geschichte.

Na, nun hatten sie's. Das Schloß stand leer und lud ein, der Reichstag stand leer und lud ein, die ganze historische

Wilhelmstraße stand leer und lud ein. Die Bürger schlossen die Türen zu, ließen die Fensterläden herunter und spähten durch die Ritzen, ob auf der Straße nicht schon die Guillotinen aufgebaut würden. Aber siehe da, die Revolution, wie sie hätte kommen können, fand gar nicht statt. Zwar begann ein großes Gelaufe zu den Antiquitätenhändlern, um ihre Vorderlader zu erwerben, und nach den Autofriedhöfen, um sich zu motorisieren, aber eine Revolution war es zum Leidwesen des ganzen trauernden Auslandes nicht, auch wenn es Tote gab. Philipp Scheidemann, ein in sozialdemokratischen Reichstagsdiensten ergrauter Spitzbart, hatte, ortskundig wie er war, als erster die Reichskanzlei erreicht und postierte auf ihres Daches Zinne einige Maschinengewehre, die die randalierenden Anarchisten scheu in Schach hielten. Zum Glück brauchten die Mitrailleusen nicht in Aktion zu treten, denn sie funktionierten nicht.

Die Fensterläden konnten wieder geöffnet werden.

Nun galt es zu regieren.

Und wie bei der feierlichen Prozession der Vollbärte in der Frankfurter Paulskirche 1848, so wiederholte sich nun in der ehrwürdigen Goethestadt Weimar das Schauspiel, daß eine Schar von Volksbeauftragten mit frühlingshaftem Glauben an den menschlichen Drang zum Höheren und mit einem hinreißenden Vertrauen zu der Klugheit und Nächstenliebe der ganzen Welt der Republik Deutschland eine Verfassung gab. Wenn man diese Männer später verunglimpft hat, so tat man ihnen Unrecht. Ihr Herz war rein.

Es dauerte nicht lange, da merkten die neuen, zahlreichen Parteien, die nun redend und fortgesetzt abstimmend am Ruder waren, daß sie der Mühe, internationale Politik zu machen, eigentlich enthoben waren. Deutschland lag in den Fesseln von tausend Vertragsbestimmungen und hatte eigentlich für die nächsten hundert Jahre keine andere außenpolitische Aufgabe, als das Friedensdiktat Stück für Stück ad absurdum zu führen und revidieren zu lassen.

So ist es auch tatsächlich vor sich gegangen, Schritt für Schritt. In den Jahren 1930/31 war endlich auch der Young-Plan, der die irrsinnigen Reparationen neu regeln sollte, gestorben.
12 Jahre waren darüber vergangen.
Eine halbe Generation.
Zu diesem Zeitpunkt war bereits eine neue Jugend herangewachsen, und wenn wir genau hinschauen, sehen wir, daß sich hier ein menschlicher, allzu menschlicher Zug wiederholt: Diese Jungen nahmen alles so selbstverständlich hin, wie einst Wilhelm sein Reich, sie kannten keine Vergleiche, für sie war es »immer schon so«.
Der, dem das schon einmal zum Verhängnis geworden war, hätte sie über das »immer so« aufklären können. Aber er begnügte sich weise, weiter Holz zu hacken.
Nein, es war nicht »schon immer so« und würde auch nicht so bleiben. 1930/31, also am Ausgang jener Zeit, die man später die Systemzeit zu nennen pflegte, zwölf Jahre nach dem Weltkrieg, war es bereits deutlich zu erkennen, daß es nicht so weiterging.

Was war geschehen?
Ja, was war geschehen –
Wenn man aus dem Fenster schaute, über die Dächer von Berlin blickte oder auf das Treiben in den Straßen hinabsah, dachte man: »Merkwürdig, es ist das gleiche Land, es sind dieselben Häuser mit den alten verschnörkelten Fas-

saden, dieselben Bäume, die im Tiergarten blühen, dasselbe Deutschland mit seinen vielen geschäftigen Menschen, die die gleiche Sprache wie früher sprechen, das gleiche arbeiten, das gleiche schaffen – und doch sitzt der Wurm drin.«

Ja, es war merkwürdig: Alle wußten es.

Die Bauern säten und ernteten wie früher, die Arbeiter standen an den Maschinen, die Ärzte heilten, die Richter sprachen Recht, die Zeitungen wurden gedruckt, die Eisenbahnen rollten elektrisch, Autos fuhren zu Zehntausenden, Lichtreklamen liefen an den Dächern entlang, Lifts durchzogen die riesigen neuen Bürohäuser Tag und Nacht, unter der Erde rauschten in endlosen Tunneln die Untergrundbahnen, ein Telefonnetz verband alle die Fenster, die man sah, miteinander, vom Funkhaus liefen Radioprogramme in die ganze Welt, in den großen gläsernen Hallen der Bahnhöfe stampften die D-Züge, und in den teppichgedämpften Hotels waren Menschen aus USA, aus Afrika, aus Argentinien und Sumatra abgestiegen.

Wie schön waren wintertags die Städte, wie schön die Opernabende, die Theater, die Konzerte, die Banketts, die fremden bunten Fahnen auf den Botschaftsgebäuden, der Bienenschwarm von Jugend auf dem Vorplatz der Universität.

Und doch wußten es alle. Es war merkwürdig. Man stand am Fenster und dachte: »Wie könnte das wohl aussehen, wenn das alles nicht mehr weitergeht, wenn es zusammenkracht? Wie könnte das einmal vor sich gehen?«

Lag der Krieg nicht weit, weit zurück, war er nicht lange überwunden? Dennoch ging es Deutschland so schrecklich schlecht, alle wußten es. Die Zahl der Arbeitslosen, die am Verhungern waren, wuchs ständig. Jetzt waren es sechseinhalb Millionen.

Dort unten, unter dem Fenster, standen sie an den Ecken der Häuser oder gingen ruhelos durch die Straßen. Vor den Arbeitsämtern drängten sich die abgerissenen und hohlwangigen Gestalten an den »Stempeltagen« zu Tausenden. Eine Fabrik nach der anderen machte zu, ein Geschäft nach dem anderen schloß. So viele Büros standen leer. Keine Arbeit und keine Wohnungen. Millionen Männer waren im Krieg gefallen, und es gab doch noch zu wenig Wohnungen. Die Zeitungen waren voll von Meldungen über Selbstmorde. Eine Zusammenstellung hätte ausgesehen wie eine Verlustliste aus dem Weltkrieg. Lauter Opfer, aber wovon?

In zwölf Jahren war nun der 13. Reichskanzler an der Regierung. Und Außenminister war – ach, man konnte sich die Namen gar nicht so schnell merken. Wenn einer von ihnen in Locarno oder Lugano oder Genf oder an einem anderen sonnigen Ort, wo sich seit dem Vorbild des Wiener Kongresses Konferenzen abspielten, etwas erreicht hatte, irgendeine geringe Einschränkung des Versailler Diktats, dann kehrte er glückstrahlend heim, um tags darauf schon wegen einer Lohnfrage der Müllabfuhr gestürzt zu sein. Die Minister waren zu Briefträgern geworden.

Deutschland war nun Republik und Demokratie, aber die Apparatur funktionierte nicht, wie es die Gebrauchsanweisung versprach. Otto Reutter sang um diese Zeit in den Kabaretts: »Na, da muß doch an der Leitung etwas nicht in Ordnung sein!«

Alle Macht lag nun bei den Abgeordneten des Reichstags. Es waren mehr als ein halbes Tausend: Bäcker, Schneider, Schlosser, Syndizi, Handelsreisende, Hausfrauen, Schriftsteller, Fabrikarbeiterinnen, Gutsbesitzer, Chemiker. Sie repräsentierten von jetzt an den gesunden Menschenverstand. Wenn der Außenminister irgendeinen Schachzug vorhatte, mußte er es vor diesem halben Tausend in aller Öffentlichkeit des langen und breiten erklären, und wenn er Glück hatte und seinen Plan schon in allen ausländischen Zeitungen lesen konnte, dann bekam er die Erlaubnis zum Handeln, sofern die Regierung bereit war, irgendwelchen Leuten, die gerade streikten, die Löhne zu erhöhen oder eine andere Parteiforderung zu erfüllen. Streiks gab es fast täglich. Immer streikte jemand. Alle, die es sich leisten konnten, schlugen wie wild um sich, und wenn sie die Regierung zu neuen Zugeständnissen erpressen konnten, dann taten sie es. Die Zahl der Parteien betrug fast drei Dutzend. Viele von ihnen waren eigentlich bloß Vereine und Interessengemeinschaften, manche wollten nur Mieten erhöhen oder die Schrebergärten verbilligen. Das war jetzt Politik! Die anderen zogen zu Demonstrationen durch die Straßen, und aus den Fenstern der Armenviertel flogen ihnen brennende Matratzen und volle Nachtgeschirre auf die Köpfe und Fahnen.

Um das Denkmal des Alten Fritzen Unter den Linden spielten die Kinder Fangen. Gegenüber – der Pförtner vom Palais des alten Kaiser Wilhelm stellte seine Pelargonien- und Fuchsientöpfe vor die Fenster seiner Souterrainwohnung und ließ die Markise an dem historischen Eckfenster gegen die milde Frühlingssonne herunter. Fünfhundert Meter weiter, auf der Spreeinsel, hatte das kaiserliche Schloß seine Tore weit geöffnet. Wenn man hindurchschritt, war es, als betrete man eine Insel der Vergangenheit. Hier regierte vor noch nicht langer Zeit Wilhelm II. und ging Bismarck aus und ein.

Jetzt war es Museum. Das war schnell gegangen.

Man stand am Fenster, schaute über die Dächer von Berlin und dachte: »Es wäre alles nicht wichtig, Formen wechseln, Systeme kommen und gehen, Unrecht wird vergessen – aber wie soll *das* weitergehen? Es ist überhaupt kein Ausweg zu erkennen.«

Die Menschen irrten sich nicht, Deutschland stand tatsächlich vor dem Bankrott. Das Land, das ein vier Jahre langes Sperrfeuer im Kriege durchgehalten hatte, das den Zusammenbruch und die Ausplünderung überstanden hatte, in dem in allen Studierstuben und Laboratorien wie verrückt erfunden und konstruiert wurde, um Kapital und Ersatz herbeizuschaffen, dieses Land mit 60 Millionen Menschen war nicht im Kriege, sondern im Frieden unerklärlich siech und sterbenskrank geworden. Wie war es dazu gekommen? Was steckte dahinter?

Drehen wir nun die Uhr noch einmal zurück. Wie war das, kurz nach dem Kriege?

Der Versailler Vertrag war nicht zu erfüllen gewesen. Wer nichts mehr hat, kann nichts mehr geben. Man hatte mehr verlangt, als Deutschland besaß.

Hier muß ich nun einem weitverbreiteten Irrtum vorbeugen, dem Irrtum, zu glauben, daß die Alliierten Deutschlands Leistungsfähigkeit im Trubel der Ereignisse überschätzt hatten. O nein! Da waren erstklassige Fachleute am Werk, die sich schon sehr lange mit der Frage von Deutschlands Zahlungsfähigkeit beschäftigt hatten. Sie kannten sich in unseren Taschen genau aus. Sie hätten binnen Minuten die Summen aufsagen können, die erfüllbar gewesen wären. Sie nannten aber andere, sie nannten unerfüllbare.

Warum?

Sie nannten nicht die Summe, die Deutschland zahlen konnte, sondern die, die sie brauchten! Denn sie hatten alle während des Krieges riesige Schulden bei Onkel Sam gemacht!

Nun – der Gedanke war famos, nur erwies sich Deutschland dadurch um keinen Pfennig reicher. Bestand Aussicht, das Geld dennoch zu bekommen? Ja. Die Berechnung war ebenso einfach wie genial. Die geniale Idee war sowohl England und Frankreich wie auch Amerika gekommen. Gläubiger und Schuldner betrachteten sich verstohlen und mit verschieden listigen Gedanken bei dem gleichen Plan. Wir werden ihn sogleich begreifen:

Als Deutschlands Wirtschaft vor dem Ruin und seine Zahlungskraft am Ende war, gab es zwei Möglichkeiten: Streichung der Reparationen oder Anleihen. Da England und Frankreich auf Zahlung bestanden, blieben also nur Anleihen übrig. Siehe da, da kam auch schon der gute Onkel Sam aus Amerika mit dem dicken Geldbeutel! Er lieh zu hohen Zinsen jene Dollars, die ihm auf dem Wege über Berlin–Paris–London nach einigen Tagen als Schuldabtragung Frankreichs und Englands wieder zugestellt wurden. Das Perpetuum mobile war erfunden!

Welch ein Unsinn! werden Sie sagen.

Nicht doch! Nicht doch! Ich würde Ihnen gern diesen Unsinn ersparen, aber ich kann doch keinen Krieg unterschlagen! Und dies war einer.

Daß England und Frankreich einverstanden waren, ist einzusehen; aber auch die Bankiers von der New Yorker Wallstreet waren zufrieden. Zunächst einmal hatte man aus den Kriegsschulden Zivilschulden gemacht. Sie waren nun sicher vor eventuellen Revisionen des Versailler Vertrages und hingen nicht mehr mit der peinlichen Kriegsschuldfrage zusammen. Aber dies nur nebenbei. Das andere Ziel war viel höher gesteckt.

Lassen Sie es mich wieder ganz vereinfacht sagen: Amerika borgte nicht nur Deutschland Geld, es borgte bald der halben Welt. Eines Tages, aber um eine Kleinigkeit zu spät, ging diesen Staaten ein Licht auf, bei dessen Schein sie bestürzt einen Bleistift zur Hand nahmen und eine Rechnung aufstellten. Sie lautete: Amerika verlangt die Rückzahlung internationaler Schulden in Gold oder Dollar und nimmt auch die Zinsen weder in Waren noch in Rohstoffen an. Die Welt besitzt insgesamt 2 Milliarden Pfund Gold und hat untereinander 40 Milliarden Pfund Gold Schulden. Das heißt, die Goldzinsen würden allein schon die Summe von 2 Milliarden auffressen! Bis zum Jüngsten Tag besteht keine Aussicht, daß von den Schulden auch nur ein Pfund abgetragen wird. Die USA bekommen dabei sehr wohl ihr Geld wieder herein, aber sie nennen es Zinsen. Die Schuld bleibt.

Hokuspokus eins-zwei-drei, das Kunststück ist geglückt, die Beleuchtung kann wieder eingeschaltet werden.

Ende der zwanziger Jahre war zwischen Freund und Feind, zwischen Siegern und Besiegten kein Unterschied mehr: Fast alle lagen sie gehorsam an der goldenen Kette, auch England und Frankreich. In aller Stille hatte das »humane« zwanzigste Jahrhundert einen neuartigen Krieg erfunden.

Einen unblutigen. Arbeitslose bluten nicht.

Die Pfeffersäcke hatten im großen Stile die Ritter wieder abgelöst. Von nun an lief die Staatskunst im alten Sinne nur noch so als schmückendes Beiwerk zur Beruhigung nebenher.

Politik aber war: Wirtschaftsdruck. Geschichte schrieben jetzt die Bankiers. Sie versprachen, daß von jetzt ab alles zumindest unblutig ablaufen sollte.

Das haben wir nun gesehen. 1932 lagen die Dinge so: Deutschland 6 $\frac{1}{2}$ Millionen Arbeitslose, Amerika 13 Millionen, England mehrere Millionen, Frankreich mehrere Millionen, Bürgerkrieg in China, Krieg in Südamerika,

Ölkrieg in Kleinasien. Deutschland soll nichts als arbeiten, abarbeiten, aber es soll zugleich auch wieder *nicht* arbeiten, sonst werden die Sieger arbeitslos. Die Geheimwissenschaft des Geldes trieb wunderliche Blüten!

So sah die Welt aus, als der alte Hindenburg am 30. Januar 1933 nach langem Zögern und mit großen Bedenken zum Hotel »Kaiserhof« hinüber telefonieren ließ, es sei nun so weit, es gäbe offenbar keinen anderen Ausweg mehr, der seltsame Herr möge kommen, er werde ihn zum Reichskanzler berufen.

Im sechzehnten Kapitel

spielt sich der letzte Akt der Ge-
schichte ab. Die Stars steigen von der
Bühne herab in den Zuschauerraum
und spielen mitten unter uns weiter.
Darunter leidet das Verständnis des
Stückes sehr. Was wird gespielt? Ein
Drama? Eine Tragikomödie? Wer
weiß –

Der Herr hieß Chlodowech. Ich sage das so formlos, einfach »Chlodowech«. Er soll ein Barbar gewesen sein, ein
brutaler Raufbold, der nichts als seine persönlichen Triebe
und Leidenschaften kannte, und die waren angeblich nicht
edel. Ein Mann, der einen tieferen Sinn nicht sah.
Ich glaube das nicht. Er war natürlich skrupellos, ich sagte
es schon. Aber Karl der Große ließ bei der Bekehrung der
Sachsen an der Aller Tausende wegen Widerspenstigkeit
hinrichten. Das war auch nicht fein. Wir dürfen nicht einfach beiseite schieben, daß er es fertigbrachte, fast alle
Germanen zu etwas zu vereinen, was so etwas wie ein
»Reich« war. Zu diesem Zeitpunkt konnte das *nur* ein
»Schurke« fertigbringen, kein Arminius.
Er wurde am 20. April 1889 als Sohn armer österreichi-
scher Eltern in Braunau am Inn geboren und hieß mit voll-
ständigem Namen Napoleone Buonaparte. Der junge Napoleone war besessen von Ehrgeiz. Mit Menschen zu
verfahren, irgendwie, war seine Leidenschaft. Er war Militär durch und durch und ungeheuer fleißig. Napoleone
setzte in einer ringsum unfähigen und zerrissenen Welt
seinen Aufstieg fort. Er wünschte Herrscher zu werden.

Eine flugs veranstaltete »Volksbefragung« bestätigte dies »spontan«. Er hatte vorzügliche Verwaltungsideen. Daneben ließ er ehemalige Jakobinerfreunde deportieren und verschwinden, um sich von ihnen zu befreien. Um die Bourbonen zu erschrecken, ließ er den blutjungen Herzog von Enghien grundlos erschießen. Als er der aus Rußland zurückflutenden Armee vorausflüchtete, konnte er ungehindert durch Europa fahren. Alle erkannten ihn. Niemand krümmte ihm ein Haar. Als sich Europa von ihm befreit hatte, schickte man ihn zwar nach Elba, aber mit dem Titel Fürst und …

… oh, Verzeihung! Jetzt merke ich, ich bin fälschlich in zwei ganz andere Kapitel geraten!

Sie könnten es vielleicht als einen Scherz nehmen, aber es war keiner.

Ich frage mich, wie das passieren konnte. Aber so kommt es, wenn man das Fernglas umdreht, um die Dinge aus weiter Distanz zu sehen.

Der Mann, den Reichspräsident von Hindenburg am 30. Januar 1933 zum Reichskanzler machte, hieß Adolf Hitler. Man kannte ihn, er war der Führer der sogenannten »Nationalsozialistischen Deutschen Arbeiterpartei«, jener Gruppe, die in Münchener Bohèmekreisen aus der Taufe gehoben worden war und 1931 mit über 100 Abgeordneten in den Reichstag einzog. Man kannte ihn von Tausenden von »Kampfversammlungen« her, wo er, in braunem Hemd und Stiefelhose, mit tiefer, gutturaler Stimme seine faszinierenden Reden hielt.

Wie Propheten zu tun pflegen, hatte er 14 Jahre lang immer dasselbe gesagt. Seine Theorie war von grandioser Unkompliziertheit, sein Glaubensbekenntnis lautete: Es ist in Wahrheit alles sehr einfach, und wo ein Wille ist, ist auch ein Weg.

Wie kam dieser Mann zu seiner entwaffnenden Wohlgemutheit? Kannte er die verwirrenden politischen Zustände nicht, wußte er nicht, daß die Geldwirtschaft zu einer wahren Geheimwissenschaft geworden war? O doch, er wußte es. Er kannte auch die Gründe. Es war ihm auch durchaus klar, daß die bisherigen maßgeblichen Leute unter den gegebenen Umständen gar nichts ausrichten *konnten*. Eben darum war es ganz zwecklos, sich auf Einzelheiten einzulassen, die jeder widerlegen konnte, der voraussetzte, Hitler würde in dieselbe Lage wie seine Vorgänger kommen. Diese Absicht hatte er nun ganz und gar nicht. Er zog es jedoch vor, dies zunächst nicht auszusprechen.

Es war also Vorsatz, lauter Dinge zu sagen, die entwaffnend wirkten. Das Volk konnte sich partout nicht vorstellen, wie das vor sich gehen sollte, es konnte nur glauben oder nicht glauben.

Damit fiel die Debatte weg.

Diese Tatsache allein schon hätte alle maßgeblichen Männer klarsehen lassen müssen. Die Geschichte hat das doch nun schon zur Genüge vorexerziert. Wo gab es denn das? Man kam nicht auf den Vergleich mit den Religionsgründungen, obwohl es besser gewesen wäre, man *wäre* darauf gekommen. Der Katholizismus z. B. lehrt den ganzen Entwicklungsgang, angefangen von der Urgemeinde, der Verfolgung, dem »Marsch auf …«, der Niederschrift des Buches der Bücher, dem blinden Glauben, der Unfehlbarkeit ex cathedra, der Debattelosigkeit der Menge, bis zur Ausbreitung des alleinseligmachenden Glaubens mit Feuer und Schwert, der Vernichtung Abtrünniger, der Verbrennung von Schriften und den strengen Ordensverbänden. Das ist das Gerippe jeder Bewegung, bei der man entdeckt, daß als erstes die Debatte beseitigt wird. Das darf man sich merken, ob es sich nun um Kulte handelt oder um Vegetarier.

Man mag solche Gedanken gern oder ungern hören: das ist geschichtlich nüchternes Denken.

Dagegen wirkt der heute übliche Hinweis, die braunen Kolonnen von Hitlers sogenannter »SA« hätten genug besagt, plump. Solche Stoßtrupps hatte durchaus nicht Hitler allein gehabt. An der »SA« war kein künftiger *Diktator* abzulesen.

Das Wort ist gefallen, dieses für Deutschland so unerhört neue Wort.

Ja, das war es, was Hitler in der Tasche hatte: die Idee und Möglichkeit einer Diktatur. Deshalb war er, was die Innenpolitik anlangte, vollkommen unbesorgt. Es würde sich mit einem Schlage alles ändern.

Es änderte sich. Die nächsten Wahlen, die er zwei Monate später noch treu und brav demokratisch ansetzte, zeigten, daß sich ein großer Teil des Volkes an ihn als letzte Hoffnung klammerte. Skeptiker und Gläubige traten gemeinsam an die Wahlurne, um diesem Mann mit dem fanatischen Glauben die Möglichkeit zu geben, sein Werk zu versuchen. Zwist, Hader und Eigennutz schienen vergessen, man begann seit langem zum erstenmal wieder hoch politisch zu empfinden, ein Begriff, der vielen verlorengegangen war. Er bedeutet ja, daß der politische Glaube nicht von persönlichen Interessen diktiert ist, ja, daß er ihnen sogar schädlich sein kann!

Drei Wochen nach diesem ungeahnten Wahlsieg nahm der Reichstag das »Ermächtigungsgesetz« an, das der Wendepunkt in der Geschichte des Dritten Reiches wurde. Dieser Beschluß ermächtigte Hitler, Gesetze, auch verfassungsändernde, zu erlassen.

Es war die Übergabe der Diktatur.

Hat es das Volk gewollt?

Merkwürdig, wie heiß die Frage wirkt! Es liegt natürlich daran, daß sie heiß *gehalten* wird. Die Frage scheint so brennend, so wichtig. Sie ist ganz gleichgültig! Hat das Volk Napoleon gewollt? Hat es Ebert gewollt? Hat es Cäsar gewollt? Alle diese Männer sind die Summe, die Endsumme von Kettenwirkungen. Haben wir bei Napoleon überhaupt *gefragt*?

Als die Menschen in Deutschland am Morgen des 25. März 1933 erwachten, befanden sie sich in einem Staatsgebilde, das sie bisher noch nie erlebt hatten. Eine Diktatur, sieh mal einer an! Frauen fragten beim schnellen Morgenkaffee ihre Ehemänner, was sie davon hielten, und alleinstehende Fräuleins wandten sich wenigstens an den Briefträger. Man schaute auf die Straße hinaus, ob irgend etwas Besonderes wäre, aber es war nichts. Oder man stand am Fenster, hielt das Foto dieses Hitler zum Licht und betrachtete lange und forschend seine Züge. Mochte man ihn herbeigesehnt haben oder nicht: das also war der Mensch, der so plötzlich aus dem Nichts emporgestiegen war, der soviel Macht über Menschen zu besitzen schien, den ein geradezu mystischer Ruf umgab und den viele Millionen Menschen, Beamte, Kaufleute, Buchhalter, Gasableser, Lokomotivführer, Rechtsanwälte, Schornsteinfeger und Studienräte »Mein Führer« nannten. Unbeschreiblich seltsam für das Ohr! Und man riß jetzt, wenn man einander begegnete, den rechten Arm steif in die Höhe; nur noch wenige lüfteten den Hut. Wie diese braunen Uniformen aus der Erde schossen, wie grell die Hakenkreuzfahnen in den Straßen wirkten und was für ein ungewohntes Gefühl es war, sie grüßen zu sollen! Wie sehr hatte sich schon vieles geändert!

Wo waren Klettermaxe, die Taximorde, die Kabarett-Zynismen, die Radauszenen im Reichstag, die Straßenschlachten, Dadaisten, Ella-Ella und Piscators verrückte Bühne? Deutschland hatte sich gewandelt – weiß Gott!

Hitler stürzte sich zunächst ganz auf die Innenpolitik. Er war in der Lage, die sich jeder Staatsmann in seinem Leben einmal wünscht: Er durfte alle seine Gedanken verwirklichen. Das Volk, das bei Reichskanzler Brünings bescheidenen »Notverordnungen« aufbegehrt hatte, nahm die neue Sturzflut von Notgesetzen und Befehlen wortlos hin. Den in Pension geschickten ehemaligen Machthabern lief das Wasser im Munde zusammen. Sie staunten. Sie hätten nicht zu staunen brauchen. Nicht eine Wurst und Seite Speck läßt hartgesottene Männer mit Erbsen in den Schuhen wallfahrten gehen, sondern der Glaube. Wer das vergißt, kann Deutschland nicht regieren.

Er verbrachte Tag und Nacht mit berserkerhafter Arbeitswut. Er warf die Probleme hinter sich, als wären sie nichts, radikal und hart. Das ist der Grund, warum er als eiskalter Realist galt. Wie falsch, wie grundfalsch! Wer die menschliche Seele kennt, weiß: so sind Romantiker! Hitler war einer.

Und hier stehen wir zum zweitenmal vor einer anscheinend wieder nebensächlichen Entdeckung, die schon die ganze Zukunft hätte offenbaren müssen. Wer ein Menschenkenner ist, ja, wer auch nur unsere großen Romantiker aus dem vorigen Jahrhundert kennt, zittert bei dem Gedanken, daß der Diktator ein Romantiker ist. Das Wort »romantisch« ist ja im Volksmund eine ganz irreführende Verfälschung. Das sind Träger glühender Ideale, von nächtlich zwiespältiger Dämonie und von berserkerhafter Kraft bis zur Selbstzerfleischung. Das war Hitler. Er war nicht die erste dieser Gestalten in der deutschen Geschichte. Dazu gehört auch, daß er sich um das Ausland zunächst kaum zu kümmern schien. Er verwirklichte »sein« Deutschland.

In wenigen Jahren hatte er, rigoros in das Privatleben eingreifend, die Arbeitslosigkeit beseitigt, er hatte sich mit einfachen Federstrichen aus allen Versailler Vertragsfesseln befreit, er trat aus dem nebulosen Völkerbund aus, er besetzte das Rheinland wieder, er stapelte Devisen, um sich gegen Goldmanöver zu sichern, er schaltete die Verwaltungen aller deutschen Länder gleich, er führte die Saarabstimmung mit bombastischem Erfolg von 90 Prozent Stimmen für Deutschland durch, er baute die Wehrmacht neu auf, er legte Tausende von Kilometern Autobahnen durch das Land, er lud die Jugend der Welt zu glanzvollen Olympischen Spielen, er fuhr die Arbeiter und kleinen Leute im Urlaub nach Madeira.

Eines Tages aber war er am Ende. Er hatte sich ganz dem Zauber einer diktatorisch reibungslosen Innenpolitik hingegeben und die Außenpolitik vergessen. Jetzt meldete sich die Welt bei ihm.

In den Augen des Auslandes war Hitler ein Napoleon. »Paßt auf, daß nicht Napoleon kommt, der die kleinen Kinder frißt!« Natürlich war der echte Napoleon tot und daher ein Held, Hitler aber lebte in beängstigendem Maße. Stellen Sie sich auf der einen Seite lauter joviale Herren vor, Herren in Zivil, der Uniform angeblich ganz abhold, Herren mit breitem Lächeln, dicker Zigarre und stets schüttelbereiter Hand. Ja, sie leben noch! Das ganze Volk, die ganze Welt sieht diese gemütlichen Herren. Sie sieht sie harmlos spazierengehen, sie sieht sie in einem Hut zu dreizehn Mark fünfzig (teurer geworden) und auf der Miniaturbahn (jetzt elektrisch!) bei der Eröffnung einer Weltausstellung, einfache, Vertrauen erweckende Mitmenschen.

Stellen Sie sich auf der anderen Seite den Alleinherrscher vor! (Hindenburg war tot.) Sobald des Morgens ein Lakai ins Zimmer trat, schon stand er in Uniform da. Nie sah man ihn gemütlich lächeln, nie einen Schnaps trinken, nie mit einem Hut zu dreizehn Mark fünfzig.

Sie waren sehr besorgt. Sie waren erschrocken gewesen, wie gewalttätig und völlig nichtachtend Hitler bei Regierungsantritt den Schlußstrich unter Versailles gezogen hatte, aber – je, nun – sie hatten es geschluckt. Aber jetzt wurde die Sache aus zwei Gründen ernst: Spanien war umgefallen und stand im Begriff, Diktatur zu werden. Und Hitler hatte die Autarkie, die völlige Einschränkung und wirtschaftliche Selbstgenügsamkeit verkündet. Hier machte etwas Schule, was für die Weltordnung der Goldländer in Zukunft lebensgefährlich werden mußte. Es war bereits die vierte Diktatur in Europa, der vierte Fall von Autarkie, der vierte Fall der Loslösung aus der Verquikkung mit der Weltwirtschaft. Es ging an den Lebensnerv. Nun sah es aber von draußen zunächst so aus, wie die zahlreichen und verständlicherweise verbitterten Emigranten flüsterten: Es schien die Hoffnung zu bestehen, daß Hitler eines Tages von selbst fallen würde. Konnte man es abwarten? Es sah so aus: Im Juni 1934 schien das Fundament des Dritten Reiches zum ersten Male bereits zu wanken, als Hitler mit den Erschießungen seiner ehemals treusten Freunde Anzeichen der Panik zeigte. Es folgten (noch vor den Olympischen Spielen) die Rassengesetze, die Entsetzen erregen mußten, dann kam die »Kristallnacht«, in der man den »Nichtariern« die Scheiben einschlug und die Synagogen anzündete, dann kam der Erlaß, der die Parteifahne zur alleinigen Reichsflagge machte, dann kam die Gleichsetzung der Waffen-SS mit der Wehrmacht, die die Generäle völlig überraschte, das Einziehen der Auslandspässe und Ersetzen durch Kennkarten, und immer wieder kam man zu der Überlegung zurück, die scheinbar am schwersten wog: daß ein hochkultiviertes Volk wie das deutsche die Konzentrationslager unmöglich übersehen und hinnehmen könnte, jene Lager, in denen später der Rest der in Deutschland gebliebenen Juden brutal vernichtet wurde.

Alle diese Überlegungen waren, wie wir heute wissen, falsch. Natürlich waren sie falsch. Sie sind in der Geschichte stets Unsinn, das muß man wissen. Sie sind pharisäisch. Das englische Volk hat so gut wie nichts von den britischen Konzentrationslagern gewußt und wissen *wollen*, und das amerikanische Volk war sehr stolz auf seine Einigung im Jahre 1865, ohne sich dessen genau bewußt zu sein, daß es ein brutaler Bürgerkrieg mit 600 000 Toten gewesen war. So und nicht anders sind die Menschen. Man kann es bedauern, aber man kann es nicht leugnen. Die Geschichte erzählt Dinge, die niemand gern hört. Wer sich in Geschichte versenkt, muß die Gegenwart und das Persönliche vergessen. Oder er soll es lassen.

Die Geschichte kennt nicht Gut und Böse, sie spricht nie davon, *wir* sind es, die das tun. Die Geschichte wagt es nicht. Sie hat zuviel gesehen.

So berichtet zwar die Geschichte, daß am 24. August 1572 in Paris die »Bartholomäusnacht« stattfand, sie fragt, was sie wollte und was sie nützte, und lehrt: nichts. Aber sie spricht nicht von den niederträchtigen Herzen jener, die diese Schreckensnacht befahlen, sie lehnt es als zwecklos ab, von den Seufzern zu reden, dem Schrecken, der irrsinnigen Angst der Kinder, dem Jammer der Liebenden, dem Hohn auf Gott.

Tränen als Gewichte nimmt die Geschichte wieder von der Waagschale herunter. Spätestens in einigen Generationen. Geschichte wägt anderes. Wer die Tränen für die Geschichte seiner eigenen Gegenwart dennoch daraufleget, erhält ein falsches Gewicht.

Ich will es weder für die Zeit vor 1945, noch für die letzten Jahre, die ich dann noch zu beschreiben habe, tun.

Die Hoffnung des Auslands war also falsch. So billig ging es nicht. Da aber begab sich Hitler auf ein Gebiet, auf dem nun ein haarsträubender Fehler auf den anderen folgen sollte! Er schwenkte um auf die Außenpolitik.

Es sieht fast so aus, als ob ihm jemand, ich weiß nicht, wer es gewesen sein könnte, sein eigenes Buch »Mein Kampf« in die Hände gespielt hätte. Dort hatte er selbst einst geschrieben, daß das Deutsche Reich einmal alle deutschstämmigen und deutschsprachigen Länder umfaßte, ehe es mit Gewalt zerstückelt wurde. Auf diese wunderbare Vorstellung stürzte er sich jetzt, sie schien ihm nun ein neuer Lebensinhalt zu sein. Und natürlich: die Vorstellung, daß alle Deutschen innerhalb einer Grenze wohnen, ist vom Standpunkt des Volkslebens, der Eintracht, der Entwicklung und der politischen Entspannung begeisternd. Aber einem geborenen Propagandisten hätte der Gedanke, daß Träger seiner Ideen überall in anderen Ländern saßen und ihm den Rücken stärkten, auch gefallen müssen. Er hätte es abwarten können.

Jedoch, Hitler war Romantiker.

Die großdeutsche Bewegung in Österreich war von Jahr zu Jahr angewachsen, sie war schließlich – nicht ohne Blutvergießen sogar – zur Macht gekommen und legte dem Herrn des Deutschen Reiches Österreich als alte deutsche Ostmark zu Füßen. Hitler hob die Hand, und die Wehrmacht überschritt von Bayern aus die Grenze. Einige Generäle fühlten sich schwach um den Magen. Wann würde der erste Schuß fallen?

Statt Schüsse fielen Blumen. Österreich wurde in einem wahren Kartoffelfeldzug besetzt.

Kartoffel hin, Kartoffel her: Hitler war zum erstenmal marschiert!

Vom völkerrechtlichen Standpunkt aus ging das außer den Beteiligten niemanden etwas an.

Das Ausland war jedoch entschlossen, kopfzustehen. Die wildesten geschichtlichen Erinnerungen wurden wach, man sah schon wieder Barbarossa auf seinem Rappen durchs Land reiten!

Hitler war über dieses Echo im ersten Moment selbst erschrocken. Er erklärte feierlich, daß England, Frankreich, Italien, USA, Japan ganz unbesorgt sein könnten, er werde nie territoriale Ansprüche stellen, und über die Danziger und die Korridorfrage im Osten werde er stets nur in Güte verhandeln.

Von nun an sagte er das dauernd. Er schrie es bald über alle Wellen und Drähte hinaus, ohne zu merken, daß die Drähte längst durchgeschnitten waren und die Völker ihn draußen nicht mehr hörten.

Als er es schließlich merkte, hat er sich bitter darüber beklagt. Das zeigt, was für ein Hinterwäldler er in der Diplomatie war. Wie kann man sich beklagen! Er war, stellte sich heraus, eben doch kein Menschenkenner, so merkwürdig das klingt. Wenn man in Gedanken die Gestalten durchgeht, die in seiner Umgebung waren, an die er anfangs sein Vertrauen verschwendete und denen er später ebenso verschwenderisch mißtraute, dann findet man das bestätigt. Man braucht bloß an Ribbentrop zu denken, der bis 1945 wohl der unfähigste Außenminister der ganzen deutschen Geschichte gewesen ist. Viele der goldstrotzenden Höflinge hätten mit Goethes Faust sagen können:

> »Von dem Sumpfe kommen wir,
> woraus wir erst entstanden;
> doch sind wir gleich in Reihen hier
> die glänzenden Garanten.«

Was sich in den Köpfen dieser Männer abspielte, ist gleichgültig. Was aber spielte sich in Hitlers Kopf ab, als er nun, nach einer kurzen Zeit des Stillhaltens, sein feierliches Versprechen brach und etwas Wahnsinniges, etwas tödlich Gefährliches tat? Er marschierte in die Tschechoslowakei ein und besetzte sie!

Das verstand auch das deutsche Volk nicht mehr. Zu diesem Zeitpunkt zitterte es bereits, es könnte Krieg geben. Als das Ausland abermals mit Mühe und Not beschwichtigt war, wischten sich die Deutschen den Schweiß von der Stirn und sagten sich: Das ist beängstigend – dieser Mensch hat wieder recht behalten.

Welch ein Irrtum!

Mit diesem Faustpfand Hitlerschen Unrechts in der Hand brachen nun jene Kreise des Auslands, die an dem tödlichen Ausgang des nationalsozialistischen Experiments erklärlicherweise interessiert gewesen waren, endgültig den Stab über Hitler.

Hier war er weltpolitisch bereits ein toter Mann.

Das ist unheimlich, denn während der ganzen Zeit schüttelte man in aller Welt seinen Botschaftern und Gesandten noch kräftig die Hand, man lüftete den Zylinder, wenn die Hakenkreuzfahne hochstieg, und saß bei Banketten lächelnd an der Seite der deutschen Vertreter.

In den Augen dieser Lächelnden war Adolf Hitler bereits gestorben oder – der Herr eines neuen Europas?

Dies schien nun auch Hitler selbst aufzudämmern. Es muß wohl so gewesen sein, denn offensichtlich kam er zu dem Schluß, daß seine »Unschuld« unwiederbringlich dahin, daß die Brücke hinter ihm abgebrochen sei und nun reiner Tisch in einem Aufwaschen gemacht werden müsse. Wenn es schon so gekommen war, dann sollte auch gleich das größte und jüngste Unrecht, das man Deutschland zugefügt hatte, revidiert werden.

Er wandte sich an Polen! Er verlangte ultimativ die Revision der Danziger und der Korridorfrage.

Der Ausspruch Hitlers nach seinem Ultimatum an Polen: »Hoffentlich kommt da nicht wieder irgend so ein Vermittler!« ist sicherlich historisch. Er paßt.

Würde Deutschland wieder durchkommen? England war noch nicht so weit, die USA brauchten noch Zeit, Rußland wollte sich heraushalten, Frankreich fühlte sich noch nicht stark genug – würde Hitler wieder durchkommen?

Ganz Deutschland saß damals bebend vor Erregung am Radio und wartete auf die Nachrichten, die stündlich verkündet wurden. Es wartete und hoffte und konnte es nicht fassen. Die Menschen saßen wie gelähmt da und starrten auf die Uhren, wo die Zeiger der entscheidenden Stunde des Ultimatums immer näher rückten. Sie warteten und warteten – bis die Stimme Hitlers ertönte, die Stimme, wie sie sie noch nie gehört hatten, mühsam beherrscht und von furchtbarem Ernst. Polen hatte das Ultimatum abgelehnt. In allen Häusern, an allen Tischen, zwischen allen Menschen verstummten die Gespräche. Mit einem Schlage stand 1914, Anfang und Ende, vor aller Augen auf. Ein paar Stunden lang schwelte noch die Hoffnung, ein Funke Hoffnung, es könne ein Krieg zwischen Polen und Deutschland bleiben. Ein Strohhalm, an den man sich klammerte. Nur ein paar Stunden, dann war die Kriegserklärung Englands und Frankreichs da!

Der zweite Weltkrieg war ausgebrochen.

Im Herbst 1939 war Polen besiegt, im Frühjahr 1940 Frankreich.

Die Blitzsiege, die folgten und das Heer siegreich bis an die Grenzen der Türkei und Ägyptens führten, sind begleitet von fast tragischer Verblendung. Die Fanfaren der Sondermeldungen dröhnten, aber schon handelte man in Wahrheit im Zwange Englands. Der Wechselbrief dieses Krieges war von England in Umlauf gesetzt, schon lief er um die halbe Welt. Würde er eines Tages zurücklaufen? 1941 hielt Hitler das Schicksal der Welt noch einmal in seiner Hand. Die Russen waren zu Verhandlungen nach Berlin gekommen!

Sie waren bereit, die westliche Hemisphäre zu teilen. Sie wußten, was sie wert waren, und nannten einen Preis, der dem deutschen Michel die Zornesröte ins Gesicht trieb. Heute wirkt es wie ein blutiger Witz der Weltgeschichte. Der Preis war ungefähr die Hälfte dessen, was später die Sieger gern zu zahlen bereit waren.

Als Antwort verkündete Hitler seine »Pan-Europa-Idee«. Molotow fuhr ab. Wieder verwandelte sich die bange Hoffnung des deutschen Volkes in Bestürzung, diesmal in Entsetzen, denn der Zwei-Fronten-Krieg war da!

Hitler hatte sein feierliches Versprechen, dem deutschen Soldaten den Rücken freizuhalten, gebrochen.

Im Winter 1941/42 standen die deutschen Truppen bereits vor Moskau. Stalin zog sich in die unendlichen Weiten seines Reiches zurück. Die Frage, wie nahe Deutschland hier vor einem Siege stand, kann niemand mehr klären. Denn es kam anders. Die deutsche Front erstarrte im Stellungskrieg. Die Generäle waren vom Winter überrascht worden. Dieses erste »Halt« hatte eine tiefe psychologische Wirkung, es durchbrach zum erstenmal etwas, was bisher das Wesentliche von Hitlers Kriegführung gewesen war: den Blitzkrieg.

Und genau in diesem psychologisch kritischen Augenblick erhielt die deutsche Außenpolitik die letzte Quittung ihrer Unfähigkeit: Ein ganzer Kontinent, das gewaltigste Wirtschaftsland der Erde, der wahre Herr der Dinge, Amerika, trat in den Krieg ein!

Die Fanfaren im Radio verstummten.

Erst langsam, dann immer schneller rollten die Wogen, rollte die Flut der deutschen Heere zurück. Schwerfällig, aber beharrlich drückten amerikanischer Stahl und Eisen die Dämme ein, und vorher nie gesehene Völker und Rassen pirschten sich vorsichtig, aber in Scharen hinterdrein, mit ganz präzisen Vorstellungen von Deutschland im Kopf und tadellosen amerikanischen Kreppsohlen an den Füßen.

Es war eine Leistung der Alliierten, vor der der Historiker den Hut ziehen muß. Wie groß sie war, ermißt man erst, wenn man sich überlegt, daß Millionen Christen in der Welt später einen amerikanischen Plan der Ausrottung des deutschen Volkes für nicht übel hielten. Ich muß sagen: Respekt, Respekt!

Aber es war noch nicht so weit! Zwei große Faktoren waren noch im Spiel:

Am 20. Juli 1944 stellte sich heraus, daß eine Gruppe von deutschen Generälen zunächst gegen den Krieg und, als er doch kam, gegen den Sieg, der für sie Hitlers Sieg war, gearbeitet hatte. Sie handelte aus politischer Überzeugung. Es waren vorsichtige Planer. Um ihre Ziele und die offenbar unersetzlichen Männer, die die künftige Regierung bilden sollten, nicht zu gefährden, zögerten sie fünf Jahre, ehe sie sich an den »Iden des März« entschlossen, Hitler eine Aktentasche mit Sprengstoff vor die Füße zu stellen. Der Anschlag mißlang.

Hitler fällte über sie das Urteil: Verräter.

Sieben Jahre nach dem Kriege ließ man gerichtlich feststellen: Helden.

Das Urteil der Geschichte wird, jenseits von gut und böse, lauten: Stümper.

Der zweite noch im Spiel befindliche Faktor existierte ebenfalls seit langem, ohne daß das Volk es ahnte: Hitler glaubte noch in letzter Minute eine völlige Umstellung der Waffen und Kriegführung herbeiführen zu können. Deutschland war im Besitz phantastischer Erfindungen, die sehr wohl imstande schienen, eine vollständige Wendung zu bringen. Die heutigen modernen Waffen der Sieger beruhen darauf. Aber die Zeit reichte bei weitem nicht mehr aus. Die Alliierten waren in Frankreich gelandet. Es war zu spät. Wie Churchill sagte: zu wenig und zu spät. Himmler, der Sicherheitschef des Diktators, richtete über Hitlers Kopf hinweg an die westlichen Länder den Appell, eine Teilkapitulation anzunehmen und ihn im Osten weiterkämpfen zu lassen. Man lehnte ab. Heute, 27 Jahre nach dem Kriegsende wird nun sogar bei uns offen geschrieben, was längst aktenkundig war: daß mindestens von 1942 an jeder Schachzug, jede Planung der deutschen Kriegsführung von einem riesigen Stab von Verrätern an den Feind weitergegeben wurde.

Am 30. April 1945 gab sich Hitler den Tod. Er hatte einen Offizier zum Nachfolger bestimmt, den Großadmiral Dönitz.

Dönitz ließ am 7. Mai die bedingungslose Kapitulation unterzeichnen. – Der Krieg war aus.

Wie pflegten wir zu sagen: Fertigmachen zum Zusammenbrechen? Es gab jetzt nichts mehr zum Zusammenbrechen.

Deutschland war ein mit Phosphor und Bomben ausgebranntes Ruinenfeld. Es machte absolut den Eindruck von Niemandsland. Die Menschen waren wenig mehr als vogelfrei. Nur die Angst verhinderte das völlige Chaos.

Man sah es auf den ersten Blick: Das war nur noch das leere Tigerfell. Da lag es, und man konnte barfuß ungefährdet darüber weg gehen.

Nun mußte also etwas geschehen.

Manches bot sich den Siegern an. Einiges davon war schon lange bis ins kleinste ausgearbeitet und schriftlich niedergelegt. Da war einmal der Theodore Kaufman-Plan »Germany must perish«. Er war einfach, er sah vor, die Deutschen zu sterilisieren. Einen anderen Plan hatte man an der Harvard-Universität ausgearbeitet; nach ihm sollten alle Deutschen als lebenslängliche Zwangsarbeiter auf die Nachbarvölker verteilt und biologisch mit ihnen verschmolzen werden. Hull und viele andere des Schreibens Kundige hatten auch noch Lösungen im Strumpf. Dem Ohr Roosevelts am nächsten stand Henry Morgenthau, dessen »Program to prevent Germany from starting a World War III« dem amerikanischen Präsidenten gut gefiel. Minister Morgenthau mußte nach Roosevelts Tode im April 1945 sein Programm angesichts der tauben Ohren der Militärs wiederholt ändern. Zum Schluß sah es ganz manierlich aus. Er wollte uns lediglich zu einem Ackerbauvolk machen und, wie er sich ausdrückte, auf dem niedrigsten Stand halten. Eine durchaus humane Lösung also. Allerdings – für die Intelligenzler-Garde der Zeit wäre sie furchtbar gewesen, weil sie sie gezwungen hätte, im Bodensee zu fischen statt im trüben.

Man hatte der Ideen also viele.

Zur Durchführung kam einstweilen ein gemäßigter Hull-Plan, gemäßigt, denn mit dem westlichen Schrumpfdeutschland war geographisch wirklich nicht mehr sehr viel anzufangen. Man teilte es zunächst in drei Kolonien auf, im Norden herrschten die Briten, im Südwesten die Franzosen, im Süden die Amerikaner.

Da kamen sie in ungeheuren Scharen mit Kind und Kegel und schwarzer Mammy wie Sommerfrischler nach Deutschland. Freilich, es war unwirtlicher denn das schottische Hochland, aber der Einäugige war hier immer noch König.

Stellen Sie sich auf der einen Seite lauter hohlschauende, leicht verängstigte Männer vor, Männer im Räuberzivil, der Uniform ganz abhold, selbstgebauten Tabak rauchend. Nie sah man sie behäbig lächelnd. Wenn man ihnen begegnete, standen sie mit aschegrauen Gesichtern Schlange oder füllten Fragebogen aus.

Stellen Sie sich auf der anderen Seite die Sieger und Siegerinnen vor, abwechselnd in grauer Uniform, in brauner Uniform, in Khaki-Uniform, im Schottenrock. Sobald des Morgens der deutsche Lakai ins Zimmer trat, schon stand selbst die Weiblichkeit als Soldat verkleidet da! Embleme und martialische Zeichen, Fräuleins als Oberleutnants, kurzum, man legte den abgemagerten Finger an die spitze Nase und war versucht zu fragen: Onkel Kreuzritter, bist du's oder bist du's nicht?

Er war's.

Jeder der Sieger benahm sich ganz ungeniert. Da wurden Landstriche entvölkert, Städte offiziell zum Plündern freigegeben, Industrien in Pakete verpackt und nach Hause geschickt, alle Erfindungen, Patente und dazugehörige Personen requiriert, Millionen Männer hinter Stacheldraht und Millionen Frauen und Kinder mit nacktem Leben auf die Landstraße gesetzt.

Jedoch, recht besehen, wartete die Welt und mit ihr Deutschland (beachten Sie meine einsichtige Unterscheidung!) immer noch auf eine Lösung. Stalin hatte inzwischen seinen Beuteanteil, das halbe Deutschland, rasch entschlossen nach Hause gebracht und die Rolläden heruntergelassen – die anderen stritten sich. Das erwies sich als nicht gut.

Hat uns nicht Karl May oft genug gelehrt, wie falsch es von den Komantschen war, ihn unentschlossen mit sich herumzuschleppen, statt ihn sofort auszulöschen? So auch hier. Es dauerte und dauerte, man tagte, man verordnete, man untersuchte, man entnazifizierte, man richtete, man hängte, man beschäftigte sich also mit lauter Kleinigkeiten

– da schlichen sich Old Coca Cola und der General Motors
hinter den Marterpfahl und zerschnitten uns die Fesseln in
der richtigen Erkenntnis, daß ein toter Kunde, im Gegensatz zu einem lebenden, kein Kunde mehr ist.

Das geschah 1948. Wir waren entfesselt. Wir fuhren mit
der letzten Konservenbüchse los in die kommerzielle
Freiheit und kamen 1956 mit dem ersten Panzerregiment
an. Gott will es, verkündeten dieselben, die kurz zuvor
noch genau gewußt hatten, daß Gott es nicht will. »Der
herr der welt ist, der sich wandeln kann«, hat Stefan George einmal geschrieben, klein wie stets.

Zehn Jahre nach Kriegsende war von einem Plan der Alliierten nun überhaupt nichts mehr zu erkennen. Dennoch,
auch ohne Plan und ohne Friedensschluß, konnte die Welt
mit den Perspektiven, die wir boten, zufrieden sein: Wir
lebten in einem für immer zerschnittenen Deutschland
(»Ich liebe Deutschland so sehr, daß ich befriedigt bin, daß
es gleich zwei Deutschland gibt.« François Mauriac) und
in einem für immer aufrecht erhaltenen Bewußtsein, als
einziges Volk der Erde eine vollkommen unsühnbare Vergangenheit zu haben.

Das ist erschütternd in seiner Unsinnigkeit, Heuchelei und
Brutalität.

Das Erschütterndste ist jedoch etwas, was wir offenbar
noch gar nicht bemerkt haben, was man aber vorexerziert
bekommt, sobald man eine Zeitlang im Ausland lebt: Die
verantwortlichen Erben Hitlers sind allein die westlichen
Deutschen. *Wir* sind jenes schreckliche Deutschland, *unsere* Erde ist die blutgetränkte Hitler-Erde, *wir* sind die
schuldbeladenen Rechtsnachfolger. Ostdeutschland ist ein
ganz anderes, ein neues Land, ein Land, das zufällig den
gleichen Namen trägt, aber keinen Anteil an der Geschichte des Nationalsozialismus hat: ja, fast steht es im

Geruch, dessen Opfer gewesen zu sein. Mit großer Geschicklichkeit, mit einem erheblichen Maß an nationalem Stolz haben sich die Ostdeutschen in die Rolle eines Novum hineinmanövriert, während die Westdeutschen unter dem Druck ihrer Berufsflagellanten binnen kurzem in den »Zustand unbegrenzter Erpreßbarkeit« gerieten (der Schweizer A. Mohler).

Das ist für die Welt ein angenehmer Zustand, er ist fast sicherer als ein Friedensdiktat, und er ist viel, viel einträglicher. Deshalb überdauert er alle Vernunft, alle Lehren der Geschichte und alle Volten und Haken, die die Weltpolitik schlug.

Sie schlug sehr bald groteske! Zunächst trat ein Ereignis ein, das jeder vernünftige Mensch erwarten, aber bis zum unvermeidlichen Sichtbarwerden natürlich streng verschweigen mußte: Die Allianz der Kreuzritter zerfiel, das absurde Gespann USA–Rußland, das sein Ziel erreicht hatte, riß auseinander; der Teppich, auf dem unsere Richter standen, sauste unter ihren Füßen weg. Die Sandkastenspiele hörten auf, Geschichte setzte wieder ein. Denn das, was die kleinen Moritze sich in den vergangenen Jahren darunter vorgestellt hatten, das war nicht Geschichte, das waren Geschichten.

Da standen sich nun die beiden Kolosse, die sich noch vor kurzem gegenseitig die Persilscheine ihrer reinen Westen ausgestellt hatten, haßerfüllt gegenüber. Und wie zwei riesige Magneten scharten sie die »restlichen« Nationen um sich, Amerika alle guten und edlen, Rußland alle bösen und verführten.

Tatsächlich, das hatte es in der Historie der Neuzeit noch nie gegeben! Politik als Option für eine Ideologie! Was für eine wunderbare, einfache Lösung! Man stimmte für die »gute« Hälfte und hatte seine Außenpolitik getan.

So konnte man nun die ganze Kraft dem Ausbau der Parteienmacht, der Festigung der Sessel und der Dressur der Bevölkerung zuwenden. 1949 war das Volk noch so unverschämt, zu lachen, als ein Minister der neuen, vorfabrizierten Bundesrepublik bei seiner Ankunft in einer Provinzstadt den Bahnsteig räumen und absperren ließ. Fünf Jahre später hatten wir die Hände schon wieder an der Hosennaht*. Zwar fühlten wir dunkel, daß unser Leben nicht stimmte, aber die Kasse stimmte. Hatten wir den Krieg nicht geradezu gewonnen statt verloren? Viele sprachen es direkt aus.

Mit dem Postsack aus Washington erfuhr unsere Regierung nun täglich, wie es in der Welt draußen stand. Es stand einerseits sehr gut, denn alle friedliebenden Völker hatten sich freudig um Amerika geschart und bildeten als Machtblock ein wirklich sanftes Ruhekissen; andererseits stand es aber auch gar nicht gut, denn die Russen experimentierten, forschten, erfanden und rüsteten wie die Wahnsinnigen, so daß notgedrungen auch die USA immer mehr experimentieren, forschen, erfinden und rüsten mußten. Wo sollte das hinführen, fragte sich der brave Bürger, wenn er aus dem Weinrestaurant abends im Mercedes nach Hause rollte. Aber die Experten wußten zum Glück eine vernünftige Antwort, sie sagten: Die Atombombe ist's, die einen Krieg verhindern wird, denn vor ihr scheut jeder zurück. Das sahen wir trotz Hiroshima und Nagasaki ein. Lediglich für die Regierung bauten wir vorsichtshalber einen kleinen Bunker.

---

* Empfangsgedicht von Pfarrer Oppermann, Hollstadt, für Heinrich Lübke (1964): O großer Tag! Girlanden, Fahnen freudig weh'n. / Herr Präsident! Wir dürfen Sie leibhaftig seh'n. / Die Häuser, Straßen schmücken wir. / O guter Herrscher! Ehrerbietig danken wir.

Ich weiß nicht, ob sich die antike Welt, als sich um die Jahrtausendwende vor Christus die Umstellung von Bronze- auf Eisenwaffen vollzog, ebenso wie wir heute an die Illusion geklammert hat, die Perfektionierung des Tötens schrecke die Menschen vom Töten ab. Ich glaube, nein, das ist dem verschwiemelten 20. Jahrhundert vorbehalten.

Bei der Frage, welches das wahre Gesicht einer sich anzeigenden Entwicklung ist, gilt es nicht, mit rastloser Emsigkeit möglichst viele Details und Neuigkeiten zu sammeln, wie es unsere fleißigen Pressebienchen tun. Es wohnt erst dann der geschichtlichen Betrachtung Wissenschaftlichkeit inne, wenn sie die Formeln findet und anwendet, die in der Geschichte jenseits von Moral und Hautnähe stekken, denn das Leben bewegt sich innerhalb bestimmter Grenzen nach stets gültigen Formeln. Wie in der Mathematik ist es dann für die gleichbleibende Richtigkeit eines Gesetzes egal, ob es auf die Frage nach den Folgen der Erfindung der Armbrust oder der Kobaltbombe angewandt wird.

Die alberne, aber oft gehörte Frage, ob durch die Erfindung der Atombombe oder der berauschenden und »verbrüdernden« Weltraumfahrt ein neues, humaneres Zeitalter für das Leben der Völker untereinander angebrochen ist, beantwortet sich trocken folgendermaßen: Die fortschreitende Verweichlichung der Lebensbedingungen durch die Versicherungen der Zivilisation bewirkt eine immer größere Scheu des Menschen vor Verantwortung und vor direkter Berührung mit dem Gegner jedweder Art, ob Person, Krankheit oder auch nur Gedanke. Im Gleichschritt damit marschiert parallel die Entwicklung der Methoden bei gewaltsamen Auseinandersetzungen zwischen Völkern, eine Entwicklung nämlich zu einer anonymen und für die Augen des Durchführenden mit keinem korrigierenden Erschrecken mehr verbundenen Handlung. Die beiden Seiten dieser mathematisch nüchternen Formel haben, wie man sieht, die geforderte Gleichheit, und nirgends steckt etwa ein Hinweis auf eine vielleicht veränderte Einstellung der Menschheit zum Bösen drin.

Sie ist unverändert. Unsere neue, verlogen-sentimentale Mentalität verlangte lediglich eine entpersönlichte, spielerische Handhabung des Bösen. Sie wurde erfunden.

Dies ist die Antwort auf die Frage, ob ein humaneres Zeitalter angebrochen ist.

Ich habe bisher wenig Zahlen, kaum Statistiken gebracht, also nichts von dem meinungsbildenden Marihuana unserer Zeit. An dieser Stelle jedoch will ich Ihnen eine Frage stellen und, da Sie gewiß keine Antwort wissen werden, sie mit einer Statistik belegen, die zu lesen, Zeile für Zeile, Sie sich nicht scheuen sollten.

Der große Schuldige ist tot. Er starb 1945, als sich die ganze übrige Welt verbrüdernd in den Armen lag. Wissen Sie, wieviel Tod und Elend, wieviel Leiden inzwischen diese Erde wieder gesehen hat? Wissen Sie, wie viele Kriege und bewaffnete Auseinandersetzungen seit 1945 unsere Richter geführt haben? Zwei? Fünf? Zehn?

Ich werde es Ihnen sagen: fünfundsiebzig, wobei ich Ereignisse wie die amerikanischen Rassen-Unruhen weggelassen habe!

Kampfgebiete,	Dauer	Gegner
1. Indonesien	1945–49	Niederlande–Eingeborene (Javaner)
2. China	1945–49	Nationalisten–Kommunisten

3. Indochina	1945–54	Franzosen–Vietminh	
4. Malaya	1945–54	Briten–Kommunisten	
5. Griechenland	1946–49	Regierung–Kommunisten	
6. Kaschmir	1947–49	Indien–Pakistan	
7. Birma	1948–50	Regierung–Kommunisten, Karen	
8. Israel	1948–49	Israel–Ägypten, Jordanien, Libanon, Syrien	
9. Philippinen	1948–53	Regierung–Aufständische (Huk)	
10. Korea	1950–53	Südkorea, Uno–Nordkorea, Rotchina	
11. Formosa	s. 1950	USA–Rotchina	
12. Tibet	1950–59	Rotchina–Tibet	
13. Kenia	1952–53	Briten–Mau-Mau	
14. DDR	1953	Regierung, Sowjetunion–Bevölkerung	
15. Quemoy-Matsu	1954–58	Nationalchina–Rotchina	
16. Algerien	1954–62	Frankreich–Aufständische	
17. Zypern	1955–59	Briten–Zyprioten	
18. Kamerun	1955–60	Regierung–Opposition, Stämme	
19. Suez	1956	Großbritannien, Frankreich–Ägypten	
20. Sinai	1956	Israel–Ägypten	
21. Ungarn	1956	Sowjetunion–Ungarn	
22. Indonesien	1956	Regierung–»Äußere Inseln«	
23. Ifni	1957	Spanien–Marokko	
24. Libanon	1958	Regierung, USA–Aufständische	
25. Kuba	1958–59	Regierung–Castro-Anhänger	
26. Himalaya	1958–62	Indien–Rotchina	

27. Irak	1959–70	Regierung–Kurden
28. Laos	s. 1959	Regierung/USA–Aufständische (Pathet Lao)
29. Südvietnam	s. 1959	Regierung/USA–Vietcong
30. Kongo	1960–62	Regierung, UNO–Aufständische, Separatisten
31. Angola	s. 1960	Portugal–Aufständische
32. Kolumbien	s. 1960	Regierung–Aufständische
33. Kuweit	1961	Großbritannien–Irak
34. Goa	1961	Indien–Portugal
35. Kuba (Schweinebucht)	1962	Emigranten, USA–Regierung
36. West-Neu-Guinea	1962	Niederlande–Indonesien
37. Jemen	1962	Royalisten–Regierung Ägypten
38. Kuba	1962	Regierung, UdSSR–USA
39. Algerien Marokko	1962	Algerien–Marokko
40. Bolivien	1962	Regierung–Aufständische (Guevara)
41. Venezuela	1962	Regierung–Aufständische
42. Malaysia	1963–66	Regierung, Großbritannien–Indonesien
43. Uruguay	s. 1963	Regierung–Tupamaros
44. Kongo	1964–65	Regierung–Aufständische
45. Thailand	1964–65	Regierung–Aufständische (Kommunisten)
46. Ogaden	1964	Äthiopien–Somalia
47. Dominik. Republik	1964–65	Regierung, USA–Aufständische
48. Port. Ostafrika	1965	Regierung–Aufständische

49. Pakistan, Indien	1965	Pakistan–Indien
50. Peru	1965	Regierung–Aufständische
51. Südsudan	1965–72	Regierung–Südsudanesen
52. Südjemen	1965–67	Großbritannien–Jemeniten
53. Vietnam	s. 1966	Nordvietnam–Südvietnam, USA
54. Nordirland	s. 1966	Protestanten–Katholiken
55. Nigeria	1966	Ibo–Regierung
56. Uganda	1966	Uganda–Buganda
57. Israel, Palästina	1967	Israel–Ägypten, Jordanien, Syrien
58. Nigeria	1967–70	Nigeria–Biafra
59. Sikkim	1967	Indien, Sikkim–Rotchina
60. Jordanien	1968–71	Regierung–arab. Freischärler
61. Nicaragua	1968	Nicaragua–Honduras
62. Oman	s. 1968	Regierung–kommunistische Rebellen
63. Tschechoslowakei	1968	CSSR–Sowjetunion, Warschauer Pakt
64. Tschad	1968–69	Regierung, Frankreich–Aufständische
65. Ussuri	1969	Sowjetunion–Rotchina
66. El Salvador	1969	El Salvador–Honduras
67. Thailand	s. 1969	Regierung–Aufständische (kom. Partisanen)
68. Kambodscha	s. 1970	Regierung/Südvietnam–Nordvietnam
69. Bengalen	1971	Pakistan–Indien
70. Ceylon	1971	Regierung–Maoisten
71. Sierra Leone	1971	Regierung, Guinea–Aufständische

72. Libanon	1971–72	Israel–arabische Partisanen
73. Tschad	1971	Regierung–Aufständische, Lybien
74. Sudan	1971	Regierung–Kommunisten
75. Burundi	1972	Watussi–Bahutu

Die UNO errechnete bis zu diesem Zeitpunkt zwanzig Millionen Tote.

Wie hatte Roosevelt am »Tag der Vereinten Nationen«, von denen das unwürdige Deutschland ausgeschlossen ist, gesagt? »Gott der Freien, wir geloben unser Herz und unser Leben der Sache der gesamten freien Menschheit. Unsere Erde ist nur ein kleiner Stern im großen Universum. Aber wir können, so wir wollen, aus ihr einen Planeten machen, der unbelästigt ist vom Kriege, verschont ist von Hunger und Furcht, ungespalten ist durch die sinnlosen Unterscheidungen von Rasse, Hautfarbe und Theorie. Der Geist des Menschen ist erwacht, und die Seele des Menschen ist vorangeschritten. Gib uns das Geschick und den Mut, die Welt von der Unterdrückung und der alten gemeinen Lehre, daß die Starken die Schwachen aufessen müssen, zu säubern. Schenke uns einen gemeinsamen Glauben, daß der Mensch Brot und Frieden, Gerechtigkeit und Rechtschaffenheit, Freiheit und Sicherheit, Gelegenheit und die gleiche Chance, sein Bestes zu tun, nicht nur in unserem Land, sondern in der ganzen Welt kennenlernen wird. Und in diesem Glauben laßt uns marschieren, auf die saubere Welt zu, die unsere Hände schaffen können. Amen.«

Ja. Amen.

Diese letzten Zeilen schreibe ich im Juni 1967. Eben hörte ich im Rundfunk eine Stimme, die sagte: Das Ende dieses Jahrhunderts werde zeigen, daß die große Auseinandersetzung nicht zwischen Ideologien, sondern zwischen Rassen, der weißen, schwarzen und gelben, stattfinden wird.

Höre ich recht? Vor zwanzig Jahren hätten diese Worte noch den CIC alarmiert, vor fünf Jahren noch einen Aufschrei ausgelöst. Was ist geschehen?

Es ist tatsächlich etwas Entscheidendes geschehen: Die Welt ist in ein neues Stadium getreten. Der starre Zweimächteblock hat sich aufgelöst in drei, wenn nicht schon in vier Blöcke. Der Gigant China hat sich von Rußland gelöst, Ideologien halten nicht mehr zusammen, der schwarze Erdteil ballt sich zum Kampf, er kennt nur einen Feind, den Weißen, die Flanken Amerikas sind aufgerissen, Rußland wird schwindlig und schwankt, jeden Moment kann Indien erwachen, es wächst monatlich um 1 Million, πάντα ῥεῖ, Feinde strecken sich wieder die Hand hin (»Nachbarin, Euer Fläschchen!«), das Spiel von den guten und bösen Schafen ist zu Ende, das schwere Simultanspiel beginnt wieder.

Aber, wer kann es noch? Wer hat es noch gelernt? Wer von den routinierten Mensch-ärgere-dich-nicht-Spielern kann Schach-dem-König?

Wir?

Deutschland? Was ist das, wo liegt dieses Kleckschen Erde? Rechts und links der Mauer? Da soll es liegen bleiben, da liegt es gut.